BANKGEHEIM

CHARLES EPPING

BANKGEHEIM

UITGEVERIJ LUITINGH

Voor Elemér – en Roswitha

Opmerking
Dit verhaal is fictief. Namen, personages, bedrijven, organisaties, plaatsen, gebeurtenissen en voorvallen in deze roman zijn hetzij ontsproten aan de verbeelding van de auteur, hetzij 'factief' gebruikt. Iedere gelijkenis met feitelijke personen, dood of levend, berust volledig op toeval.

© 2006 by Charles Epping
All rights reserved
© 2007 Nederlandse vertaling
Uitgeverij Luitingh ~ Sijthoff B.V., Amsterdam
Alle rechten voorbehouden
Oorspronkelijke titel: *Trust*
Vertaling: Jan Steemers
Omslagontwerp: Edd, Amsterdam
Omslagfotografie: Masterfile Deutschland GmbH / Getty Images

ISBN 978 90 245 2224 8
NUR 332

www.boekenwereld.com

Tout m'est suspect: je crains que je ne sois séduit.
Je crains Néron; je crains le malheur qui me suit.
D'un noir pressentiment, malgré moi prévenue.

Alles komt me verdacht voor: overal speur ik
bedrog.
Ik vrees Nero; ik vrees het ongeluk dat mij
achtervolgt.
Ondanks mijzelf door een somber voorgevoel
overmand.

– JEAN RACINE, *Britannicus*, 5de bedrijf, 1ste toneel

Proloog

'Ze kunnen me niets maken, schat. Ik ben Hongaars staatsburger. Ik heb het volste recht door Oostenrijk te reizen, of het nu door de nazi's is bezet of niet.'

'*Figyelem! De Oriënt Expres naar Wenen, Zürich, Bazel en Parijs staat gereed op spoor negen.*'

Aladár Kohen tuurde door de dikke walm sigarenrook in de houten telefooncabine. De wachtkamer eersteklas stroomde snel leeg.

'Ik moet ophangen, schat. Dat is de derde keer dat ze... Ja, ik bel je bij aankomst.' Snel raapte hij zijn kranten bij elkaar. 'Maak je geen zorgen, ik zal zorgen dat je geld – ons geld – veilig is.'

'*Attentie! De Oriënt Expres staat op het punt te vertrekken. Spoor negen.*'

'Ik moet nu echt gaan. Geef István en Magda een kus van me. *Csókolom.* Ja, schat, mijn pak is nog keurig. We zagen elkaar twee uur geleden nog, weet je nog wel?'

Aladár doofde zijn sigaar, pakte zijn kranten en zijn leren koffer en ging op weg naar de perrons.

Terwijl hij stilstond om zijn hoed uit het rek te pakken, wierp hij een blik in de grote vergulde spiegel links van de wachtkamerdeur. Hij glimlachte. Met zijn krijtstreeppak, Eden-hoed en donkere das vond hij dat hij eruitzag als een bankier – een Zwitserse bankier zelfs.

'*Attentie. De Oriënt Expres staat op het punt te vertrekken.*'

Hij haastte zich de deur uit, zonder te merken dat zijn overhemd en das waren besprenkeld met druppels soep en kruimels van zijn haastig genuttigde maal in de stationsrestauratie.

'*Attentie. Laatste oproep.*'

Terwijl hij zich door het drukke station repte, vielen verschillende katernen van zijn kranten op de grond. Hij bleef niet staan om ze op te rapen. Het maakte niet uit; het nieuws was toch één pot nat. Van de plaatselijke *Pesti Naplò* en de Duitstalige *Pester Lloyd* tot de *Neue Zürcher Zeitung* en de *Manchester Guardian* was het duidelijk: de Anschluss, Hitlers annexatie van Oostenrijk, was nog maar het begin.

Hij bereikte de trein terwijl de conducteur van het slaaprijtuig bezig was de kleine houten trap te verwijderen. *'Kérem a jegyét!'* De conducteur stak zijn hand uit om de tickets aan te pakken. Aladár zocht koortsachtig in zijn zakken. 'Ik moet ze ergens hebben...' Hij opende zijn leren portefeuille en verscheidene bankbiljetten en papiertjes vielen op de grond. Terwijl hij knielde om ze op te rapen, voelde hij de hete stoom die onder het donkerblauwe slaaprijtuig van de Compagnie des Wagon-Lits uit kwam. Van de andere kant van het station klonk een schel gefluit. Aladár keek schaapachtig omhoog. 'Ik weet niet waar ze zijn. Een uur geleden had ik ze nog.' Terwijl hij opstond, zag de conducteur de tickets uit Aladárs linkerbinnenzak steken. Hij hielp Aladár snel de trein in en blies op zijn fluitje. Binnen een paar seconden kwam de trein in beweging.

In zijn coupé legde Aladár zijn koffer op het bed en nam er het toiletkoffertje uit dat zijn schoonvader hem kort voor zijn dood had gegeven, nog maar twee jaar geleden. Aladár streek over het zachte bruine leer – de beste kwaliteit die de Blauer-fabriek had geproduceerd. Hij herinnerde zich wat zijn schoonvader hem over de Zwitsers had verteld. *'Akármi is lesz* – wat er ook gebeurt, je kunt ze altijd je geld toevertrouwen. Ze zijn eerlijk, ze kunnen een geheim bewaren en, nog belangrijker, ze weten hoe ze buiten oorlogen kunnen blijven.'

De oude heer had vaak zijn voldoening uitgesproken over zijn beslissing het familiekapitaal gedurende de Grote Oorlog in Zwitserland te bewaren, want daardoor had hij – en de lederfabriek – de naoorlogse chaos en inflatie overleefd. Nu was het Aladárs beurt om te zorgen dat het fortuin van de Blauers de komende grote brand overleefde.

Hij hoorde voetstappen in het gangpad. Een mooie donkerharige vrouw kwam voorbij. Hij glimlachte. De vrouw hield even haar pas in, liep toen door. Aladár stak zijn hoofd om de deur van zijn coupé en zag haar verdwijnen in het slaaprijtuig twee-de klas. Een vleug Chanel No. 3 – een van zijn lievelingsgeuren – bleef in de gang hangen.

Hij ging weer op het bed zitten en staarde uit het raam naar de uitgestrekte tarwe- en gerstvelden die voorbijgleden. Op een bepaald moment stak hij zijn hand in zijn broekzak en betastte drie kleine sleutels. Zijn gedachten gingen terug naar het telefoontje van de Weense bankier van de familie Blauer, een week geleden nu. 'We maken pas een maand deel uit van het Derde Rijk,' had de anders zo stoïcijnse bankier gefluisterd, 'en ze beginnen nu al beslag te leggen op rekeningen met Joodse namen. Godzijdank hebt u alles vóór de Anschluss naar Zwitserland overgebracht. Hoe wist u ervan?'

'Het was eigenlijk meer Katalins idee...'

De trein kwam met een schel gepiep tot stilstand. Aladár boog zich uit het raam en zag een grote vlag boven de grensovergang wapperen. Bij het zien van het zwarte hakenkruis op de rood-witte banier liep er een rilling over zijn rug. Hij ging weer zitten, wachtend op wat komen ging.

Hij opende zijn paspoort en staarde naar de naam op de eerste bladzijde: *Kohen*. De naam waar zijn vader zo trots op was geweest. Zo trots dat hij, toen de meeste Joodse families in Boedapest in het begin van de eeuw hun naam veranderden, dat niet had gedaan.

Misschien was zijn vader dáárom een eenvoudige professor gebleven, terwijl het Joodse families met Duits klinkende namen, zoals de Blauers, maatschappelijk en economisch voor de wind was gegaan.

Aladár hoorde geroep over en weer langs het spoor. Hij draaide zich om. Drie grenswachten in groene uniformen leidden een vrouw uit de trein. De voering van haar mantel sleepte los over de grond achter haar aan. Het was de vrouw die hij langs zijn coupé had zien komen. De wachten leidden haar naar een klein gebouwtje met de naam HEGYESHALOM boven de deur. Kennelijk waren de Hongaren beducht voor kapitaalvlucht en arresteerden ze iedereen die kostbaarheden het land uit probeerde te brengen.

Toen ze Aladárs coupé bereikten, keken ze zijn spullen slechts vluchtig door; kennelijk wisten ze uit ervaring dat passagiers die eersteklas reisden ingenieuzere manieren hadden om hun geld en juwelen het land uit te krijgen dan ze in de voering van hun jas te naaien.

Een paar minuten later arriveerden de nazigrenswachten. 'Heil Hitler!' Ze gaven Aladár een snelle groet en bevalen hem zijn koffer open te doen.

Een van de wachten – een jonge, blonde man met een zwaar Oostenrijks accent – vroeg om zijn paspoort. Aladár overhandigde het hem zonder een woord te zeggen. Zijn hart bonsde in zijn keel.

Hij zag dat de wacht de naam aandachtig bekeek en het paspoort toen doorgaf aan een man in de gang die een zwart pak en een naziarmband droeg. De man schreef Aladárs naam en adres zorgvuldig over in een boekje met een leren band, gaf het paspoort toen terug en liep verder.

Toen ze weg waren, deed Aladár zijn deur op slot; en hij hield hem gesloten gedurende de hele reis door Oostenrijk – Ostmark, zoals het nu werd genoemd. Oostenrijk, het 'Rijk van het Oosten', was deel geworden van het nazi-Rijk. Hoe lang zou het duren voordat Hongarije hetzelfde lot ten deel viel?

Aladár ging liggen en sloot zijn ogen. Hij probeerde te slapen, maar het draaide erop uit dat hij de uren telde terwijl ze afkoersten op de Alpen – en de Zwitserse grens.

Je had de zuidelijke route kunnen nemen, zei hij tegen zichzelf, ook al zou dat betekend hebben dat hij via Zagreb, Triëst en Milaan en dan over de Alpen door de St. Gotthardpas naar Zürich reisde. *Maar zou het iets hebben uitgemaakt? Zouden de Italiaanse fascisten minder bedreigend zijn geweest voor iemand met een naam als Kohen?*

Bij dageraad opende hij zijn gordijnen en keek uit op de Alpen, die pasteloranje straalden in de donkerblauwe ochtendhemel. De aanblik van die indrukwekkende pieken raakte hem altijd diep.

De ongerepte, met sneeuw bedekte bergen maakten dat hij zich op een of andere manier gewichtloos voelde, alsof ze hem naar hun niveau konden optillen, weg van de beslommeringen van het leven, weg van alles.

In Buchs waren de nazigrenswachten veel grondiger dan toen Aladár Oostenrijk binnen was gekomen.

Ze doorzochten alles, zelfs zijn scheerspullen. Toen ze niets belangrijks vonden, lieten ze zijn bezittingen in wanorde achter en gingen verder.

De Zwitserse grenswachten daarentegen waren uiterst beleefd. Zwitserland had nooit beperkingen gesteld aan de in- of uitvoer van geld of goud. De douaniers vroegen Aladár eenvoudig naar het doel van zijn bezoek.

'Ik heb een afspraak met mijn bankier in Zürich,' vertelde hij hun in het Engels.

'Welkom in Zwitserland.'

Ze gaven hem zijn paspoort zonder verdere vragen terug.

'Hotel St. Gotthard, alstublieft.' Aladár stapte in een glimmende zwarte taxi die klaarstond buiten het station Zürich-Enge. 'Eh... zouden we misschien langs het meer kunnen rijden? Het is zo'n prachtige ochtend, nietwaar?'

Hoewel hij vloeiend Duits sprak, bediende Aladár zich altijd van het Engels of Frans wanneer hij in Zwitserland was, om te voorkomen dat zijn Hoogduitse accent hem als een *Dütsche*, een Duits staatsburger, zou typeren. Dat was iets wat hij ten koste van alles wilde vermijden.

Hij opende het raampje van de glanzende vierdeurs Buick en ademde diep in. De lucht rook naar vers gemaaid hooi en een zweem van koemest. Hij stak zijn hoofd naar buiten. De meeroever was bezoomd met groene velden en chique villa's. Alles zag er schoon en fris uit en de huizen en boten leken volmaakt geplaatst, als zorgvuldig geconstrueerde miniaturen op een uitgebreide speelgoedtreinset.

'Weet u welke berg dat is?' Aladár tuurde naar een met sneeuw bedekte piek die oprees uit de mist aan de overkant van het meer. 'Daarginds. Ziet u?' Hij wees opgewonden. 'Die daar. Boven dat stoomschip op het meer. Is dat de Titlis? Hoe hoog denkt u dat hij is?'

'Zo'n drieduizend meter, schat ik,' antwoordde de chauffeur laconiek. Hij sprak Engels met een bijna even zwaar accent als dat van Aladár.

'O, maar het moet meer zijn.' Aladár boog zich naar de chauffeur. 'De Claridenstock is 3270 meter hoog, en die berg is veel hoger dan...'

'Als u het wist, waarom vraagt u het dan?' De chauffeur hield zijn ogen op de weg gericht.

'Ik wist het niet zeker.' Aladár leunde naar achter. 'Mijn vader zou het precies hebben geweten,' mompelde hij. 'God hebbe zijn ziel.' Ze sloegen af, de Bahnhofstrasse op, en Aladár staarde naar de mensen die langs de voornaamste doorgangsweg van Zürich liepen. In plaats van de fleurige kleren en modieuze hoeden die hij gewend was te zien op Váci Utca in Boedapest of op de Ringstrasse in Wenen, leek het wel of iedereen hier zwart droeg.

Hij vroeg zich af waarom ze zo somber, zo verveeld keken. Beseften ze niet hoeveel geluk ze hadden dat ze hier woonden?

'Hoe kijkt u tegen de Anschluss aan?' vroeg hij aan de chauffeur.

'Waarom vraagt u dat?'

'Ik bedoel, hoe voelt het om de nazi's aan je oostgrens te hebben?'

De chauffeur haalde zijn schouders op. 'Wat maakt het uit? We hebben ze ook al jaren aan onze noordgrens.'

'Ja, maar... maakt u zich geen zorgen over de ontwikkelingen?' Hij herinnerde zich dat de grenswacht zijn naam in het leren opschrijfboekje had genoteerd. 'De nazi's beginnen al...'

'De Oostenrijkers hebben gekregen wat ze wilden. Hebt u niet gezien hoe ze Hitler met open armen in Wenen verwelkomden? Met bloemen, muziek, nazigroeten. Hebt u dat niet gezien? Bij het referendum stemde honderd procent voor...'

'In feite was het 99,7 procent.' Aladár stak zijn hoofd door het raampje in het glazen scherm dat hem van de chauffeur scheidde. 'Maar het referendum vond pas plaats nadat de nazitroepen naar binnen waren gemarcheerd... Het waren niet bepaald eerlijke verkiezingen.'

De chauffeur haalde opnieuw zijn schouders op. 'De fascisten grijpen overal naar de macht. Wat kun je ertegen doen?' Hij parkeerde onder een lage luifel naast Hotel St. Gotthard, en een piccolo kwam het portier openen.

'Maar nu ze Oostenrijk hebben, wie wordt de volgende?' vroeg Aladár. De chauffeur trok de handrem aan en wees naar de meter. 'Negen frank, alstublieft.'

Aan de balie van het hotel viel het Aladár op dat zijn kamer veel minder kostte dan toen hij hier afgelopen winter met Katalin was geweest om de rekeningen van de familie Blauer op hun naam te zetten nadat haar moeder was overleden. Zijn kamer in het St. Gotthard, een van de beste hotels van Zürich, kostte nu maar twaalf Zwitserse franken – twintig peng, nog geen drie Amerikaanse dollar.

Het diner was helemaal een koopje. Voor acht frank kon hij zich te goed doen aan een driegangenmenu van consommé, kalfsvlees in roomsaus met rösti, en sabayon als dessert.

Na het diner ging Aladár in de lobby zitten om de plaatselijke kranten te lezen. Hij zag dat er een nieuwe film met Jeanette MacDonald uit was: *Tarantella – Die Spionin von Madrid*. Hij draaide vlakbij, in het Albatheater, aan de overkant van de Limmat.

Zijn afspraak bij de bank was pas om tien uur de volgende ochtend. Dus waarom ook niet? Misschien zou een film hem ontspannen.

Het mocht niet zo zijn. Het journaal deed verslag van een recente ontmoeting van Hitler en Mussolini in Rome. Aladár zag vol afschuw hoe duizenden aanhangers van de fascisten zich op de Piazza Venezia verdrongen en 'Duce! Führer!' schreeuwden. Het beeld van die menigte en van de soldaten die in ganzenpas door Rome marcheerden, voerde zijn gedachten weg van de film, weg van de kalme avond in Zürich. Wat als er oorlog uitbrak in Europa? Wat zou er dan gebeuren met Katalin, met zijn kinderen, met hemzelf?

Na afloop van de film liepen de mensen in alle rust de bioscoop uit. In Zürich leek alles in orde te zijn, terwijl de rest van de wereld dol leek te draaien.

Het lijnschip lag in de haven van Venetië. Het probeerde naar zee te varen, maar het kon niet weg. Het was met lange, zware trossen aan de kade vastgemaakt. De mensen aan boord renden in verwarring en paniek alle kanten op, zoekend naar reddingsboten, worstelend met zwemvesten.

Aladár hield de hand van zijn dochtertje stevig vast. Een matroos, een blonde jongeman die veel weg had van de nazigrenswacht, sleurde zijn vrouw en zoon mee. 'Katalin! István!' riep Aladár. Hij wilde achter hen aan rennen, maar Magda trok hem terug. 'Papi! Papi!' riep ze. 'Laat me niet alleen!' Een zwangere vrouw rende gillend naar hem toe: 'Red mijn kind! Alstublieft! Red uw kind!' Het was de vrouw uit de trein.

Hij werd badend in het zweet wakker. Buiten was het nog donker. Hij wierp een blik op de telefoon naast het bed. 'Geen paniek,' fluisterde hij. 'Het was maar een droom. Morgen kijk je er heel anders tegenaan.'

Ook dat mocht niet zo zijn. Hij liep als verdoofd over de Bahnhofstrasse, zoekend naar zijn bank onder de tientallen die de elegante boulevard rijk was. *Wat doe ik hier?* vroeg hij zich af. *Is dit de plaats waar ik al ons geld het best kan onderbrengen?*

Hij las de namen op de strenge gebouwen die hij passeerde: Bank Leu, Swiss Bank Corporation, Crédit Suisse, Union Bank of Switzerland, Julius Bäer.

Banken en nog eens banken, allemaal afgeladen met geld. De mensen komen hier niet voor niets, zei Aladár tegen zichzelf. *Zwitserland, het land van vrede en voorspoed – in het hart van de maalstroom.*

Hij ontdekte zijn bank achter een rij smaragdgroene lindebomen. De Helvetia Bank Zürich afficheerde zijn naam in grote gouden letters – in Engelse, Franse en Duitse spelling – op een massieve granieten muur.

Hij keek zoekend rond naar Herr Tobler, zijn persoonlijke fondsbeheerder. Tobler had gezegd dat hij Aladár bij de ingang Bahnhofstrasse van HBZ zou opwachten. Rudolph Tobler had, net als diens vader, lang voor de Grote Oorlog de zorg gehad voor alle Zwitserse rekeningen van de familie Blauer, en nu Tobler senior was overleden, was zijn zoon met het beheer belast.

Eindelijk zag Aladár hem staan, naast een zuil rechts van de voordeur. Hij droeg een krijtstreeppak, glimmende zwarte schoenen en een hoed van hetzelfde model als die van Aladár. Het model dat de diplomaat Anthony Eden populair had gemaakt.

Toen Tobler Aladár zag, doofde hij kalm zijn sigaret en liep zonder een woord te zeggen naar binnen. Aladár herinnerde zichzelf eraan dat Tobler slechts gehoorzaamde aan de kardinale regel van het Zwitserse bankwezen: laat in het openbaar nooit merken dat je je cliënten kent. In 1935 had Artikel 47B van de Zwitserse Federale Bankwet het zelfs strafbaar gesteld om de naam van enige cliënt van enige Zwitserse bank openbaar te maken – aan wie dan ook.

Op weg naar binnen zag Aladár twee naakte cherubijntjes in de stenen latei boven de hoofdingang: waakzame, glimlachende beschermers van de klanten van een der beste particuliere banken van Zürich.

Tobler bleef staan voor de lift aan de andere kant van de lange marmeren hal. Rechts van hem wachtte een lange rij mannen bij een balie met het opschrift GOLD/OR. Aladár vroeg zich af of ze kwamen kopen of verkopen. Kopen waarschijnlijk. Goud was het enige wat vandaag de dag zijn waarde behield. Niet obligaties, niet goederen, en aandelen al helemaal niet.

Aladár volgde Tobler de houten lift in. Tobler negeerde hem nog steeds. Zwijgend drukte hij op de knop voor de eerste verdieping, naast het opschrift PRIVATKUNDEN – PRIVATE CLIENTS. Pas toen de deuren dichtgingen, stak Tobler zijn hand uit. 'Wat een genoegen u weer te zien, meneer Kohen.' Zijn handdruk was stevig, warm. 'Hebt u een prettige reis gehad?'

'Het was de eerste keer dat ik door naziterritorium reisde. Een enerverende ervaring voor iemand met een naam als de mijne.'

'Waarom? Hebben ze het u lastig gemaakt?'

'Nee, mij niet… gelukkig.' Aladár herinnerde zich de vrouw die door de grenswachten in Hegyeshalom was weggeleid. 'Godzijdank had Katalin de vooruitziende blik om onze kostbaarheden vooruit te sturen. Is alles aangekomen?'

Tobler knikte. 'Drie koffers. Kan dat kloppen?'

Aladár knikte.

'Ze staan beneden, in een tijdelijke opslagruimte in de kelders van de bank, tot u beslist waar u ze wilt onderbrengen.'

'Mooi.'

'Maar ze kunnen daar niet lang blijven. Waarschijnlijk kunnen we het best een safeloket voor u huren – zodra we hierboven klaar zijn.'

'Prima.' Aladár begon zijn zakken te doorzoeken. 'Ik moet de sleutels van de koffers hier ergens...'

'Geen zorgen.' Tobler legde zijn hand op Aladárs schouder. 'Dat kunnen we later regelen, nadat we de nieuwe rekening hebben geopend. Alles op zijn tijd.'

De lift stopte met een schok en gaf toegang tot een grote gelambriseerde wachtruimte. De bewaker ging hun voor naar een zithoek met leren fauteuils. Licht stroomde naar binnen door een lange rij ramen die uitzicht boden op een binnenplaats. Aladár zag geen ramen aan de kant van het gebouw dat aan de straat grensde. *Discrétion oblige.*

Nadat ze waren gaan zitten, toverde Tobler twee sigaren tevoorschijn en bood er Aladár een aan. 'Hoe is het met mevrouw Kohen?' vroeg hij.

'Niet goed. Sinds de Anschluss maken de Hongaarse fascisten iedereen met een Joodse naam het leven zuur. Ze zijn heel brutaal geworden nu de nazi's zo dichtbij zijn.'

'Vergeet u niet,' zei Tobler terwijl hij Aladár vuur gaf, 'dat ze ook aan onze grenzen staan.'

'Ja, maar jullie zijn beschermd door je neutraliteit.'

'Daar lijkt het wel op.' Tobler stak zijn eigen sigaar aan en leunde naar achter. 'En hoe is het met uw kinderen? Magda en István, als ik het goed heb?'

'Ja.' Aladár trok aan zijn sigaar. 'István is nu bijna even groot als ik. Nog even en hij gaat naar de universiteit, als ze niet moeilijk gaan doen.' Hij leunde naar achter en staarde uit het raam. 'En Magda is zo fris en oneerbiedig als alleen een tienjarige kan zijn. Ze is zo onschuldig. Ze heeft geen idee van wat de toekomst brengen zal.'

Een bediende verscheen uit een zijdeur met een zilveren blad met twee glazen water en twee kopjes koffie. Hij bediende Aladár en Tobler in stilte, ging toen terug door de deur en trok hem stevig achter zich dicht.

'Ik ben bang.' Aladár nam een slok water. 'Ik ben bang dat het niet lang zal duren voordat Hongarije door het Derde Rijk wordt opgeslokt. Dat lijkt onvermijdelijk. Daarom ben ik hier. We willen ons geld en onze kostbaarheden in veiligheid brengen. We willen alles op een nieuwe rekening zetten, een waar verder niemand van weet. Geen secretaresses, geen boekhouders in Boedapest – niemand.' Hij boog zich naar voren. 'Alleen ikzelf en Katalin. En u natuurlijk.'

'En de bank.' Tobler nam een slok water.

'Ja, natuurlijk.' Aladár knikte. 'En ik wil dat het een geheime rekening is. Zodat niemand weet waar het geld gebleven is.'

'Een goed idee.' Tobler bleef even stil. 'Maar de bank zal uw naam en adres willen weten.'

'Geen probleem. Zwitserse bankiers zijn toch wettelijk verplicht alle rekeninginformatie geheim te houden?'

'Ja.' Tobler keek bedachtzaam rond in de ontvangstruimte. 'Als het aan de Zwitserse wet ligt.'

'Maar welke andere wet zou er kunnen gelden?'

'Het is gewoon niet...' Tobler begon in zijn papieren te rommelen. 'Ik bedoel, als Zwitserland ooit zou worden binnengevallen...'

'Maar hoe zou dat kunnen gebeuren? Zwitserland is neutraal, dat is het al honderden jaren.' Aladár staarde Tobler aan. 'Zwitserland heeft de afgelopen oorlog ongedeerd overleefd. Waarom zou het ditmaal anders lopen?'

Tobler keek op. 'Wie weet waar Hitler en zijn trawanten toe in staat zijn?'

'Maar de Zwitsers zouden nooit toestaan dat de Duitsers binnenmarcheren. Dit is per slot van rekening niet Oostenrijk.'

Tobler knikte. 'We hébben in alle bergpassen mijnen gelegd. En we hebben verklaard met alle partijen samen te werken in geval van oorlog. Dat spreekt vanzelf bij een neutrale status.'

'Maar toch...' hij keek Aladár recht aan, 'je weet het nooit met de nazi's. Ze roepen op tot de vorming van een Duizendjarig

Rijk, vergeet u dat niet. Een Duits Rijk.' Hij zweeg even. 'En nu hebben ze Oostenrijk. Wie denkt u dat hierna aan de beurt is? Sudetenland? En daarna? Hoeveel meer Duitstalige landen zijn er?' Hij nam nog een slokje water.

'Misschien hebt u gelijk.' Aladár leunde naar achter. Hij herinnerde zich zijn droom over de nazisoldaat en hoe hij zijn gezin op het schip kwijtraakte. 'Maar waar zou ik het familiekapitaal anders moeten onderbrengen? Ik kan het niet mee terugnemen naar Boedapest of Wenen. En Amsterdam of Londen lijken me nog veel kwetsbaarder voor een inval van de nazi's.'

Tobler legde zijn hand op Aladárs schouder. 'Het spijt me dat ik u angst heb aangejaagd. Ik weet zeker dat het niet zover zal komen.' Hij stond op. 'Ik ga eens kijken waar de bankier blijft met wie we een afspraak hebben.'

'Nee, wacht!' Aladár pakte Toblers arm en trok hem weer omlaag. 'Is er een manier om zeker te zijn dat ons geld nooit in Hitlers handen valt?'

Tobler haalde diep adem. 'Verscheidene van mijn cliënten hebben voor een andere oplossing gekozen – mijn cliënten met Joodse namen, bedoel ik.'

'Wat voor een oplossing?'

'Velen van hen hebben *Treuhandkonten*, trusteerekeningen, geopend. Dat zijn Zwitserse bankrekeningen zoals alle andere, met dit verschil,' Tobler dempte zijn stem, 'dat de rekening op naam van iemand anders staat – iemand met een niet-Joodse naam. Op die manier kan er, als Hitler ooit mocht besluiten om binnen te vallen...'

Aladár wachtte tot Tobler zijn zin zou afmaken. Dat deed hij niet.

'Maar stel dat de nazi's Zwitserland wél bezetten, wat zou hen er dan van weerhouden de banken te dwingen openheid van zaken te geven over álle Joodse rekeningen, net als ze in Oostenrijk hebben gedaan?'

'Het feit dat de banken het niet zouden wéten.' Tobler boog zich dichter naar hem toe. Hij legde zijn hand op Aladárs schouder. 'Het kenmerkende van deze trusteerekeningen is dat de banken nooit te horen krijgen aan wie ze werkelijk toebeho-

ren. We zeggen zelfs niet eens dat het trusteerekeningen zijn.'
'Maar...' Aladár wierp een blik op de bewaker aan de andere kant van de ruimte. Hij zat rustig aan zijn bureau een krantje te lezen. 'Maar als ik een trusteerekening zou openen... en als niemand bij de bank ervan weet, als niemand weet dat ik de werkelijke eigenaar van de rekening ben... waarop kan ik dan terugvallen als er een probleem is?'
Tobler nam een lange trek van zijn sigaar. 'Daarom moet u iemand uitkiezen die u kunt vertrouwen. Iemand zonder een Joodse naam, natuurlijk.'
'Maar de naam van Katalins vader klinkt niet Joods. Waarom kunnen we de rekening niet op de naam Blauer zetten?'
'Denkt u dat ze niet weten dat de Blauers Joods zijn? De familie deed al ver voor de Grote Oorlog zaken in Duitsland. Het is uiterst onwaarschijnlijk dat de nazi's er niet achter zouden komen – of de naam nu Arisch is of niet.'
Tobler nam nog een trek van zijn sigaar, legde hem toen zorgvuldig neer op de verzilverde asbak. 'Overigens hoeft u niet per se voor mij te kiezen. Het mag iedereen zijn: een advocaat, een bankier, wie u maar wilt. Als er iemand anders is in wie u meer vertrouwen stelt dan in mij...'
'In feite is er niemand in Zwitserland die ik meer vertrouw dan u. En u weet dat ik meneer Blauer heb beloofd dat ik van de diensten van u en uw vader gebruik zou blijven maken om het familiekapitaal hier in Zwitserland te beheren. Het is gewoon...' Aladár veegde een lange lok haar weg die voor zijn ogen was gevallen. 'Ik weet het gewoon niet goed.'
'Uitstekend.' Tobler stond op. 'Opent u dan een normale rekening, zoals u oorspronkelijk verzocht.' Hij leek gepikeerd. 'Maar bedenkt u wel dat ook al beheer ik de fondsen op uw Zwitserse rekeningen, iemand van bankzijde nominaal verantwoordelijk moet zijn – en dat betekent dat naam en adres van de rekeninghouder bekend moeten zijn.'
'En als we een trusteerekening openden, zouden ze alleen van u af weten.'
Tobler knikte. 'Beleefdheidshalve worden we geacht de bank in te lichten wanneer we een trusteerekening openen. Maar we zijn

dat niet verplicht. Niet bij wet.' Hij keek omlaag naar Aladár. 'De beslissing is aan u, meneer Kohen, maar u moet hem nemen voordat we de bankier te woord staan.' Hij wierp een blik op de zware houten deur aan de andere kant van de wachtkamer. 'U kunt niet van gedachten veranderen nadat we hem hebben verteld wiens rekening het werkelijk is. Vertelt u me gewoon hoe u het geregeld wilt hebben.'

Aladár schudde langzaam zijn hoofd. 'Ik weet het niet. Het is een moeilijke beslissing.'

'Als u wilt, zouden we kunnen beginnen om uw zaken beneden in de safe op te bergen. Dat geeft u enige bedenktijd.'

'Het is gewoon... Hoe kan ik al mijn geld, het geld van mijn schoonfamilie, in iemand anders handen leggen?' Aladár staarde omlaag naar de ingewikkelde patronen van een oosters tapijt op de vloer voor hem. 'Ik weet niet wat ik doen moet.'

'In dat geval zal ik gaan informeren of ze onze afspraak kunnen uitstellen.'

Nadat Tobler was vertrokken, bleef Aladár naar het kleed staren.

Ik kan me geen vergissing permitteren, zei hij tegen zichzelf. *Niet nu. Niet nu in heel Europa oorlog dreigt.*

Zijn blik viel op een klein patroon op de rand van het kleed. Het leek alsof er kleine swastika's in het ingewikkelde ontwerp waren verwerkt. *Een veelvoorkomend symbool in India*, hield hij zichzelf voor. Maar het gaf hem een onbehaaglijk gevoel om dit gehate teken van nazimacht in hartje Zwitserland te zien.

Toblers gepoetste schoenen verschenen plotseling naast het patroon. 'Bent u eruit gekomen?' vroeg hij kalm.

Aladár keek op en schudde langzaam zijn hoofd.

'Laten we dan naar beneden gaan en uw spullen in de safe zetten.' Hij hielp Aladár overeind en leidde hem naar het bureau van de bewaker. 'Maar onthoud dat u moet beslissen wat voor een soort rekening u wilt voordat we de bank verlaten. Elk safeloket moet zijn gekoppeld aan een rekening.' Tobler draaide zich om en richtte zich in het Zwitsers-Duits tot de bewaker.

Hij oogde zo ontspannen, zo zelfverzekerd, zo kalm, vond Aladár. Het was allemaal zo gemakkelijk voor hem. Natuurlijk, hoe kon het anders? Hij was Zwitsers staatsburger – met een veilige, Arische naam.

In de kelders van de Helvetia Bank Zürich was het warm en bedompt. Aladár voelde zich claustrofobisch – en de omgeving maakte het er niet beter op. Duizenden geschilderde papyrusbladeren en lotusbloesems bedekten de pilaren en ribben van het gewelfde plafond. Het leek alsof de bank een tweederangs filmmaker uit Hollywood had ingehuurd om de muren met ingewikkelde Egyptische motieven te versieren en de plek een tijdloze sfeer te geven. In feite werd de ruimte er alleen maar drukkender door. Tobler leidde Aladár naar een half openstaande stalen deur. Boven de deur stond in gouden letters TRESOR – SAMMELRAUM, verzamelkluis. Aladár tuurde naar binnen. De ruimte stond vol met kisten, schilderijen en koffers in alle soorten en maten. 'Waar komen al die spullen vandaan?' fluisterde Aladár.

'Een teken van de roerige tijden waarin wij leven, vrees ik.' Tobler leidde Aladár door de deur en over een geïmproviseerd gangpad van houten kisten, koffers en schilderijen op houten rekken. 'Sinds de Anschluss staat het hier vol.'

'Is dat een Picasso?' Aladár wees opgewonden naar een schilderij dat rechts van hem tegen een stelling aan stond. 'En dat daar, is dat een Kandinsky?' Nog ettelijke andere schilderijen waren langs de muren opgestapeld, keurig in papier en touw gewikkeld. Op vele stonden namen geschreven. Het viel Aladár op dat het bijna allemaal Joodse namen waren.

Hij probeerde een leren koffer opzij te duwen die hem de weg versperde, maar het ding gaf niet mee. Hij probeerde de koffer op te tillen om hem opzij te zetten, maar hij was te zwaar. *Maar één ding kan zo zwaar zijn*, zei Aladár tegen zichzelf. *Goud.*

'*Nein! Hände weg!*' riep de bewaker. 'Afblijven!'

'Het spijt me,' mompelde Aladár. 'Ik wist niet...'

Tobler legde zijn hand op Aladárs schouder. 'Uw spullen staan daar.' Hij leidde Aladár naar een overladen schap.

Net als de meeste dozen en kisten in de ruimte waren de drie koffers van Aladár gelabeld met een klein loodzegel dat met donkerbruin touw aan het handvat was bevestigd. De bewaker zette de koffers op een houten kar en reed ze de bedompte ruimte uit. Aladár en Tobler volgden hem zwijgend naar een grote, goedverlichte ruimte met het opschrift TRESOR, kluis.

De wanden bestonden uit honderden metalen deuren met donker houten lijstwerk. Sommige van de safeloketten waren zo klein als schoenendozen, andere zo groot als doodskisten. Tobler ging hem voor naar een van de grootste, aan de andere kant van de ruimte.

De bewaker overhandigde Tobler een kleine zilveren sleutel, stak een identiek exemplaar in een van de twee sleutelgaten en wachtte tot Tobler de zijne in het slot stak. Ze draaiden de sleutels tegelijk om. Vervolgens opende de bewaker de deur van de kluis, een inloopkast met lichtbruine houten schappen aan de wanden. Hij verwijderde zijn sleutel, mompelde iets in onverstaanbaar Zwitsers-Duits en vertrok toen.

'Wat zei hij?' vroeg Aladár.

'Dat we hem maar moesten roepen wanneer we klaar zijn om te vertrekken. We hebben beide sleutels nodig om de safe af te sluiten. Op die manier kan niemand hem openen zonder dat de bank ervan weet.' Tobler hurkte om de eerste koffer op de kar te openen. 'Hebt u de sleutels om deze koffers te openen?' vroeg hij.

Aladár moest twee keer zijn zakken doorzoeken voordat hij de sleutels vond die Katalin hem in Boedapest had gegeven.

Nadat hij de sleutel in het slot had gestoken, opende Tobler snel de verbleekte leren koffer en verbrak daarmee het kleine Hongaarse zegel op de lip. Hij lichtte het deksel behoedzaam op. 'U boft dat u contacten op de ambassade hebt. Diplomatieke koeriers zijn de enigen die vandaag de dag dingen over de grens kunnen brengen.' Tobler diepte verscheidene zorgvuldig ingepakte pakketten op, stuk voor stuk genummerd en met touw dichtgebonden.

'Het is allemaal door de fabriek geregeld. Ze hebben een beroep gedaan op hun oude contacten bij de ambassade om alles hier te krijgen. Zelf heb ik er geen hand in gehad.' Aladár ging op de koude stenen vloer zitten en keek toe hoe Tobler het eerste pakket openmaakte.

De inhoud van deze koffers was al aan de zorg van anderen toevertrouwd geweest, besefte Aladár, en toch was alles intact aangekomen.

'Kijk dit eens.' Tobler overhandigde Aladár een klein houten kistje dat met ivoor en parelmoer was ingelegd. 'Het is heel zwaar.'

'Ik kijk even wat erin zit.' Aladár opende de lip van het gouden slotje. 'Kati zal zeker vragen of alles veilig is aangekomen.' Terwijl hij het deksel opende, vielen verscheidene goudstaven op de vloer. 'Hemeltje!'

'Geen zorgen.' Tobler schoot toe om ze op te rapen. 'Ze breken niet.' Hij keek op en glimlachte. 'En zelfs als ze braken, zou dat niets uitmaken. Goud wordt verkocht per gewicht, ongeacht de vorm.'

Hij legde de staven op de bovenste plank en begon het tweede pakket open te maken.

Ondertussen opende Aladár een laatje in de onderkant van het kistje en vond vier antieke horloges. Twee ervan hadden een handgeschilderd emaillen deksel, een van gegraveerd zilver en een van goud. Hij nam het gouden horloge in zijn hand en bekeek het belangstellend. Het had een glazen achterkant die het uurwerk onthulde. 'Ik heb nooit geweten dat de Blauers zoveel spullen hadden. Dit moet allemaal in de fabriek bewaard zijn geweest. Ik heb ze nooit thuis gezien.'

'Kijk!' Tobler hield een blauwe vilten tas open en gebaarde Aladár zijn hand erin te steken. 'Napoleons.'

Aladár diepte een handvol gouden munten op.

'Kent u ze?' Tobler nam er een uit Aladárs hand en hield hem tegen het licht. 'Kijk, dat is Marianne. *Symbole de la France*,' zei hij in onberispelijk Frans. 'Ik schat dat het er een paar honderd zijn.'

'Ik vraag me af hoeveel ze waard zijn.' Aladár stak zijn hand weer in de tas en liet zijn vingers door de munten glijden.

'Ettelijke honderdduizenden franken, durf ik te wedden – Zwitserse franken natuurlijk.' Tobler opende nog een pakket. 'Bij de huidige lage huizenprijzen zouden de munten in die ene tas voldoende zijn om een villa aan het meer te kopen.' Hij pakte een klein, met fluweel bekleed kistje uit en gaf het door aan Aladár. 'Dit ziet er belangrijk uit.'

Toen Aladár het opende, zag hij een schitterend diamanten collier. Zelfs in het schemerige licht van de kelder schitterde het spectaculair. 'Ik ken dit collier.' Hij nam het uit het kistje om het beter te zien. Het halssnoer had aan beide zijden drie hangers, elk met een grote peervormige diamant.

'Katalin droeg dit in 1922 naar het Operabal.' Aladár beroerde de koude edelstenen. 'De hogere kringen van Boedapest deden hun uiterste best om het chique Wenen naar de kroon te steken. Die avond slaagden ze daarin, denk ik.' Hij hield het collier tegen het licht. 'De Blauers stemden erin toe dat ik hun dochter begeleidde, voor die ene keer. Dat dachten ze tenminste. Ik weet zeker dat ze nooit hadden gedacht dat hun prinses verliefd zou worden op de zoon van een arme professor.'

Aladár staarde naar het collier. Hij herinnerde zich hoe de diamanten die avond hadden geflonkerd aan Katalins hals, hoe gelukkig ze was geweest, hoe gelukkig ze allebei waren geweest. Het had allemaal zo natuurlijk geleken, alsof het nooit zou eindigen. En nu, minder dan zestien jaar later, waren zijn schoonouders allebei dood en hun gekoesterde bezittingen weggestopt in een muffe kelder onder de straten van Zürich. Het was nu aan Aladár om te zorgen dat hun rijkdommen behouden werden voor de volgende generatie, en de daaropvolgende.

Hij zag dat Tobler de tweede koffer openmaakte. Deze zat boordevol aandelen en obligaties, zorgvuldig opgestapeld en met donkerrode linten bijeengehouden. Tobler legde ze behoedzaam op de vloer naast de kar.

Aladár hurkte en las de titel van het eerste certificaat. Het was in het Engels gesteld: *State Loan of the Kingdom of Hungary, 1924.*' Onder het zegel van St. Stefanus stond: *'Issue in the United States of America of 7.5 percent sinking fund gold bonds. Nominal value: $1,000.'*

'Hoeveel zijn er hiervan?' vroeg Aladár.

'Enkele honderden, vermoed ik.' Tobler liet de stapel obligaties snel langs zijn duim gaan. 'Dat betekent dat deze stapel enkele honderdduizenden dollars aan obligaties bevat... Als ze ooit terugbetaald worden.' Hij legde nog meer bundels aandelen en obligaties opzij.

'Ongelooflijk.' Aladár ging op zijn knieën zitten en las enkele namen hardop. 'Société Métallurgique de l'Oural Volga, Railway Lines of the Kingdom of Romania, Government of Czechoslovakia. Waarom legt u ze niet in de safe?' vroeg Aladár.

'Omdat u ze beter kunt verkopen.' Tobler was begonnen de safe te vullen met juwelen en goudstaven uit de derde koffer. 'En ik denk dat u ze het best meteen van de hand kunt doen. We mogen al blij zijn als we er de volle waarde voor krijgen.'

'Maar ze hebben deze dingen hierheen gestuurd om te worden bewaard, niet om ze van de hand te doen.' Aladár keek de overige certificaten door. 'Er moet hier voor een miljoen dollar aan effecten liggen – het leeuwendeel van het Blauer-fortuin.'

'Daarom zou u ze juist moeten verkopen.' Tobler stond op en veegde zijn handen af. 'U moet beseffen dat als er oorlog komt, deze effecten waardeloos zullen worden.'

'Hoe dat zo?' Aladár wees naar een regel tekst onder het Hongaarse staatszegel op de eerste stapel obligaties. 'Hier staat dat ze gedekt zijn door goud. In de Verenigde Staten, welteverstaan.'

'Precies. Als er oorlog komt, zal Hongarije vrijwel zeker aan de kant van de Duitsers staan. Als de Verenigde Staten ooit besluiten het tegen de nazi's op te nemen, zal het goud dat als waarborg dient voor deze obligaties dan als vijandelijk bezit in beslag genomen worden.' Hij wees met zijn vinger naar Aladár. 'En u, als Hongaars staatsburger, zou een staatsvijand zijn. Uw tegoeden in de Verenigde Staten zouden allemaal worden geconfisqueerd.'

'Maar ik ben Joods.'

'Dat doet er niet toe. U blijft Hongaars staatsburger.'

Aladár keek verbijsterd rond in de kluisruimte. 'Dus u zegt dat ik dan aan beide kanten persona non grata zou zijn?'

'Ik vrees van wel.' Tobler veegde zijn handen aan zijn zakdoek af. 'Als uw tegoeden daarentegen op mijn naam zouden staan, zou er geen probleem zijn, aangezien Zwitserland een neutraal land is.' Hij stapelde de lege koffers op de kar en duwde hem naar de deur. 'Maar het is uw beslissing.'

'Weet ik.' Aladár reikte in de safe en pakte een van de goudstaven die bovenop lagen. Hij las de inscriptie: UBS/SBG 1 kilo FINE GOLD 999.9 ESSAYEUR FONDEUR. Eronder stond een serienummer dat uit acht cijfers bestond. De laatste vier cijfers, zag hij, waren 2499, de exacte hoogte van de Rysy, een van zijn favoriete toppen in het Tátrasgebergte.

Hij legde de staaf zorgvuldig terug op het schap en draaide zich om naar Tobler. 'Maar als ik zo'n trusteerekening zou openen, wat zou er dan gebeuren als... als u iets overkwam?'

'Als ik zou overlijden, bedoelt u?' Hij veegde zijn voorhoofd af met zijn zakdoek. 'In het geval van mijn andere cliënten hebben we een document opgesteld dat de trusteerekening beschrijft en precies aangeeft wat er moet gebeuren bij verschillende eventualiteiten. Het komt erop neer dat mijn opvolgers verplicht zouden zijn uw vermogen te beheren voor u of uw familie, precies zoals ik zou doen als ik nog in leven was.'

Hij stopte de zakdoek terug in zijn zak. 'Het document wordt vervolgens in mijn eigen privékluis bewaard, samen met mijn testament en mijn andere persoonlijke papieren.'

'En uw andere cliënten voelen zich daar gerust bij?'

Tobler knikte. 'Ze weten dat deze hele exercitie tot doel heeft alle documenten met betrekking tot de trusteerekeningen uit het zicht van de banken te houden – zo ver weg als mogelijk is in feite. Op die manier zouden de nazi's, als ze ooit Zwitserland zouden binnenvallen, bij HBZ alleen een rekening op mijn naam aantreffen. Verder niets.'

'En als mij en Katalin iets zou overkomen?' vroeg Aladár.

'De rekening zou altijd aan u en uw erfgenamen toebehoren, ongeacht wat er gebeurt. Onder de Zwitserse wet – evenals de Hongaarse wet, meen ik – zou uw bezit dan onder uw kinderen worden verdeeld.'

'Betekent dat dat ik hun over deze rekening zou moeten vertellen?'

'Dat is aan u, meneer Kohen.'

'Natuurlijk zou István het moeten weten,' mompelde Aladár.

'Maar ik zou het niet aan Magda kunnen vertellen. Nog niet. Ze is te jong. Als ze ooit door de nazi's zou worden verhoord...'

'U moet beslissen wat het beste is.'

Tobler reikte in de safe en begon de goudstaven in keurige rijen op te bergen. 'Als u besluit een trusteerekening te openen, zal ik naar boven moeten om een kaart in te vullen waarmee ik een rekening open. Dat is alles. Aangezien de rekening op mijn naam staat, hoef ik alleen de kaart te ondertekenen om een rekeningnummer te krijgen. Er worden geen vragen gesteld.'

Hij draaide zich om naar Aladár. 'Daarna kunt u de tegoeden van al uw andere rekeningen naar de nieuwe rekening overmaken. In dat geval stel ik voor dat u dat doet via een anonieme rekening bij een andere bank, zodat er geen geld rechtstreeks naar de trusteerekening vloeit. Op die manier zal niemand kunnen traceren waar de tegoeden van uw oude rekeningen terecht zijn gekomen.'

'Typisch Zwitserse efficiency.'

Tobler draaide zich terug naar de safe en ging door met stapelen. 'Maar u doet er goed aan minstens één rekening op uw eigen naam aan te houden. Voor de vorm. Breng er een kleine hoeveelheid geld en effecten in onder – net genoeg om hem actief te houden. Mocht er ooit iemand naar uw geld zoeken, dan vinden ze tenminste íets. Het zou ongeloofwaardig overkomen dat iemand met de middelen van uw familie helemaal géén rekening in Zwitserland zou hebben.'

'U hebt aan alles gedacht, nietwaar?'

'Overigens dient die bescheiden rekening volledig gescheiden te blijven van de trusteerekening. U kunt de leden van uw familie ook machtigen voor die schijnrekening, zodat ze er altijd bij kunnen, zoals bij elke normale Zwitserse bankrekening.'

'En als mijn familie toegang wil tot de trusteerekening?'

Tobler legde zijn arm om Aladárs schouder. 'Dan hoeven ze maar naar mij toe te komen.' Hij liep naar de deur. 'Ik ga de bewaker halen. En wanneer ik terugkom, zult u moeten beslissen welk type rekening u wilt openen. We zullen de rekening nodig hebben om het nieuwe safeloket te huren. Elk safeloket in de bank moet gekoppeld zijn aan een rekening.'

'Maar wat gebeurt er als het echt oorlog wordt,' vroeg Aladár, 'en wij vastzitten in Hongarije?'

'In dat geval,' Tobler liep terug naar Aladár, 'zou u niets hoeven te doen. Ik zou gewoon hier zijn. Ik zou de rekening beheren. Ik zou alles voor u regelen.'

'Maar als ik Hongarije niet uit kan, hoe krijgt u dan betaald?'

Tobler glimlachte. 'Maakt u zich daarover maar geen zorgen. Als u mij uw toestemming geeft, zou ik mijn gebruikelijke beheertarief van een half procent gewoon van de rekening kunnen afboeken.' Hij keek Aladár recht in de ogen. 'Maar mijn andere cliënten met trusteerekeningen hebben meestal voor een eenvoudiger oplossing gekozen: zij kiezen ervoor mij een bedrag ineens van vijf procent te betalen – maar pas wanneer de rekening weer veilig in hun eigen handen is. Nadat dit alles voorbij is.'

'En als de oorlog langer dan tien jaar gaat duren?'

'Dan werk ik uiteindelijk gratis.' Tobler forceerde een glimlach. 'Maar ik betwijfel of enige oorlog zo lang zal duren. Ik weet zeker dat de Engelsen, de Fransen en de Russen op een gegeven moment tegen Hitler zullen opstaan. En als Amerika meedoet...' Hij gaf Aladár een geruststellend kneepje in zijn hand. 'Maakt u zich geen zorgen. Zolang ik leef – en zelfs na mijn dood – zal uw rekening altijd hier op u wachten.'

Hij verliet de kluizenruimte en Aladár liep naar de koffers. Hij voelde zich moe, verward, op zichzelf teruggeworpen. Hoe kon hij zijn hele fortuin – de complete erfenis van zijn schoonvader – zomaar aan een andere man overdragen? Hoe kon hij iemand vertrouwen die hij amper kende? Maar als hij Tobler niet kon vertrouwen, wie kon hij dan wél vertrouwen?

Hij trok zijn jasje uit, diepte zijn zakdoek op en veegde zijn voorhoofd af. De ruimte rook inmiddels naar natte wol.

Aladár ging op de kar zitten, naast de koffers. *Misschien moet ik Katalin opbellen*, zei hij tegen zichzelf. *Maar wat zou ze zeggen? Doe maar wat jou het beste lijkt, lieverd.* Maar hij wist in zijn hart dat als er iets fout ging, ze het hem nooit zou vergeven.

Hij keek omlaag en zag dat hij het diamanten collier nog steeds in zijn linkerhand had. Hij liep naar de safe en legde het boven op de goudstaven, schikte toen zorgvuldig de grote centrale diamant op het identificatienummer van de staaf die eindigde met het nummer 2499, de hoogte van de Rysy.

Op die manier zou hij kunnen zien of er in zijn afwezigheid iemand aangekomen was.

I

Zürich
Donderdag 27 september, 16.30 uur

De magere codetekst lichtte kobaltblauw op in Alex Paytons donkere ogen. Op het eerste gezicht zag hij er onschuldig uit. Maar er moest iets mee zijn. Ze wist alleen niet wat.

Op de een of andere manier zag de code er te keurig uit – alsof hij er was neergezet om zo onschuldig mogelijk over te komen.

Net als die ochtend toen Alex binnen was geroepen om 'afscheid te nemen'. Haar moeder had er heel vredig bij gelegen, haar hoofd plat op het matras, haar mond licht geopend. Ze had er heel kalm uitgezien. Alsof ze gewoon nog lag te slapen, alsof er niets met haar aan de hand was.

'Wat heb je? Je kijkt alsof je een geest hebt gezien.' Eric Andersen liep om het lage schot dat hun werkplekken scheidde. Hij legde zijn hand op Alex' schouder. 'Is er iets?'

Alex tikte op de gemarkeerde code boven aan haar scherm met een gelakte nagel. 'Het is· een oude millenniumbug, en ik kom er niet achter wat hij hier doet.'

'Laat mij eens kijken.' Hij boog zich naar het scherm. Ze kon zijn lichaamswarmte voelen. Een welkom gevoel. Hun kantoor in de kelders van het hoofdgebouw van de Helvetia Bank Zürich werd koel gehouden, volgens zeggen om te voorkomen dat de computers oververhit raakten.

Thompson Information Systems eiste van zijn vrouwelijke consultants dat ze onder alle omstandigheden een mantelpak of rok droegen. 'Ga ervan uit dat de cliënt elk moment kan binnenlopen,' was haar verteld toen ze hier drie maanden geleden begon. 'Het is belangrijk om altijd voorbereid te zijn.'

Alsof Jean-Jacques Crissier ooit onaangekondigd zou binnenvallen. De Zwitserse IT-consultant die door HBZ was ingehuurd om het project te superviseren, kwam bijna nooit hier beneden om te zien wat ze deden. Toch moest Alex zich elke dag optutten alsof dat wel zo was. Gelukkig had Thompson zijn nieuwbakken consultants een voorschot op hun salaris gegeven om nieuwe kleren te kopen, of wat er ook nodig was om eruit te zien als goedbetaalde professionals – ook al zouden ze door hun studieleningen de komende tien jaren diep in de schulden zitten.

'De foutmelding komt hierdoor.' Eric wees naar het getal 87 in de korte reeks cijfers met het label DATE, datum. 'Hoewel het nu niet veel kwaad meer kan. Als het in 2000 niet opdook, zal het nu geen...'

'Jawel, het kan nog actief worden – in 2087.' Alex hield haar vingernagel bij de datum vlak achter de naam RUDOLPH TOBLER. 'Maar alleen op die ene dag, 19 oktober.'

'Wat dondert het?' Hij richtte zich op en rekte zich uit. 'Haal het gewoon weg, dan zetten we er een punt achter voor vandaag.'

'Maar ik begrijp niet waarom dit hier überhaupt staat.' Ze verplaatste de cursor naar de woorden RUDOLPH TOBLER in het midden van de gemarkeerde tekst. 'Als ze alleen de naam op de rekeningafschriften van deze man wilden wijzigen, waarom deden ze dat dan door de code te veranderen? Dat is omslachtig. Zeker in de jaren tachtig toen geheugenruimte kostbaar was.'

'Je hoort niet "jaren tachtig" te zeggen, weet je.' Eric ging op de tafel naast Alex' computer zitten. 'Weet je nog wat ze tegen ons zeiden toen we hier begonnen? "Nu we in de eenentwintigste eeuw zitten, is het belangrijk om het volledige..."'

'Ja, hoor.' Alex bewoog de cursor naar het eind van de code. 'Toch is het onlogisch dat ze dit hier hebben neergezet – in de jaren negentientachtig of wanneer dan ook.'

'Laten we het dan gewoon wissen.' Eric reikte naar haar muis.

'Het is bijna vijf uur. Laten we er een punt achter zetten.'
'Wacht.' Ze hield haar muis stevig vast. 'Ik wil even iets bekijken.' Ze verplaatste de cursor naar het einde van de code en dubbelklikte op TOBLER & CIE aan het eind van de tekst. 'Zo te zien wilden ze deze naam op de afschriften hebben – maar alleen op die ene dag. Waarom?'
'Wat maakt het uit? Het is waarschijnlijk sowieso dezelfde man. Dat is waarschijnlijk zijn bedrijfsnaam.' Eric boog zich naar het scherm en wees naar de letters CIE. 'Dat is een afkorting die bedrijven vroeger veel gebruikten. Je ziet het nog wel eens op oude gebouwen.' Eric ging weer op de tafel zitten en sloeg zijn benen om Alex' stoelpoot.
'Maar als het dezelfde man is, waarom zou hij dan de naam veranderen?' Alex leunde naar achter en vouwde haar handen achter haar hoofd. 'En waarom zouden ze er de code voor gebruiken terwijl het veel efficiënter zou zijn geweest om...'
'Wat maakt het uit? De rekening zelf zou er niet door veranderen, alleen de naam op het rekeningafschrift.'
'Wacht even.' Alex pakte haar muis en selecteerde de hele code. 'Laat me even iets proberen.'
Ze kopieerde de tekst rap naar een tekstdocument op de onderste helft van haar scherm. Vervolgens verdeelde ze de lange code in vijf losse elementen.

```
1014102 IF T31-TRAN-ACCT-NUMBER=249588
IF T31-TRAN-ACCT-PRI-NAME="RUDOLPH TOBLER"
IF T31-TRAN-EXECUTE-DATE=871019
IF T31-TRAN-TYPE-CODE="SALE"
MOVE "TOBLER & CIE" TO P22-PRT-CONF-PRI-NAME
```

'Hé, zie je dat rekeningnummer?' Eric wees naar het einde van het eerste segment. 'Het heeft maar zes cijfers. Ik vraag me zelfs af of het wel een rekening is die bij HBZ loopt. Was het nummer dat ze jou gaven toen we hier begonnen niet veel langer? Plus een paar letters? Dat van mij wel.'
'Het mijne heeft twaalf tekens. Maar misschien zijn de rekeningnummers langer geworden sinds 1987.'

'Net als telefoonnummers? Ik herinner me nog dat het nummer dat wij vroeger in Kopenhagen hadden in het begin met letters begon, gevolgd door vijf cijfers. Later vervingen ze de letters door een kengetal en bleven ze nieuwe cijfers toevoegen – maar het oorspronkelijke nummer zat er nog steeds in.'

Alex leunde achterover. 'Ik vraag me af of iemand die rekeninghouder probeerde te beduvelen.'

'Hoe? Waarom?'

'Ik weet het niet. Misschien zou iemand het hem moeten vragen.' Alex drukte op de luidsprekertoets van haar telefoon om een kiestoon te krijgen, vervolgens begon ze een nummer in te toetsen.

'Wat maak je me nou?' Eric greep haar hand. 'Je weet toch wat de bank zou doen als ze erachter komen dat je contact opneemt met een van hun klanten?'

'Rustig maar.' Alex glimlachte. 'Ik bel gewoon naar Crissier. We worden geacht alle tweecijferige jaarvermeldingen te rapporteren voordat we ze wissen, weet je nog? Of is het zo lang geleden dat je er een hebt gevonden?' Ze leunde naar achter en wachtte op de meldtoon. 'Maar goed dat we niet op commissiebasis werken.'

'Heel leuk.' Eric sloeg zijn armen over elkaar en leunde tegen het schot van Alex' hok. 'Heb je je ooit afgevraagd hoe Crissier ermee wegkomt dat hij zelfs geen kantoor op de bank heeft? Ik bedoel, waarom hebben ze hem eigenlijk ingehuurd? Hij doet niets wat wij niet even goed kunnen doen.'

'Er is vast en zeker een of andere regel dat een Zwitser toezicht moet houden op buitenlanders die toegang tot cliënteninformatie hebben. Je weet hoe fanatiek ze zijn als het gaat om...' Ze kreeg de voicemail van Crissier. Ze hield haar hand op naar Eric.

'*Grüezi*, dit is de voicemail van Jean-Jacques Crissier...'

Alex sprak een bericht over de code in en vroeg hem zo spoedig mogelijk naar de computerruimte te komen. Onderwijl diepte Eric een pakje sigaretten op.

'Ben jij vergeten,' vroeg ze toen ze had opgelegd, 'wat ze tegen ons zeiden toen we hier begonnen?'

'Ik kan me niet herinneren dat Crissier het over een rookverbod heeft gehad.' Eric stak nonchalant een sigaret op. 'Ik herinner me alleen dat hij ons zei dat we alle cliënteninformatie moesten negeren.' Hij glimlachte. 'En natuurlijk dat we iedere tweecijferige verwijzing naar jaartallen onmiddellijk moesten rapporteren.' Hij hield zijn sigaret tussen duim en wijsvinger en sprak met een overdreven Duits accent: 'Rapportier alles wat jij maar findet. Met nahme verwaisungen nach codes in die jahren negentienachzig, ja? En negier alle nahmen die jij tegenkomt.'

Hij schakelde terug naar zijn normale stem. 'Alsof we computers zijn – alsof we gewoon op DELETE kunnen drukken en alles vergeten wat we hebben gezien.'

2

Zürich

Donderdagavond

'Waar ís iedereen?' Eric zette de lege champagnefles ondersteboven in de ijsemmer. Hij keek om zich heen in het half verlaten restaurant. 'Is het je ook opgevallen dat Zwitserse kelners er nooit zijn wanneer je ze nodig hebt?'

Alex leegde haar glas en zette het op de tafel naast de ijsemmer. 'Weet je zeker dat je nog een fles wilt bestellen?'

'Natuurlijk, als ik tenminste iemand kan vinden die mijn bestelling wil opnemen.' Hij keek opnieuw om zich heen. 'Ze hebben mooi praten over Zwitserse klantvriendelijkheid, maar als het erop aankomt, zijn ze veel meer bezig met het spic en span houden van de keuken. Het is alsof het proces hen meer boeit dan de mensen.'

'Net als op de bank?'

'Wat bedoel je?'

'Wat Crissier zei toen we hem de wijziging in de code lieten zien.' Alex hield haar hand omhoog en telde de woorden op haar vingers. "Wis het gewoon." Ze leunde naar achter. 'Nadat hij ons meer dan een uur had laten wachten, is dat het enige wat hij te melden heeft?'

'Waarom zou hij erom malen? Het was lang geleden. Waarom zou iemand erom malen?'

'Maar het is zo bizar. Die code is gebruikt om een wijziging aan te brengen op een rekeningafschrift van een cliënt.' Ze keek Eric doordringend aan. 'Je zou toch denken dat er overal alarmbellen zouden gaan rinkelen.'

'Misschien is dat ook zo.' Hij glimlachte. 'Misschien kunnen wij ze gewoon niet horen.' Hij keek opnieuw om zich heen op zoek naar een kelner.

'Zag je dat Crissier zelfs geen kopie van de code maakte voordat we hem wisten?' vroeg Alex.

'Nou en?' Eric dronk zijn glas leeg. 'Het is niet aan jan soldaat om een bevel te betwijfelen...'

'En daar is de kous mee af?' vroeg Alex. 'We gaan gewoon door alsof er niets is gebeurd?'

'Wat kunnen we anders doen?'

'Ik vind dat iemand het moet natrekken.'

'Waarom? De beste man is waarschijnlijk al dood en begraven.'

'Wat was zijn naam ook weer?'

'Tobler. Een degelijke, oer-Zwitserse naam.' Eric glimlachte. 'Ik dacht dat jij een fotografisch geheugen had!'

'Voor cijfers, niet voor namen.' Alex haalde haar schouders op. 'Het rekeningnummer, als je het weten wilt, is 495880. Nou ja, was. Zoals je al zei, is er sinds 1987 waarschijnlijk wat bij gekomen.'

'Waarbij? Bij de rekening of bij het nummer?'

Ze glimlachte. 'Bij allebei waarschijnlijk.'

Eric stond op. 'Ik ga kijken of ik een kelner kan vinden.'

'Misschien vind je er daar een.' Alex wees naar een gang met het opschrift wc – telefon. 'IJverig schrobbend in plaats van ons te bedienen.'

'Hé!' Erics ogen lichtten op. 'Ik wed dat ze daar een telefoonboek hebben. Wil je dat ik kijk of er een Rudolph Tobler in staat? Met zo'n naam en met een rekening bij de hoofdvestiging van HBZ is er een dikke kans dat hij in Zürich woont.'

'Waarom zou hij nog steeds in Zürich wonen?'

'Gebruik deze dan.' Hij stak Alex zijn mobiele telefoon toe. 'Inlichtingen verstrekt nummers voor het hele land. Het nummer is trouwens driemaal vijf. Zal ik het maar voor je intoetsen?'

'Heel grappig.' Alex pakte de gsm. 'Dat ik in Europa geen mobiele telefoon gebruik, betekent niet dat ik er niet mee om kan gaan.'

'Ik heb nooit begrepen hoe je zonder kunt.'

'Wat moet ik met een mobieltje? Ik gebruik mijn computer om te bellen. En met VoIP bel ik tegen lokaal tarief.'

'O, zit het zo! Je wilt geld besparen.'

'Misschien.' Ze toetste het nummer in.

'Het is ongelooflijk hoe jullie Amerikaanse MBA'ers als armoedzaaiers moeten leven tot je je studieleningen hebt afgelost. Jullie betalen een fortuin om de beste opleidingen te mogen bezoeken en zijn dan de eerste tien jaar van je carrière bezig om het allemaal af te betalen.'

Alex keek op. 'Tja, zo werkt het nu eenmaal. Wij hebben geen gratis onderwijs zoals jullie Europeanen.' Ze glimlachte. 'Hé, wedden dat ik hem eerder vind dan jij?'

Eric glimlachte. 'Als het je lukt, trakteer ik op nog een fles champagne. In het hotel.' Hij draaide zich om en liep weg. 'Wat denk je daarvan?'

'Klinkt goed.' Alex drukte op de groene knop om verbinding te maken. 'Schiet maar op, ik heb al bijna beet.'

Ze keek hem na terwijl hij de gang naar de telefoon in rende. Hij zag er geweldig uit. Slank, sexy.

Hoe komen die Europeanen toch aan die strakke lijven? Alex leunde naar achter en wachtte op verbinding met Inlichtingen. *Ze fitnessen niet, ze roken, ze drinken, maar toch slagen ze erin er geweldig uit te zien.*

De telefonist nam eindelijk op. *'Auskunft.'*

'Eh... *ich möchte...*' Alex schakelde snel over op Engels. 'Ik zoek het nummer van Rudolph Tobler.' Ze spelde de naam zorgvuldig. 'In welke plaats?'

'Dat weet ik niet precies. Kunt u heel Zwitserland proberen?'
'Ja, een moment, alstublieft.'

Na een paar seconden kwam de telefonist weer aan de lijn. 'Er is maar één vermelding voor die naam. Blijft u aan de lijn voor het nummer.' Een ingeblikte stem meldde zich en gaf Alex een nummer met het kengetal van Zürich.

'Bingo!' Alex zag Eric uit de gang opduiken. Ze drukte snel op een klein knopje om de verbinding te verbreken, leunde achteruit en glimlachte.

'Wat heb je gevonden?' vroeg hij. 'Er was daar geen telefoonboek. En natuurlijk ook geen kelner.'

'Je bent me een fles champagne schuldig.' Alex glimlachte trots. 'Ik ben er zojuist achter gekomen dat Rudolph Tobler springlevend is en in Zürich woont.' Ze legde de telefoon voor Eric op de tafel neer.

'Maar hoe weten we of het degene is die de bankrekening in 1987 had?'

'Dat weten we niet. Maar daar ging de weddenschap toch niet om?'

'Je hebt gelijk.' Eric trok zijn portemonnee. 'Even de rekening betalen, dan kunnen we opstappen. Zullen we teruggaan naar het hotel en een feestje bouwen?'

'Klinkt geweldig.' Alex' hart sloeg op hol. 'Jouw kamer of de mijne?'

Eric keek geschokt. 'Wat bedoel je?'

'Ik dacht dat je naar het hotel wilde.'

'Ik bedoelde: een fles champagne soldaat maken in de hotelbar.'

'Het spijt me.'

'Hoor eens, Alex.' Eric legde zijn hand op haar schouder. 'Je bent een mooie vrouw. Een van de mooiste vrouwen met wie ik ooit heb gewerkt.' Hij keek haar recht in de ogen. 'Maar dat gaat gewoon niet gebeuren.'

Alex haalde haar schouders op. 'Ik weet heus wel dat de regels relaties tussen collega's verbieden. Ik dacht gewoon...' Ze probeerde het onschuldig te laten klinken. 'Ik maakte maar een grapje. Laten we gewoon aan de champagne gaan in de bar van het hotel.'

'Geweldig. Ik ben zo terug.'

Ze kon de geschokte blik op zijn gezicht zien terwijl hij zich omdraaide om te gaan betalen.

Jij uilskuiken, dacht Alex. *Wat haal je je in je hoofd?* Ze keek naar gedecoreerde bogen vol Germaanse wapenschilden waarmee de muren waren bedekt. *Je chef versieren – na negen weken op je eerste project? Je bent niet goed wijs.*

Ze hoorde een stem uit Erics telefoon komen en pakte het toestel op om te luisteren.

'Hallo?' Het was een mannenstem. Hij klonk boos.

'Met wie spreek ik?' vroeg Alex.

'Met wie spreek *ík*?' vroeg de man boos.

'Ik heb het nummer al. Dank u.'

'Welk nummer?'

'Het nummer van Rudolph Tobler. Dank u, ik heb het al...'

'Maar u spréékt met Rudolph Tobler.'

Alex zocht naar de toets om de verbinding te verbreken. Het toestel had er meerdere. Ze drukte er lukraak een in.

De stem sprak verder. 'Hallo? Bent u daar?'

Ze vond een toets met een rode stip aan de zijkant van de telefoon en drukte hem in. De stem verstomde.

Ze keek de zaal door. Eric was in gesprek met een serveerster bij de deur naar de keuken. 'Shit!'

Alex legde de telefoon terug op de tafel. Ze besloot te doen alsof er niets was gebeurd. Er was immers ook niets gebeurd.

De telefoon rinkelde. Ze las snel het tiencijferige nummer dat op het schermpje verscheen. Het was het nummer dat ze zojuist van Inlichtingen had gekregen – het nummer van Rudolph Tobler. Ze reikte naar de rode knop om de telefoon tot zwijgen te brengen, maar liet haar hand erboven hangen.

Als je niet opneemt, overlegde ze met zichzelf, *zal Eric de melding 'gemiste oproep' zien. Of nog erger, hij wordt door Tobler gebeld en hoort dan dat ik zijn telefoon heb gebruikt om de eerste regel van het Zwitserse bankwezen te schenden.*

De bank had haar zelfs een formulier laten tekenen toen ze aan haar werk bij HBZ begon. Het stipuleerde dat het een misdrijf was om de naam van welke cliënt dan ook openbaar te maken.

Wat zouden ze doen als ze erachter kwamen dat Alex er een had opgebeld?

Ze drukte op de groene toets en hield de telefoon dicht tegen haar oor. 'Meneer Tobler, het spijt me dat ik u heb opgebeld, maar het ging per ongeluk. De telefonist ver...'

'Waarom zei u dat daarnet?'

'Het spijt me, ik wist niet dat Inlichtingen je automatisch doorverbindt en...'

'U zei: "Rudolph Tobler is springlevend." Waarom?'

'Het betekent niets. Het was gewoon een flauwe weddenschap.' Ze wierp een blik in Erics richting. Hij kreeg een bonnetje van de serveerster. 'Ik ga nu ophangen. Belt u alstublieft niet terug. Dit is niet mijn eigen telefoon.'

'Ik hoorde ook iets over een bankrekening in 1987.'

'Het betekent niets. Gewoon een flauwe weddenschap.' Alex' hart klopte snel. 'Ik moet nu ophangen.'

'Als u ophangt, zal ik terugbellen, en wel net zo lang tot ik een antwoord krijg.'

'Het spijt me.' Ze keek omhoog. Eric was op weg naar de tafel. 'Ik moet ophangen.'

'Rudolph Tobler was mijn vaders naam. Hij is in oktober 1987 in Tunesië vermoord.'

3

Zürich
Vrijdag, vroeg in de ochtend

Alex tuurde naar de wekker: 06:00. Het was nog donker. De LED klikte naar 06:01, toen naar 06:02. Ze stopte haar bonzende hoofd onder het kussen. Ze had die nacht nauwelijks een oog dichtgedaan. Ze was een paar keer opgestaan om naar de badkamer te gaan en wat water te drinken of nog een Advil in te nemen.

Rudolph Toblers telefoonnummer drong zich weer aan haar op. Toen kwamen zijn woorden terug: 'Als u nu niet met me kunt praten, dan moet ik erop aandringen dat u mij morgenvroeg opbelt. Anders zal ik terugbellen en met uw vriend praten.' Alex trok het dekbed om zich heen. 06:06. Wat was Eric nu aan het doen? Waarschijnlijk was hij in diepe rust, onwetend van wat er gisteravond was gebeurd. Nog wel. Met één telefoontje zou Tobler een eind aan haar carrière kunnen maken voordat die goed en wel begonnen was. Als Eric ontdekte wat ze gedaan had, zou hij Thompson – en de bank – moeten inlichten.

Ze wierp het dekbed van zich af. Haar hele lijf deed pijn. Zouden ze haar echt in de gevangenis zetten? Misschien niet, maar ze zou op zijn minst haar baan verliezen. Als ze negen weken na de start van haar eerste baan werd ontslagen, zou ze nooit meer werk in deze branche kunnen vinden. Dag opleiding! 'Wat ben ik een oen geweest!' mompelde ze tegen zichzelf. 'Ik zweer dat ik nooit meer zoveel drink.'

De kerkklok buiten haar raam sloeg één keer. Kwart over zes. Ze stond op, trok haar T-shirt en slipje uit en zette koers naar de douche. Terwijl ze het hete water verscheidene minuten over haar lijf liet stromen, besloot ze dat ze Tobler ervan zou moeten overtuigen dat hij het moest opgeven en beslist niet met Eric zou mogen praten. Ze moest zorgen dat hij het aan niemand vertelde.

Terwijl ze zich aankleedde, maalde Rudolph Toblers nummer door haar hoofd. 044-252-4726.

Ze ging zitten om haar schoenen aan te trekken en wierp een blik op de telefoon op de tafel naast haar. *Je moet hem bellen voordat Eric wakker is. Voordat hij zijn telefoon aanzet.*

Ze stak haar hand uit en nam de hoorn van de haak. Ze zou hem ervan overtuigen dat het allemaal een vergissing was, dat het niets betekende. Ze toetste een nul om een buitenlijn te krijgen, toen het nummer. De telefoon ging verschillende malen over.

Ze wierp een blik op de wekker: 06:47. Was het te vroeg? Tobler had gezegd dat ze vroeg in de ochtend moest bellen. Dus moest ze het nu doen.

'Tobler.' Hij noemde alleen zijn achternaam, net als Crissier had gedaan.

'Goedemorgen, meneer Tobler. Ik ben degene die...'

'Ik weet wie u bent. Ik zat op uw telefoontje te wachten.' Hij klonk boos. 'Kunt u me vertellen wat dit allemaal moet voorstellen?'

'Dat heb ik u al verteld. Het stelt... helemaal niets voor. Ik had met mijn vriend gewed dat ik de nummers van verschillende mensen zou kunnen vinden en...'

'Wat bedoelde u toen u zei dat Rudolph Tobler nog springlevend was?' Hij sprak alsof hij zijn tekst oplas, alsof hij er de hele nacht op had geoefend. 'Als u het me niet vertelt, zweer ik dat ik contact zal opnemen met die vriend van u.'

'Ik zei toch al, meneer Tobler, dat dit niets met mij of een van ons te maken heeft.'

'Maar als het iets met de moord op mijn vader te maken heeft, moet ik het weten.'

'Maar ik wéét helemaal niets. U moet me geloven.'

'Waarom belt u mij nu dan terug?'

'Omdat u dreigde mijn vriend te bellen. U zei dat u zou blijven bellen tot...'

'Volgens mij hebt u iets te verbergen.'

'Ik heb helemaal niets te verbergen.'

'Dan wil ik een afspraak met u maken en alles horen wat u weet.'

'Ik kan niet met u afspreken. Ik ken u niet eens.'

'Natuurlijk kent u mij. U kent mijn naam. U hoeft maar in het telefoonboek te kijken om te weten waar ik woon – en wat ik voor werk doe.'

Alex wierp een blik op het telefoonboek van Zürich Stadt dat op de plank naast haar bed lag.

'Meneer Tobler, ik twijfel er niet aan dat u een keurige man bent, maar ik kan echt geen afspraak met u maken.' Ze opende de gids en bladerde naar de T. Er stond maar één Tobler vermeld: 'Rudolph. Filmproduzent. Nägelistrasse 8.' *Dit is een land dat privacy boven alles stelt,* dacht Alex. *Waarom geeft het telefoonboek dan de beroepen en werkadressen van mensen?* Er stond nog een tweede adres vermeld: 'Filmbüro, Limmatquai

31.' Ze herkende de straatnaam. Het was niet ver van haar appartement, aan de rivier.

'Ik vraag alleen om een gesprek bij een kop koffie. Het hoeft maar een paar minuten te duren. Luister, in het centrum van de oude stad is een café dat Schober heet.' Hij spelde het. 'Iedereen kent het. Ik zie u daar om acht uur, afgesproken?'

'En als ik nee zeg?'

'Dan zal ik uw vriend moeten opbellen en met hém afspreken.'

4

Zürich
Vrijdagochtend, een uur later

Alex trok haar jas strak om zich heen terwijl ze langs de Limmat liep. De tas van haar laptop stootte tegen haar heup. Ze had haar eigen computer meegenomen voor het geval de zaak uit de hand liep en ze haar persoonlijke bestanden van de computer op haar werk moest downloaden.

Rechts van haar voelde ze kou opstijgen uit de rivier. Het was een alpiene kou – een mineraalgroene kou, rechtstreeks uit de bergen. Ze keek naar het water en zag een kleine werveling ontstaan. Een *maelstrom* – noemde Eric het zo? Ze stelde zich voor dat ze erin werd gezogen, omlaag werd getrokken, zoals die keer in het Cascadegebergte bij Seattle toen ze met haar vader uit vissen was geweest en ze in de woeste bergstroom was gevallen.

Het enige wat ze zich ervan kon herinneren, waren de duizenden luchtbelletjes die omhoogborrelden terwijl ze onder water een tak greep om niet door de stroom te worden meegesleurd. Ze had zich eraan vastgeklampt tot haar vader haar op de kant trok. Ze kon hoogstens zeven zijn geweest – het was ruim voor de echtscheiding, voordat hij uit haar leven verdween.

Beelden van die opstijgende luchtbellen en van haar verzet tegen de krachtige stroming, hangend aan die tak onder water, flitsten door haar hoofd terwijl ze over de Marktgasse naar de feloranje luifel van Café-Konditorei Schober klom.

Ze duwde de zware glazen deur open en liep naar binnen. Geuren van chocolade en versgebrande koffie vulden de smalle betimmerde entree. Honderden verschillende soorten chocolade waren uitgestald op bladen in de hele ruimte, alsof de zaak zelf één grote bonbondoos was.

Alex begaf zich naar de tearoom achter in de zaak. Er was geen mens te zien.

Ze nam plaats aan een tafeltje voor twee en wachtte. Merkwaardig genoeg voelde ze zich verkwikt, blakend van leven. Haar kater leek volledig te zijn verdwenen. Ze keek op haar horloge. Vijf voor acht.

Aan de muur aan haar rechterhand zag ze een ingelijste zwartwitfoto van het café aan het einde van de negentiende eeuw: vrouwen in zwarte japonnen en witte schorten stonden stijfjes voor de hoofdingang. De foto deed Alex terugdenken aan de vele jaren die ze als serveerster bij Tully's in Seattle had gewerkt. Voordat ze naar businessschool ging, voordat ze haar loopbaan begon bij een van 's werelds meest prestigieuze firma's voor systeembeheer. Thompson – haar eerste echte baan. *Zorg dat je hem niet kwijtraakt*, zei ze tegen zichzelf. *Doe wat je te doen staat. Vertel Tobler gewoon alles wat hij wil horen. Ga dan terug naar je werk en doe gewoon alsof er niets is gebeurd.* De deur ging open. Een slanke, gebruinde man kwam op haar toe en stak zijn hand uit. Hij moest rond de vijftig zijn, een man met een volle kop met haar en een doorploegd gelaat. 'Ik ben Rudi Tobler.' Hij leek nerveus. 'Aangenaam kennis te maken.' Zijn handdruk was stevig, maar zijn hand was koud.

Hij zag er gespannen uit – bijna bang. Heel anders dan de bullebak aan de telefoon. 'Heb ik u lang laten wachten?' vroeg hij. Alex schudde van nee.

'Mooi.' Tobler ging zitten en trok zijn stoel dicht naar de tafel. 'Hebt u al besteld? De koffie is hier uitstekend. Ze malen de bonen zelf. En hun warme chocolademelk schijnt de beste ter wereld te zijn.'

'Ik denk dat ik maar koffie neem.'

Tobler riep naar de keuken: *'Zwei Espresso. Und au ä par Gip-feli.'* Hij draaide zich terug naar Alex. 'Fijn dat u bent gekomen. Ik ben heel benieuwd naar wat u me te vertellen hebt. Ik wil weten wat er met mijn vader is gebeurd.'

'Maar ik heb u niets te vertellen, meneer Tobler. Ik zei aan de telefoon al dat ik geen flauw idee heb wat...'

'Zeg maar Rudi. Voluit Rudolph, net als mijn vader.' Hij trok zijn tweedjasje uit en hing het over de rugleuning van zijn stoel. 'Wat hebt u liever, dat we Engels spreken of Duits? Ik hoor aan uw accent dat u uit Amerika komt.'

'Liever Engels. Ik heb op de universiteit een cursus Duits gevolgd, maar het is nogal weggezakt. En als mensen Zwitsers-Duits spreken, begrijp ik er geen...'

'Geen probleem. Dan spreken we Engels. Ik kom vaak in de States. Vooral in L.A. Ik zit in de filmbusiness, zoals u weet.' Hij vouwde zijn handen voor zich op de tafel. 'Waar wilt u beginnen?'

'Wat bedoelt u? Ik zei toch al dat ik niets te vertellen, niets toe te voegen heb?'

Hij staarde haar verscheidene seconden aan, zijn blauwe ogen groot en expressief. 'In oktober 1987 is mijn vader in Tunesië vermoord. Niemand weet wat hij daar deed, maar...' Hij beet op zijn lip. 'Ik bedoel, we gingen er vaak met vakantie heen, toen ik nog een jongen was. Maar we waren er al heel lang niet meer geweest.'

De serveerster kwam de koffie brengen. Ze zette een mandje met croissants midden op tafel en verdween met een lichte buiging weer naar de keuken.

'De Tunesische politie belde op een ochtend op,' ging Tobler verder, 'om ons te vertellen dat mijn vaders lichaam was gevonden. Op het grote plein in Sousse, aan de voet van de burcht-toren. Zijn dood is nooit *geklärt*, nooit opgehelderd.'

Rudi nam een klein slokje van zijn koffie. Het kopje rammelde op het schoteltje. 'Daarom wil ik dat u mij alles vertelt wat u weet.'

'Maar ik zei u al: ik weet niets over uw vader.'

'Hoe kwam u dan aan zijn naam?'

Alex begon met zachte stem te spreken. 'De naam Rudolph Tobler dook gewoon op in een computercode op mijn werk. Dat
is alles.'

'En die opmerking over een bankrekening in 1987, waar sloeg
die op?'

'Er stond een datum in de code, 19 oktober 1987. Dat is alles.'

'Dat was vier dagen voor de moord op mijn vader.' Hij staarde
in haar ogen. 'Was er nog iets anders?'

'Nee, niets.' Ze nipte van haar koffie. Hij was gloeiend heet.

'Kunt u de code voor me opschrijven?' vroeg Rudi.

'Waarom?' Alex haalde haar schouders op. 'U zou er niets aan
hebben.'

'Alstublieft.' Hij schoof zijn servet naar haar toe. 'Schrijf hem
gewoon hierop. Dan ga ik tenminste met iets naar huis.'

'Waarom? Het is een nietszeggende code.'

'Doet u het gewoon voor mij. Alstublieft.' Hij haalde een vergulde pen uit zijn colbert. 'Meer verlang ik niet. Daarna kunt u
gewoon weer naar huis gaan.'

'En u zult me nooit meer lastigvallen?'

'Dat beloof ik. Ik kan moeilijk om meer vragen dan u weet, hè?'
Hij stak haar de pen toe. 'Alstublieft. Het is het enige wat ik
verlang.'

'En u belooft dat u nooit meer naar het nummer van mijn vriend
zult bellen?' Alex nam de pen aan. 'Dat u met niemand over deze ontmoeting zult praten?'

'Ik beloof het.' Rudi liet het dopje van de pen op de grond vallen en bukte zich diep onder de tafel om het op te rapen.

Alex begon te schrijven.

'Tussen haakjes...' Rudi ging weer zitten en nam een slokje van
zijn koffie. 'Zou ik u iets mogen vragen?'

Alex keek op. 'Wat dan?'

'Waarom was u zo bang dat iemand erachter kwam dat u mij
hebt opgebeld?'

'Ik wil er gewoon zeker van zijn.' Ze haalde diep adem. 'Het
gaat om mijn werk. Wij mogen geen contact opnemen met klanten.' Alex keek in Rudi's ogen. Ze waren diepblauw, net als die

van Eric. 'Als ze ontdekken dat ik met u gesproken heb, kan ik de laan uit vliegen.'

'Maak u geen zorgen,' zei Rudi zacht. 'Ik beloof u dat ik niemand over het telefoontje zal vertellen – of over deze ontmoeting.'

'Dank u.' Ze overhandigde hem de pen en het servet met de lange coderegel. 'Dit is het. Ik zie niet in wat u eraan kunt hebben. Volgens mij betekent het niets.' Ze schoof haar stoel naar achteren om te vertrekken.

'Wacht even. Wat is dat getal achter het woord DATE?' Tobler wees naar de cijfers 871019.

'Dat is de datum waarover ik u vertelde,' legde Alex uit. '19 oktober 1987. Zo stond het er, met maar twee cijfers als jaartal. Daarom trok het mijn aandacht.'

'Maar,' Rudi wees opgewonden naar het einde van de code, 'dat is de naam van mijn vaders oude bedrijf.' Hij hield zijn vinger bij de naam TOBLER & CIE. 'Maar het punt is dat hij het voor zijn dood heeft verkocht. Aan zijn zakenpartner, Georg Ochsner. Weet u wat dat betekent?'

'Nee, geen idee.' Alex hing haar laptoptas aan haar schouder en stak haar hand uit om afscheid te nemen. 'Het spijt me, ik moet nu gaan.'

'Wacht.' Rudi greep haar pols. 'Ik moet hieruit komen voordat u weggaat. Alstublieft, het duurt maar even.' Hij liet haar pols los en toetste een nummer in. Hij gebaarde dat ze moest blijven zitten.

Alex overwoog om naar buiten te lopen. Zij was haar deel van de afspraak nagekomen en hij had beloofd dat hij haar met rust zou laten.

'Dit duurt maar even.' Hij wees naar zijn telefoon – het toestel dat hij, als hij wilde, zou kunnen gebruiken om Eric op te bellen, besefte Alex. 'Blijf gewoon even tot ik gebeld heb,' voegde hij eraan toe. Tobler sprak verscheidene minuten in zangerig, onverstaanbaar Zwitsers-Duits. Alex begreep geen woord van wat hij zei.

Ze wierp een blik op de klok naast de foto van de serveersters. Zou Eric inmiddels op het werk zijn en zich afvragen waar ze bleef?

Tijdens het telefoongesprek keek Tobler verscheidene malen naar haar op. Hij leek steeds geagiteerder te worden terwijl hij sprak.

Een moeder met een tweeling, een jongen en een meisje, nam plaats aan een tafeltje aan de andere kant van de tearoom. De kinderen spraken opgewonden in het Frans. De moeder zag er heel content, heel gelukkig uit.

Plotseling legde Tobler de telefoon met een klap op tafel. 'U hebt tegen me gelogen.'

'Waar hebt u het over?' Alex deinsde terug. 'Ik heb u de code precies zo gegeven als hij in de...'

'Maar u hebt me niet gezegd dat de rekening bij de Helvetia Bank Zürich liep!'

Alex gaf geen antwoord.

'U kende de naam van de bank!'

Alex haalde haar schouders op. 'U hebt me niet naar de naam van de bank gevraagd.' Ze kwam overeind. 'Het spijt me, maar ik moet nu gaan.'

'Alstublieft. Ga zitten.' Hij legde zijn hand op de hare. 'Ik wil alleen uitzoeken wat dit allemaal betekent. Gewoon nog een paar minuten.'

Ze keek om zich heen. Niemand leek acht op hen te slaan. 'Alstublieft,' zei Rudi zacht.

Alex ging weer zitten.

'Ik begrijp het niet.' Hij haalde zijn schouders op. 'Waarom hebt u me niet alles verteld, zoals u beloofde?'

'Ik zei toch dat ik mijn baan zou kunnen verliezen? Alleen al vanwege mijn contact met u.'

'Maar ik heb u beloofd dat ik het tegen niemand zou zeggen.' Rudi keek gekwetst, teleurgesteld over haar gebrek aan vertrouwen. 'Het feit dat de rekening bij de Helvetia Bank Zürich loopt, is heel belangrijk. Misschien kan het me helpen om erachter te komen waarom mijn vader is vermoord. Begrijpt u dat niet?'

'Het spijt me, maar ik weet niets van wat er met uw vader is gebeurd.' Alex wierp een blik op de klok. 'Ik moet nu echt naar mijn werk.'

'Heel even.' Rudi pakte zijn telefoon en drukte op de herhaaltoets. 'Ik wil dat u Georg Ochsner, mijn vaders oude zakenpartner, precies uitlegt wat de code betekent. Hij is degene die me vertelde waar de rekening liep.'

Alex schudde haar hoofd. 'Daar kan ik niet aan...'

'Alsjeblieft.' Rudi wachtte tot de telefoon overging. 'Ik wil alleen dat u hem in uw eigen woorden uitlegt wat voor code het is.'

'Ik zei u al dat ik geen idee heb.'

'Vertel hém dat dan. In uw lunchpauze. Vandaag. Het kost hoogstens een uur.' Rudi hield de telefoon tegen zijn oor gedrukt.

Alex boog zich naar hem toe en fluisterde. 'Dringt het niet tot u door? Ik mág me niet mengen in de zaken van een cliënt van de bank.'

'Maar ik bén de cliënt,' antwoordde Rudi zelfverzekerd. 'En het is mijn rekening. Of die van mijn vader, maar dat komt op hetzelfde neer, want ik ben zijn enige erfgenaam. Het enige wat ik van u vraag, is dat u met de oude zakenpartner van mijn vader praat. Gewoon tijdens een lunch, dan bent u van me af.'

Alex schudde langzaam haar hoofd. 'Het spijt me. Dat kan ik niet doen.'

Hij wees naar zijn telefoon. 'Dan moeten we misschien maar naar uw collega bellen. Ik weet zeker dat hij coöperatiever zal zijn.' Hij keek haar recht aan. 'Ik neem aan dat hij ook bij de Helvetia Bank Zürich werkt?'

5

Zürich
Vrijdag, tussen de middag

'*Wo ist das Restaurant, bitte?*'
De receptionist van Hotel zum Storchen wees met zijn mollige wijsvinger naar de lift. 'Boven,' mompelde hij in het Engels. Toen verdiepte hij zich weer in zijn Italiaanstalige krant.
Alex nam plaats aan een tafel op het terras met uitzicht op de rivier. Boven de daken van de *Altstadt* van Zürich kon ze de Alpen boven de mist zien uitrijzen. Ze bestelde een mineraalwater en wachtte.
Links van haar, naast een brede betonnen voetgangersbrug, stond een hoog, neoklassiek gebouw met een sculptuur van een gevallen engel in het gevelveld. Haar oog viel op het woord KRIMINALPOLIZEI dat boven de deur was gebeiteld.
Misschien moet ik daar maar heen, zei ze tegen zichzelf. De politie vertellen dat Rudolph Tobler me stalkt. Maar wat zou ik ermee opschieten? De bank zou erbij betrokken raken en wat dan? Niet alleen zou ze haar baan kwijtraken, maar de politie zou weten dat ze de wet op het bankgeheim had geschonden.
Doe wat Tobler wil, hield ze zichzelf voor. *Ga dan terug naar HBZ en doe gewoon alsof er niets aan de hand is.* Die ochtend op kantoor had ze niets tegen Eric gezegd over de vorige avond, en hij had er op zijn beurt ook niets over gezegd.
Misschien was hij het vergeten. Of deed hij alsof.
Ze bekeek de suikerzakjes op de tafel voor haar. Op elk stond een teken van de dierenriem. Ze vond haar teken. *Jungfrau* – Maagd. Ze las de beschrijving: 'Maagd is een standvastig, ordelijk persoon die op elk gebied intelligente keuzes maakt.'
'Ja ja,' mompelde Alex. Hoe ordelijk was het om je automatisch te laten doorverbinden? Hoe intelligent was het om je op leugens te laten betrappen? Hoe standvastig was het om je door Tobler te laten overhalen vandaag hierheen te komen?
Ze keek op en zag Rudi een goedgeklede oudere man om een

lange tafel heen leiden waaraan Japanse zakenlui sigaretten zaten te roken. Ze zochten zich een weg naar het terras.

Haar hart begon te bonzen. *Ontspan je,* hield ze zichzelf voor. *Over twee uur is het allemaal voorbij.*

'Leuk je weer te zien.' Rudi schudde haar de hand alsof ze oude vrienden waren. 'Mag ik je voorstellen aan Georg Ochsner?'

Het viel Alex op dat Tobler handig vermeed haar naam te noemen.

Ochsner schudde haar de hand en glimlachte. 'Aangenaam, *Fräulein.*' Hij droeg een tweedjasje, net als Rudi, maar de rest van zijn kleding was veel formeler: een blauw overhemd met monogram, een das van Hermès en een donkere broek. Een bordeauxrode zijden pochet stak uit zijn linkerborstzak. Ochsner ging tegenover haar zitten.

Rudi nam plaats naast Alex, tussen haar en de deur. 'Bedankt dat je ons vandaag wilde ontmoeten.' Hij glimlachte. 'En dat je wilt uitleggen wat je in de computer hebt gevonden.'

'Ik kan niet...' Ze richtte zich tot Ochsner. 'Ik weet niets meer dan wat ik meneer Tobler vanmorgen heb verteld.'

'Dat is geen probleem.' Ochsner knikte. 'Ik ben ervan overtuigd dat uw inzicht ons verder zal helpen. Ik weet niet of Rudi het heeft verteld, maar ik ben zijn vaders executeur-testamentair.'

'Dat heb ik haar al verteld.' Rudi haalde het servet van Café Schober uit zijn zak en legde het midden op de tafel. 'Ik wil weten waar dit allemaal om gaat.'

'Maak je geen zorgen, jongedame,' zei Ochsner zachtjes, 'alles wat je hier vandaag zegt, zal strikt vertrouwelijk blijven. Ik ben een Zwitserse bankier – weliswaar een oud-bankier, maar nog steeds bankier.'

Een serveerster in een dirndljurk kwam hun bestelling opnemen. 'De vis is hier uitstekend,' zei Ochsner met gezag.

Alex wierp een blik op de menukaart. De prijzen waren astronomisch.

'Ik stel voor dat ik zeebaars voor iedereen bestel.' Ochsners accent was meer upperclass Engels dan Zwitsers-Duits. 'En mag ik een suggestie doen voor de wijn?' voegde hij eraan toe. 'Een

St-Saphorin, misschien?' Hij wachtte hun antwoord niet af, maar bestelde voor iedereen.

Zodra de serveerster was vertrokken, richtte Ochsner zich tot Alex en vatte de draad van zijn betoog weer op. 'Zoals ik zei, zouden wij gewoon wat meer willen weten over de betekenis van de code.'

Alex legde haar wijsvinger op de rand van het servet. 'Het enige wat ik weet, is dat er een rekeningnummer en een paar namen in staan. Meer niet.'

'Maar zou je zo vriendelijk willen zijn,' Ochsner las de tekst op het servet en schoof het naar Alex, 'om ons te vertellen waarvoor de code bedoeld zou kunnen zijn?'

'Deze regels dragen de computer gewoon op om de namen op alle afschriften van die rekening te veranderen, op één bepaalde dag in 1987: 19 oktober.' Ze duwde het servet terug naar het midden van de tafel. 'Maar ik weet niet waarom die opdracht in het computerprogramma is ingevoerd. Dat is vreemd.'

'Hebt u de datum gezien?' vroeg Rudi opgewonden aan Ochsner. 'Precies vier dagen voordat mijn vader stierf. Dat moet iets te maken hebben met...'

Ochsner gebaarde Rudi te wachten tot de serveerster klaar was met het inschenken van hun wijn. Toen ze weg was, wendde Ochsner zich weer tot Alex. 'Wat denk jij dat het betekent?' Hij diepte een gouden sigarettenkoker op en opende hem kalm. 'Je zult toch wel een idee hebben waarom iemand de namen op een rekeningafschrift zou willen veranderen?'

'Nee. Ik ben computeranalist, geen bankier.'

'Dat lijkt me duidelijk.' Hij nam een flinke teug van zijn wijn.

Alex nam een slok van de hare. De wijn was koel, fruitig, zoet. *Zou dit het enige zijn wat ze wilden? Was het voorbij? Was het zo gemakkelijk?*

'Wat denkt u dat het betekent?' vroeg Rudi aan Ochsner.

'Eerlijk gezegd heb ik geen flauw idee.' Hij nam een dunne sigaret met een gouden filter uit de geopende koker en stak hem bedaard op. 'Ik ben bankier, geen computerexpert.'

'Maar u wist van het bestaan van deze rekening,' vervolgde Rudi. 'Aan de telefoon zei u dat...'

'Natuurlijk wist ik van deze rekening. Ze behoorde toe aan je vader. En als zijn executeur heb ik haar onder mijn hoede – zoals al het overige in zijn nalatenschap.'

'Maar waarom hebt u mij er niets over verteld?' drong Rudi aan. 'Na de dood van moeder werd ik vaders enige erfgenaam. Bent u, als zijn executeur, niet verplicht mij in kennis te stellen van ál zijn bezittingen?'

Ochsner blies de rook langzaam uit. 'Het enige wat ik verplicht ben je te vertellen is dat deze rekening bij de Helvetia Bank Zürich inderdaad bestaat.'

'Maar als deze rekening op mijn naam staat, op mijn vaders naam staat, dan behoort hij toch aan mij toe?'

Ochsner nam een reeks snelle trekjes, drukte zijn sigaret toen uit en zei: '*Ja-ein.*'

'En wat betekent dat?' vroeg Alex.

'Het betekent ja en nee.' Ochsner boog zich naar haar toe met zijn ellebogen op de tafel, zijn handen gevouwen. 'Ja, de rekening staat op Rudi's naam. Maar hij behoort hem niet toe.'

'Maar hij is zijn vaders enige erfgenaam.' Alex nam nog een slok wijn. 'Wat van zijn vader was, moet van hem zijn.'

'Weet je wat een *Treuhand*-rekening is, jongedame?'

'Nee.' Alex schudde haar hoofd. 'Geen idee.'

Ochsner spreidde zijn handen. 'Het komt van de woorden *treu* en *Hand*. Een *Treuhänder* is een gemachtigde. In het Engels bestaat een soortgelijke uitdrukking, meen ik.'

'U bedoelt *trustee*?' vroeg Alex.

'Juist.' Ochsner glimlachte stijfjes. Zijn tanden waren geel van de nicotine. 'En tot voor kort was het in Zwitserland volstrekt legaal dat mensen uit andere landen zo veel trusteerekeningen hadden als ze wilden. Deze anonieme rekeningen waren bedoeld om de vermogens van cliënten af te schermen voor ongewenste blikken.' Hij keek haar onderzoekend aan. 'Misschien is het je niet bekend, maar in vele delen van de wereld is het strafbaar om geld te hebben bij buitenlandse banken – zelfs al gaat het om legaal verkregen geld.'

'Ja, en?' vroeg Alex.

Ochsner keek haar verstoord aan. 'Ik hoor aan je accent dat je Amerikaans bent.'

Alex haalde haar schouders op. 'Wat zou dat?'

'Wellicht vind je dit moeilijk te begrijpen,' hij stak weer een sigaret op, 'maar mensen overal ter wereld maken gebruik van Zwitserse banken om het vermogen van hun familie van de ene generatie op de andere aan toe te vertrouwen. Zelfs vandaag de dag zijn er tal van landen die strikte beperkingen stellen aan de hoeveelheid geld die over de grens mag worden gebracht of gespendeerd. Met name in Latijns-Amerika, Afrika en Azië, maar dit speelt zelfs in Europa. Bijvoorbeeld in Frankrijk onder president Mitterrand. En natuurlijk in Duitsland vóór de Tweede Wereldoorlog.' Alex zag dat hij zijn sigaret precies zo vasthield als Eric toen hij Crissier imiteerde. 'Misschien heb je er geen weet van, maar toen de Duitsers in de jaren dertig Joodse tegoeden begonnen te confisqueren, voerden de Zwitsers de Wet op het Bankgeheim in.'

'Maar dat was toch gewoon een voorwendsel?' interrumpeerde Rudi. 'De Zwitserse banken pleitten al heel lang voor die wet – in hun eigen belang. Het had niets te maken met wat de nazi's deden.'

'Natuurlijk wilden de Zwitserse banken die wet,' antwoordde Ochsner nors. 'Een bankier is een ondernemer als iedere andere.'

'Maar waarom profiteren van de ellende van anderen?' vroeg Rudi.

'Dat deden ze niet,' antwoordde Ochsner. 'Ze leverden een nuttige dienst.'

'Dat wil er bij mij niet in.' Rudi schudde vol walging zijn hoofd. Alex nam nog een slokje wijn en leunde naar achter om hen te zien sparren.

'Vergeet niet,' vervolgde Ochsner, 'dat je vader een *Treuhänder* was. Zoals veel Zwitserse vertrouwensmannen hielp hij zijn cliënten om hun geld af te schermen, omdat het anders zou zijn geconfisqueerd door de autoriteiten in hun eigen land.'

'Ja, en?'

De obers arriveerden, plaatsten de vis op een bijzettafel en begonnen die te fileren.

Rudi richtte zich tot Ochsner zodra de obers vertrokken. 'Toch wil ik weten waarom mij nooit iets over deze rekening is verteld.'

'Dat heb ik al gezegd. Omdat het jouw rekening niet is,' antwoordde Ochsner gepikeerd. 'Het is een trusteerekening. De rekening staat alleen op jouw náám, hij is alleen onofficieel van jou.'

'Van wie is hij officieel?' vroeg Alex.

Ochsner keek op. Zijn ogen schoten vuur. 'Dat gaat je niets aan.' Hij nam een hap van zijn eten.

'Maar mij wel,' wierp Rudi in het midden, 'en ik wil weten aan wie die rekening werkelijk toebehoort.'

'Het spijt me. Dat kan ik je niet vertellen.' Ochsner nam nog een hap en keek uit over de rivier, waar een rondvaartboot met een glazen overkapping aanmeerde en de groep Japanse zakenlui oppikte die eerder in het restaurant hadden gezeten. 'Het is jouw zorg niet.'

'Maar de rekening staat op mijn naam – dan heb ik toch het recht om het te weten?'

'Technisch gesproken wel, maar ik...'

'Vertel het me dan.' Hij keek even naar Alex. 'Vertel het ons. Aan wie behoort deze rekening toe?'

Ochsner legde zijn mes en vork neer en veegde zijn mond af met zijn servet. 'De waarheid is dat deze rekening door je vader in 1938 is geopend voor iemand uit een ander land. Mijn instructies als zijn executeur waren dat ik niemand van het bestaan ervan op de hoogte mocht stellen. Je mocht er pas na mijn dood over worden ingelicht.'

'En als ik eerder was overleden dan u?' vroeg Rudi.

'Dan zou ik instructies hebben achtergelaten om de rekening over te dragen aan je erfgenamen.'

'Maar ik heb geen kinderen,' hield Rudi aan. 'Op wie zou de rekening dan zijn overgegaan?'

'Wie je ook maar als erfgenaam had aangewezen. Maar net als je vader zouden zij hem slechts in *trust*, in beheer, hebben gekregen – ten behoeve van de echte eigenaars.'

'Weet u wie de echte eigenaars zijn?' vroeg Alex Ochsner.

'Dat... kan ik niet zeggen.'

'Kan u dat niet?' vroeg Rudi. 'Of wilt u het niet?'

Ochsner staarde Rudi secondelang aan. 'De waarheid is dat je vader met de echte eigenaar van de rekening, de beneficiaire eigenaar zoals we hem noemen, is overeengekomen diens naam geheim te houden – zelfs voor toekomstige trustees. Zijn naam bevindt zich in een verzegelde envelop in een kluis bij mij thuis.'

'En die ligt daar al sinds mijn vaders dood?' vroeg Rudi.

Ochsner knikte.

'En u hebt mij er nooit iets over verteld?'

'De Zwitserse bankierspraktijk eist dat ik niets doe zolang de beneficiaire eigenaar zich niet meldt.'

'Hebt u er nooit aan gedacht de brief open te maken?' vroeg Alex. 'Om te zien aan wie de rekening werkelijk toebehoort? Om te zien of er misschien contact met de eigenaar kan worden opgenomen?'

Ochsner haalde zijn schouders op. 'Daar had ik het recht niet toe.'

'En hoe zit het dan met dat schandaal over slapende rekeningen, in de jaren negentig? Waarom hebt u er toen niets over gezegd?'

'Dat kon ik niet doen.'

'Waarom niet?' drong Alex aan.

'Omdat het geen slapende rekening was. Het was een trusteerekening.'

'Wat is het verschil?'

'Het schandaal rond slapende rekeningen waar jij op doelt, ging alleen om rekeningen die sinds de Tweede Wereldoorlog niet meer waren gebruikt. Die bevatten slechts een paar duizend dollar – het geld was ondergebracht op rekeningen zonder rente. Slechts in enkele gevallen ging het om meer dan een ton, als ik me goed herinner.' Hij richtte zich tot Rudi. 'En weet je waarom?'

Rudi schudde zijn hoofd. 'Nee.'

'Omdat het "slapende rekeningen" waren. Behalve dat ze hun kosten afboekten, deden de banken er niets mee. Tegen de tijd dat de Amerikanen de Zwitserse banken dwongen om openheid over de rekeningen te verschaffen, was er nauwelijks iets van over nadat alle kosten en commissies waren afgeboekt.' Hij nam weer een hap. 'Het was zeker niet voldoende om het wereldwijde schandaal te rechtvaardigen.'

'Waarom hebben de banken dan geen openheid over die trusteerekeningen gegeven?' vroeg Alex.

'Dat konden ze niet,' antwoordde Ochsner.

'Waarom niet?' vroeg Rudi.

'Omdat de banken er nooit over waren ingelicht. Dat was het hele eiereneten. Alleen de trustees wisten aan wie de rekeningen werkelijk toebehoorden.'

'Waarom hebben de trustees ze dan niet aan de autoriteiten gerapporteerd?' vervolgde Alex.

'Omdat niemand ernaar heeft gevraagd.' Ochsner leunde naar achter. 'En zolang dat niet het geval is, hebben wij niet het recht om ze te onthullen.' Hij schoof zijn bord opzij. 'Vanwege het Zwitserse bankgeheim. Ik weet zeker dat je begrijpt wat dat inhoudt.'

'Maar dat is belachelijk,' wierp Rudi in het midden. 'Als die trusteerekeningen nu nog niet door iemand zijn opgeëist, zal dat nooit meer gebeuren.'

'Dat weet je nooit.' Ochsner stak een nieuwe sigaret op. 'En zolang niemand mij dwingt iets anders te doen, is het mijn verantwoordelijkheid als je vaders executeur om te zorgen dat de tegoeden verstandig worden beheerd.' Hij nam een lange trek. 'En te wachten tot iemand ze opeist.'

'En in de tussentijd belegt u het geld?' vroeg Alex.

'Ja. Ik heb het geld op deze rekening persoonlijk beheerd totdat ik begin jaren negentig met pensioen ging. Toen heb ik het mandaat overgedragen aan iemand bij een firma voor fondsbeheer in Zürich, FINACORP.' Hij wendde zich tot Rudi. 'Maar ik houd nog altijd een scherp oog op het saldo. Ik bekijk het elke drie maanden, in feite. En ik moet zeggen, het ziet er gezond uit.'

'Waarom heeft er dan nog nooit iemand van FINACORP contact met mij opgenomen?' vroeg Rudi. 'De rekening staat op mijn naam, iemand had me moeten...'

'De fondsbeheerder weet niet beter dan dat de rekening onder je vaders nalatenschap valt.' Ochsner schudde zijn hoofd. 'Als je vaders executeur ben ik de enige aan wie ze verplicht zijn rapport uit te brengen.'

'Tot wanneer?' vroeg Rudi.

'Zolang als ik leef,' antwoordde Ochsner. 'Je weet dat ik alle andere vermogensbestanddelen van je vader jaren geleden aan je heb overgedragen, maar deze rekening maakt nog steeds deel uit van je vaders nalatenschap, en als zijn enige executeur ben ík er verantwoordelijk voor, niet jij.'

'Rudi's vader overleed in 1987 en de nalatenschap is nog steeds open?' vroeg Alex. Ze herinnerde zich dat haar moeders executeur niet meer dan drie weken nodig had gehad om de nalatenschap van haar moeder af te wikkelen.

'Ik weet niet of je het weet,' zei Ochsner kortaf tegen Alex, 'maar in Zwitserland kan een nalatenschap open blijven zolang de executeur dat nodig acht. Jarenlang. Decennia desnoods.' Hij keek haar uitdagend aan. 'Zo werkt dat hier.'

'Dus ú beheerde de rekening in 1987?' vroeg Alex.

Ochsners ogen schoten vuur. 'Ik neem aanstoot aan die insinuatie, jongedame.' Hij maakte zijn sigaret driftig uit. 'Hoewel ik Tobler & Cie overnam toen Rudi's vader begin jaren tachtig met pensioen ging, stond hij erop deze rekening persoonlijk te beheren totdat hij stierf – vier dagen nádat de code in de computer van de bank was ingevoerd.'

'Het is wel een beetje toevallig, vindt u niet?' zei Rudi. 'Vier dagen na een computermanipulatie die deze rekening vermeldde, wordt mijn vader vermoord?'

'Vermoord?' Ochsner keek bevreemd. 'Je weet heel goed dat je vader zelf een eind aan zijn leven heeft gemaakt.'

Rudi bloosde. 'Maar... dat is nooit echt bewezen.'

'Kom nou, Rudi!' Ochsner fronste. 'En die afscheidsbrief dan?'

Rudi wisselde een blik met Alex. 'Goed, er wás een brief, maar het enige wat daarin stond was: "Rudi, ik vertrouw erop dat je voor je moeder zorgt".' Hij haalde zijn schouders op. 'Ze vonden hem in zijn hotelkamer – in Sousse.'

Ochsner boog zich naar voren en legde zijn hand op Rudi's arm. 'Rudi, iedereen heeft geaccepteerd dat je vader zelfmoord pleegde. Ik. De politie. Zelfs je moeder. Waarom kun jij niet accepteren dat...'

'Maar waarom was zijn afscheidsbrief aan mij gericht en niet aan mijn moeder?'

'Hij besefte waarschijnlijk dat jij de meeste moeite zou hebben om zijn dood te accepteren.' Ochsner leunde naar achter. 'Ik moet je iets vertellen, Rudi. Toen je vader mij over deze rekening vertelde, in 1987, de dag voordat hij naar Tunesië vertrok, sprak hij als iemand die niet terug zou komen.'

'Waarom hebt u hem dan niet tegengehouden?' Rudi's stem brak. 'Als het zo duidelijk was wat er ging gebeuren?'

'Wat had ik kunnen doen?' Ochsner keek geschokt, beledigd. 'Trouwens, niemand kon weten wat hij zou gaan doen.'

'Hoe kunt u er dan nu zo zeker van zijn dat hij zelfmoord heeft gepleegd?'

Ochsner schudde zijn hoofd. 'Het spijt me, Rudi.' Hij legde zijn handen plat op de tafel. 'Achteraf gezien is het duidelijk dat hij wist wat hij ging doen.'

Rudi staarde Ochsner aan. 'Had u maar iets gedáán, iets gezegd, tegen mij of mijn moeder.'

'Er was niets wat ik doen kon.' Ochsner schudde langzaam zijn hoofd. 'Het was mijn zaak niet.'

'O, werkelijk?' Alex schoof haar bord opzij. 'Net als met die rekening?'

'Ik zei al, er was niets wat ik kon doen,' antwoordde Ochsner uitdagend.

'U had heel veel kunnen doen. U was executeur. U had het volste recht, zo niet de plicht, om iets te doen.'

Ochsner haalde diep adem. 'Ik weet dat het moeilijk te begrijpen is voor jullie Amerikanen.' Hij keek haar recht aan. 'Maar het is níét de taak van Zwitserse bankiers om overal op de wereld hun neus te steken in de privézaken van hun cliënten. Onze taak is hun gelden en andere vermogenswaarden verantwoordelijk te beheren totdat zij, of hun erven, naar ons toe komen. Dat is de kern van het Zwitserse bankgeheim.' Het was duidelijk niet de eerste keer dat hij deze preek afstak. 'Amerikaans bankgeheim, het spijt me dat ik het zeggen moet, is een oxymoron. Jullie Amerikanen willen voortdurend je neus in andermans zaken steken. Jullie willen dat iedereen zijn hele hebben en houen op tafel legt – wat trouwens een van de redenen is dat mensen hun geld in Zwitserland onderbrengen. Ze weten dat wij er discreet mee omgaan.'

'Maar kijk eens wat hier is gebeurd,' hield Alex aan. 'Deze rekening bestaat al vanaf de Tweede Wereldoorlog, en niemand heeft er zelfs maar weet van. Misschien zelfs de rekeningeigenaars niet. Of hun erfgenamen. Allemaal dankzij jullie dierbare "bankgeheim".'

Ochsner pakte zijn zakdoek en veegde zijn voorhoofd af. 'Ik weet toevallig dat Rudi's vader na de oorlog alle mogelijke moeite heeft gedaan om de rechthebbenden van al zijn trusteerekeningen te vinden. Maar van velen van hen was er gewoon geen enkel spoor.' Hij keek weer naar Rudi en zei: 'En het is zeker niet zo dat je vader geen prikkel had. Als ik hem goed heb begrepen, zegt de overeenkomst die deze rekening regelt dat vijf procent ervan als beheerloon aan je vader toekwam – zij het pas na overdracht van de rekening aan de oorspronkelijke eigenaar.'

'Vijf procent van wat?' vroeg Alex.

Ochsner slaakte een zucht. 'Vijf procent van de totale waarde van de rekening.'

'En hoeveel is dat?' vroeg Alex.

'Dat kan ik niet zeggen. Maar dit wil ik er nog wel over zeggen: elke rekening die in de afgelopen eeuw consistent in effecten is belegd, zou het heel goed hebben gedaan.' Hij trok zijn creditcard en overhandigde hem aan de serveerster. Vervolgens richtte hij zich weer tot Alex. 'Besef je wel dat een luttele duizend dollar die op het einde van de Tweede Wereldoorlog in de Standard & Poor's 500 is geïnvesteerd, vandaag de dag tot meer dan een miljoen dollar zou zijn gegroeid? Weet je wat de term "exponentiële groei" inhoudt?'

'Natuurlijk,' antwoordde Alex.

'Dan behoor je ook te weten dat door herinvestering van dividenden en interest elke langetermijnbelegging in effecten meer zou zijn gegroeid dan de meeste mensen zich zouden kunnen voorstellen.'

'Over hoeveel hebben we het hier dan?' vroeg Alex.

Hij gaf geen antwoord.

'Een miljoen dollar?'

Nog steeds gaf hij geen antwoord.

'Méér? Hoeveel is het?' Alex keek Ochsner recht aan.

Hij knipperde een paar keer met zijn ogen. 'Daar sta jij helemaal buiten.'

'Dat heb ik aldoor gezegd,' antwoordde Alex vinnig.

6

Zürich

Vrijdagmiddag

'Wat een type, hè?' Rudi stond naast Alex terwijl ze Ochsners zwarte Daimler sedan zag wegscheuren over het smalle geplaveide straatje achter het Storchen.

'Als hij nog één keer "Zwitsers bankgeheim" had gezegd, was ik gaan gillen.' Alex keek Rudi aan. 'Is hij altijd zo geweest?'

'Toen ik nog jong was, was hij altijd heel aardig tegen me. Ik weet nog goed dat als ik op mijn vaders kantoor kwam, Georg me altijd op schoot nam, me verhaaltjes vertelde, me bij zijn werk betrok. Maar na mijn vaders dood leek hij te veranderen.' Hij staarde Alex aan. 'Ik heb me altijd afgevraagd waarom mijn vader hem tot executeur benoemde en niet mij. Als hij mij die rol had gegeven, zou ik al vanaf 1987 weet hebben gehad van die rekening.'

'Nou, het is misschien een schrale troost, maar mijn moeder heeft mij ook niet tot haar executeur benoemd. Niet dat haar nalatenschap zoiets als een Zwitserse bankrekening bevatte.'

Ze haalde diep adem. 'Soms moet je de dingen gewoon loslaten.' Ze keek op haar horloge. 'Ik moet nodig terug naar mijn werk. Het is bijna twee uur.'

'Maar wat moet ik nou?' vroeg Rudi.

'Moet jij niet aan het werk?'

'Ik wil weten wat er met mijn vader is gebeurd.'

'Was het niet duidelijk dat...'

'Ik zal nooit geloven dat mijn vader zelfmoord heeft gepleegd – niet zolang ik niet weet wat er precies is voorgevallen. En tot het zover is, zal ik vragen blijven stellen.' Rudi zag eruit als een beteuterde schooljongen, zoals hij daar voor het hotel stond. 'Zeg! Ik heb een idee!' Hij pakte haar bij de arm. 'Laten we naar de bank gaan. Ik kan gewoon naar binnen gaan en vragen of ik de rekening met eigen ogen mag zien.'

'Ik ga niet mee. Ik...'

'Desnoods doe ik het alleen. In theorie behoort die rekening aan mij toe. Ochsner zei het zelf. Ze moeten me alles vertellen.'

'Wat je ook doet, hou mij erbuiten.' Alex keek Rudi doordringend aan. 'Begrijp je dat? Ik kan mijn baan verliezen als...'

'Maak je geen zorgen. Ik heb je beloofd dat ik je erbuiten zou houden als je me hielp.' Hij sloeg zijn arm om Alex' middel. 'En je hebt me geholpen, weet je. Dank je wel.'

Hij begon te lopen. 'Als de bank vraagt hoe ik van het bestaan van de rekening weet, zeg ik gewoon dat ik het van Ochsner heb. En hij mág jouw naam niet bekendmaken.' Rudi keek haar aan en glimlachte. 'Dat is nog maar één voorbeeld van hoe het Zwitserse bankgeheim in ons voordeel kan worden aangewend.'

Hij leidde haar door de steeg achter het Storchen naar de Bahnhofstrasse. 'Ik vraag me af hoeveel geld er werkelijk op die rekening staat. Maar ik moet erbij zeggen dat ik me die lijsten van slapende rekeningen herinner die in de jaren negentig werden vrijgegeven. Jammer genoeg had Ochsner gelijk. Op de meeste stond slechts een paar duizend dollar. Maximaal een ton.' Hij gaf haar een zacht kneepje in haar arm. 'Maar weet je, als deze rekening al die jaren verstandig is beheerd, moet het inmiddels veel meer zijn. Misschien wel een miljoen!'

'Nou, niets let je om naar binnen te gaan en het te vragen.' Alex wees naar de hoofdingang van HBZ aan de overkant van de Bahnhofstrasse. 'Daar is het.' Twee stenen cupido's, blote jongetjes van verweerd graniet, bewaakten de deur. 'Jammer genoeg is mijn ingang aan de achterkant.' Ze stak haar hand uit om afscheid te nemen.

'Stel het je voor. Al dat geld dat daar ligt.' Rudi's ogen werden groot. 'Wachtend tot ik het kom opeisen.'

'Maar het is niet echt jouw rekening.'

'Nee, maar het beheerloon wel. Ochsner zei toch dat vijf procent van de rekening aan mijn vader toekomt, wat betekent dat het aan mij toekomt?' Hij knikte. 'En vijf procent van één miljoen dollar is...'

'Vijftigduizend dollar.'

'Hé!' Rudi greep Alex' uitgestoken hand. 'Wat zou je ervan zeggen als we het delen? Ieder de helft.'

'Waarom zou je dat doen?'

'In ruil voor je hulp.'

'Maar ik heb helemaal niets gedaan. Ik heb je alleen, onder druk, het weinige verteld wat ik wist.'

'Ik bedoel, als je me helpt uitzoeken wat er in 1987 echt is voorgevallen.' Hij hield haar hand in de zijne. 'Ik weet zeker dat ik met jouw hulp in de computer kan komen en kan uitzoeken wat er destijds is gebeurd.'

'Vijfentwintigduizend dollar in ruil voor het verlies van mijn baan? Nee, dank je.' Alex trok haar hand terug. 'Ik heb mijn salaris toevallig heel hard nodig. Ik heb studieleningen af te lossen en daarbij gaat het om heel wat meer dan vijfentwintigduizend dollar, dat kan ik je wel vertellen.'

'Maar je hoeft je baan toch niet te verliezen als je me helpt? We zouden het samen kunnen doen – in het geheim. Je zou het zelfs in je vrije tijd kunnen doen.'

'Het spijt me. Mijn antwoord is nee.'

'Oké, ik zal je een vast bedrag betalen voor elk uur dat je voor me werkt. Je hoeft alleen in de computer van de bank te kijken wat er in 1987 met die rekening gebeurde.'

Alex schudde haar hoofd. 'Je geeft het ook nooit op, hè?'

'Ik wil gewoon weten wat er gebeurd is. En zonder jouw hulp zal het me nooit lukken.'

'Luister,' zei Alex zachtjes, 'er is echt niets wat ik voor je kan doen. Zelfs al zou ik voor je willen zoeken, dan nog kan ik niet bij de archieven van de bank. Ik heb alleen toegang tot de code.'

'Maar wat er is gebeurd moet toch ergens in de boeken van de bank vastliggen?'

'Rudi, de boeken zijn één ding; de code is een ander. Het project waaraan ik werk, gaat alleen over het programma waarop de computer draait. Het heeft niets te maken met de bank zelf, of met de rekeningen.'

'Maar die code bevatte informatie over mijn vaders rekening én zijn bedrijf in 1987.'

'Dat was puur toeval. Ik heb geen idee hoe die code daar terecht is gekomen. Het was een eenmalig iets, een onregelmatigheid.'

'Maar kunnen er niet nog meer onregelmatigheden zijn?' Hij keek haar met grote ogen aan. 'Kun je niet gewoon eens kijken? Puur om mij gerust te stellen?'

'Sorry.' Alex schudde haar hoofd. 'Als ik betrapt word, word ik ontslagen. Waarschijnlijk zou ik zelfs nooit meer een baan als consultant krijgen.'

'Ach, kom op.' Hij staarde haar aan. 'Kun je niet één poging wagen?'

Ze schudde haar hoofd. 'De enige reden dat ik ermee mee heb ingestemd vandaag met jou en Ochsner te lunchen, was om er zeker van te zijn dat ik hierbuiten zou blijven. Ik wil mijn baan veiligstellen, niet hem verliezen.'

'Maar met je aandeel in het beheerloon zou je ontslag kunnen nemen.'

'Ik zei je al: vijfentwintigduizend dollar is maar een schijntje van wat ik af te betalen heb.'

'Maar als er nu eens méér dan een miljoen dollar op de rekening staat?' Rudi trok zijn wenkbrauwen op.

'Rudi, twee keer zoveel zou nog steeds niet genoeg zijn. Het spijt me.'

'Weet je wat? Laat me eerst nagaan hoeveel er op die rekening staat. Daarna neem je een besluit.'

Alex gaf geen antwoord.

'Het enige wat ik vraag is dat je hier vijf minuten op me wacht. Ik ga alleen vragen hoeveel er op de rekening staat, en kom meteen weer naar buiten. Je loopt geen enkele risico. Oké?'

'Het is al laat.' Alex wees naar een klok in de etalage van horlogerie Bücherer aan de overkant van de straat. 'Ik moet terug naar mijn werk.'

'Kom op.' Rudi glimlachte. 'Niet zo serieus. Het is pas tien voor twee. Ik weet zeker dat je pas om twee uur op je werk hoeft te zijn. Kom nou. Het is vrijdagmiddag, prachtig weer. Je mag toch wel een paar minuten te laat komen!'

Hij had gelijk. Zelfs als Eric klokslag twee uur terug was van zijn lunch, zou hij het niet erg vinden als ze een paar minuten later was.

'Oké. Ik wacht daar wel op je.' Ze wees naar de horlogewinkel. 'Maar niet langer dan tien minuten.'

'Dank je!' Rudi pakte het servet waarop Alex de code had genoteerd. 'Dit is het rekeningnummer, toch?' Hij wees naar de eerste regel en las het nummer hardop: '249588?'

'Dat was het in 1987. Maar zoals ik al zei, zijn er in de loop der jaren waarschijnlijk cijfers en letters aan toegevoegd.'

'Dat geeft niet. Als ik me legitimeer, moeten ze me informeren over elke rekening die op mijn naam staat. Ik heb er hier al een lopen, een die mijn vader me heeft nagelaten. Als er nog een loopt en ik erom vraag, moeten ze me erover vertellen. Dat zijn ze wettelijk verplicht.'

'Krijg je altijd alles waar je om vraagt?'

'Bijna altijd.' Rudi glimlachte. Hij liep richting de bank, draaide zich toen om en maakte een kleine buiging. 'Tussen twee haakjes, bedankt voor je hulp vandaag.'

'Geen dank.'

Hij stak zijn vinger op. 'En nog iets: door hier op me te wachten kun je me op het rechte pad houden.'

'Wat bedoel je?'

'Omdat de rekening op mijn naam staat, zou ik al het geld van de rekening kunnen halen, toch?' Hij draaide zich om en stak op een drafje de straat over, rakelings voor een passerende tram langs.

Terwijl ze wachtte, bekeek Alex de jonge Zwitserse bankbedienden die voorbijliepen. Velen hadden hun jasje uitgetrokken. Ze grimaste toen ze zag dat sommigen een broek droegen die niet bij hun colbert paste, en dat velen witte sokken, hemden met korte mouwen en dassen met vreemde patronen droegen. Een bankemployé in New York of Londen zou worden afgeschoten als hij dit soort kleding droeg. Maar hier in Zürich dachten ze zelfs dat ze er chic bij liepen.

Ze keek in de etalage van een reisbureau en bestudeerde de aanbiedingen – romantische weekends voor twee in Parijs, Amsterdam of Praag. Ze was halverwege de tekst toen Rudi's spiegelbeeld in de ruit verscheen.

'Kun je nog een paar minuten wachten?' Hij legde zijn hand op haar rug. 'Ik moest mijn legitimatiebewijs afgeven omdat ze in de computer moeten nagaan of er nog meer rekeningen op mijn naam staan.'

'Dat moet in tien tellen gepiept zijn.'

'Ze zeiden dat het een paar minuten zou duren. Toen ik dat rekeningnummer liet zien, zeiden ze dat ze het moesten natrekken bij de afdeling Vertrouwelijk bankieren. Die schijnt in een ander deel van het gebouw te zitten.' Hij legde zijn hand op haar schouder. 'Waar stond je naar te kijken?' Hij wees naar het raam van het reisbureau. 'Iets interessants gezien?'

Alex knikte naar de aanbieding voor een vlucht naar Amsterdam. 'Mijn beste vriendin woont daar nu. Haar partner heeft net een baby gekregen en ik ben er nog steeds niet geweest om…'

'Hé, kijk nou eens!' Rudi liep door naar de etalage van de horlogewinkel ernaast. 'Dat lijkt precies op mijn vaders horloge.' Hij wees naar een antieke gouden Rolex achter in de vitrine. 'Het ligt momenteel in mijn safe bij de bank. Ik heb me er nooit toe kunnen zetten het te dragen.'

Alex keek naar het prijskaartje. De waarde in dollars was bijna de helft van haar jaarsalaris.

'Weet je wat?' Rudi haakte haar arm door de zijne. 'Je krijgt het horloge van me. Om je te bedanken.'

'Waarvoor?'

'Zonder jou zou ik nooit van deze rekening hebben geweten.'

'Rudi, je vaders horloge, dat zou ik nooit kunnen aannemen.'

'Dan koop ik er een voor je. Zodra ik mijn vaders aandeel van die rekening krijg, koop ik welk horloge je maar wilt.' Hij wees naar de etalage van Bücherer. 'Als blijk van waardering.'

'Ben je vergeten dat je je vaders aandeel pas krijgt wanneer de rekening aan haar rechtmatige eigenaars is teruggegeven? En daar kom je onmogelijk achter zolang Ochsner haar beheert.'

'Hé, een mens mag toch wel dromen?' Rudi liep terug naar het raam van het reisbureau. 'Je weet nooit wat het leven je brengen zal, toch?'

'Hoe dan ook,' Alex staarde naar het prachtige horloge in de vitrine, 'niemand weet hoeveel er op die rekening staat. Voor vijf procent van vijftigduizend dollar krijg je zelfs niet zó een.' Ze wees naar een zilveren Rolex in het midden van de vitrine. 'Waarschijnlijk eerder een van die.' Ze wees naar een blauwe plastic Swatch voor in de vitrine.

'Hé,' Rudi draaide zich om naar Alex, 'je hoorde wat Ochsner zei. Er kon wel eens een heleboel geld op die rekening staan. Ik bedoel, ga eens na. Waarom zou een Joodse familie al die moeite doen om hun rekening op iemand anders naam te zetten als ze niet een heleboel geld te verbergen had?'

'Waarom ben je er zo zeker van dat de familie Joods was?'

'Kom op.' Rudi liep terug naar Alex. 'Waarom zou je anders kort voor het uitbreken van de Tweede Wereldoorlog je rekening op iemand anders naam zetten?'

'Daar zit iets in.' Alex keek weer naar de horloges. 'Ik vraag me af waarom de Europese Joden zoveel geld in Zwitserland onderbrachten, vlak onder de neus van de nazi's. Je zou denken dat ze het zo ver mogelijk uit Hitlers buurt zouden onderbrengen.'

'Waar hadden ze anders terechtgekund?' vroeg Rudi.

'Geen idee. Amerika? Canada? In elk geval niet in het door nazi's gedomineerde Europa.'

'Ik weet niet of je het weet, maar destijds waren maar heel weinig landen bereid Joden op te nemen. Zelfs Amerika niet – wat ze je ook wijs willen maken.'

'Dat geloof...'

'Het is wáár.' Rudi haalde zijn schouders op. 'Ze zullen het je vast niet op school vertellen, maar de waarheid is dat de Amerikanen even antisemitisch waren als alle anderen. O, ze lieten heus wel wat Joden toe. Beroemde mensen, zoals schrijvers of wetenschappers. Maar de meeste landen hadden quota ingesteld voor het aantal Joden dat ze toelieten. Zelfs de Verenigde Staten.' Hij hief zijn handen en trok zijn schouders op. 'De waarheid is dat de meeste Joden in Europa geen kant op konden.'

Hij kwam dichterbij staan. 'Ooit gehoord over dat schip met Joodse vluchtelingen dat Florida wist te bereiken? De mensen aan boord konden de lichtjes van Miami al zien. Maar de Amerikaanse autoriteiten wilden hen geen voet aan wal laten zetten. Ze stuurden het schip terug naar Europa.'

'Is dat echt waar?'

'Natuurlijk is het waar.'

'En waarom gingen ze niet naar Israël?'

'Weet je niet dat Israël pas in 1948 is ontstaan?'

Alex schudde haar hoofd. 'Niet zo precies.'

'Toch is het zo.' Rudi knikte. 'Vóór de oorlog was Palestina een Brits protectoraat. Het laatste wat zij wilden, was dat er nog meer Joden kwamen. Heb je ooit de film *Exodus* gezien?'

'Nee.'

'Nou, *Casablanca* heb je vast wel gezien. Herinner je je hoe iedereen daar wanhopige pogingen deed om uitreisvisa voor Portugal te bemachtigen? En zelfs dan was het niet zeker dat je toestemming kreeg om naar Amerika of naar een ander veilig land te reizen.' Hij zweeg. 'De meeste Joden konden gewoon niet weg uit Europa. Gelukkig hadden ze de optie hun geld in Zwitserland onder te brengen.'

'Dus Zwitserland pakte wel hun geld aan, maar bood hun geen onderdak?'

'In feite heeft Zwitserland naar verhouding meer Joodse vluchtelingen opgenomen dan de meeste andere landen – inclusief de Verenigde Staten. Maar wij waren omringd door landen die door de nazi's werden beheerst... Er was een grens aan wat we konden doen. We hadden niet tegen Hitler kunnen opstaan. Hij zou ons hebben verpletterd.' Hij haalde zijn schouders op. 'En wat denk je dat er dán met alle Joodse tegoeden op Zwitserse bankrekeningen was gebeurd? Ze zouden alles zijn kwijtgeraakt, behalve natuurlijk wat er op die trusteerekeningen stond.'

'Over trusteerekeningen gesproken,' Alex wees naar de bank, 'volgens mij zijn ze er nu wel uit.'

'Je hebt gelijk.' Hij draaide zich om en stak de straat over. Hij zwaaide even naar Alex en liep het bankgebouw binnen.

Alex keek in de etalage van de horlogerie om te zien hoe laat het was. Het was over tweeën. Nog een paar minuten en dan kon ze weer naar haar werk.

Rudi kwam na enkele minuten de bank uit. Hij toonde zijn lege handen.

'Wat is er gebeurd?' vroeg Alex.

Hij kwam naar haar toe en haalde zijn schouders op. 'De afdeling Vertrouwelijk bankieren wil me persoonlijk zien voordat ze me toegang tot de rekening geven.'

'Ga dan naar ze toe.'

'Het kon alleen op afspraak. En ze zeiden dat ik mijn vaders overlijdensakte, een kopie van zijn testament en mijn geboortebewijs moet overleggen om aan te tonen dat ik echt de erfgenaam ben van zijn nalatenschap. Ik moest maandagmorgen om negen uur maar terugkomen.' Hij legde zijn hand op haar schouder. 'Wil je erbij zijn?'

'Waarom?'

'Wil je me niet op het rechte pad houden? Zorgen dat ik niet alles van de rekening afhaal?'

'Dat gaat me niets aan.'

'Zijn dat niet dezelfde woorden als Ochsner gebruikte?' Hij keek haar schuins aan. 'Hé, ik bedenk zojuist iets. Blijf waar je bent, oké? Ik ben zo terug.' Hij verdween in het reisbureau.

Enkele minuten later kwam hij naar buiten met een reisdocument in zijn hand. 'Voor jou, een cadeautje.' Hij overhandigde het aan Alex. Ze maakte het open. Het was een retour Amsterdam, business class. 'Waar is dit voor?' vroeg ze.

'Het is mijn manier om je te bedanken voor de hulp die je me vandaag hebt geboden.'

'Maar dat kan ik niet aannemen, ik heb niets gedaan.'

'Kom op. Het is mijn manier om mijn excuses te maken dat ik gisteravond zo nors was. En vanmorgen. Ik weet dat ik soms een beetje doordraaf.'

'Rudi, dat is nergens voor nodig.'
'Kom op. Je moet het aanpakken. Het is niet-inwisselbaar. En alleen deze maand geldig. *Use it or lose it.*' Hij glimlachte. 'Nog zo'n geweldige uitdrukking die ik in Los Angeles oppikte.'
Ze zag dat haar naam linksboven was geprint: Payton/Alex Ms. 'Hoe kom je aan mijn naam?'
'Die staat op je bagagelabel, aan de tas van je laptop. Toen ik bukte om de dop van mijn pen op te rapen, vanmorgen in Café Schober, viel mijn oog erop. Sorry.' Hij glimlachte onnozel.
'Dus je wist hem al die tijd?'
Hij knikte. 'Maar maak je geen zorgen, ik zal hem niet aan Ochsner verklappen.' Hij legde zijn hand op haar schouder. 'Ik zei toch dat je erop kon vertrouwen dat ik je hierbuiten houd, weet je nog wel? Ga nou maar.'

7

Zürich
Vrijdagavond

De Jumbolino AVRO RJ cirkelde eenmaal boven Zürich, koerste zuidwaarts richting de Alpen, zwenkte toen scherp naar het noordwesten, richting Amsterdam. Alex leunde achterover. Ze voelde de druk onder haar toenemen. Na twee glazen champagne in afwachting van het vertrek van het vliegtuig voelde ze zich euforisch.
Na het opstijgen bood een stewardess haar nog een glas champagne aan. 'Lekker, waarom niet?' Alex nam een flinke teug, nestelde zich in de blauwe leren fauteuil en zag de zon ondergaan boven de bergen.
De gebeurtenissen van de voorbije vierentwintig uur flitsten voorbij: de ontdekking van de code, de domme fout met Erics telefoon, de ontmoeting met Rudi in Café Schober, de lunch met Ochsner, Rudi die haar een Rolex aanbood, het ticket naar Am-

sterdam. Het leven was plotseling een stuk interessanter geworden.

Ze sloot haar ogen en dommelde weg.

'Kijk eens! Kassen. Duizenden kassen.'

Alex schrok wakker.

'Kijk eens. Ze lijken wel licht te geven!' De man in de stoel naast haar hing ver over haar schoot om uit het raampje te kijken. 'Daar beneden.' Zijn adem rook naar knoflook. 'We kweken er van alles, het hele jaar door. Tomaten, asperges, andijvie. Zelfs tulpen, geloof het of niet.'

'Mag ik een beetje ruimte?' vroeg Alex beleefd. 'U drukt me helemaal naar het raam.'

'O, sorry. Ik ben helemaal door het dolle heen als ik thuiskom van een lange reis.' De man droeg een pak en een das, maar zijn lange grijze haar gaf hem het voorkomen van een oude hippie. 'Ik ben op tournee geweest in het Verre Oosten. Ziet u? We kweken ook anjers,' vervolgde hij. 'En rozen – miljoenen rozen. Wist u dat? Ziet u hoe de kassen helemaal opgloeien in het avondlicht?' Hij boog zich weer over Alex heen om te kijken. 'Mooi, hè?'

Ze keek uit het kleine raampje. 'Ja, heel mooi.' Het landschap was prachtig en het was bedekt met talloze kassen – lange, slanke velden van licht, verbonden door loodkleurige, lintachtige sloten.

'Het lijken wel enorme zonnepanelen, hè?' De man raakte haar arm aan. 'Alleen geven ze energie af in plaats van die te absorberen.'

'Het doet mij meer denken aan een moederbord.'

'Werkt u met computers?'

Alex knikte.

'Waar?' vroeg hij.

'Voor een bank.'

'Een Zwitserse bank? Die hebben voor mij afgedaan. Sinds die schandalen.'

We staan op het punt te landen op Schiphol Airport. De temperatuur is twintig graden Celsius. De plaatselijke tijd is zeven uur tweeënveertig. Wilt u alstublieft uw veiligheidsriemen vast-

maken en de rugleuning van uw stoel rechtop zetten en uw tafeltje wegklappen...'

'Is dit uw eerste bezoek hier?' vroeg de man.

Alex knikte.

'Nou, u zult Holland heerlijk vinden. Het is prachtig. En het eten. Lekker! U moet in elk geval de Indonesische keuken proberen. Indonesië was ooit een Nederlandse kolonie, weet u. Vooral de rijsttafel is fantastisch.'

Het vliegtuig landde met een schok. Alex maakte onmiddellijk haar veiligheidsgordel los en trok haar rolkoffer onder de stoel vóór haar uit.

'Maar u moet me beloven dat u voorzichtig bent,' zei de man. 'Er is veel criminaliteit in Holland.'

Het gangpad vulde zich met mensen. Hij bleef zitten, zodat Alex er moeilijk langs kon. 'Er zijn massa's bezienswaardigheden. Vooral de musea, zoals het Rijksmuseum, het Stedelijk Museum en het Van Gogh Museum. En natuurlijk het Anne Frank Huis. Daar hebt u vast wel van gehoord. Moet u beslist heen gaan.'

'Ik zal mijn best doen.' Het gangpad was vrij. Alex stond op. 'Zullen we nu gaan?'

Nan stond Alex na de douane op te wachten. Ze zag er geweldig uit: fors, blond en blakend van gezondheid.

'Welkom in Amsterdam, schat!' Ze gaf Alex een dikke knuffel. 'Wat heerlijk om je te zien. Maar je ziet er moe uit. Heb je wel goed geslapen?'

'In feite heb ik gisteren nauwelijks een oog...'

'Heb je gegeten in het vliegtuig? Anders kunnen we thuis iets voor je klaarmaken. Of als je wilt, kunnen we uit eten gaan.'

'Ik heb al champagne op in het vliegtuig. Maar ze hebben geen maaltijd geserveerd.'

'Mooi. We zien Susan straks. Ze is Jannik nu aan het voeden, maar ze zei dat ze naar ons toe zou komen voor een drankje in een café op het Leidseplein, als ze een oppas kan vinden. Is dat oké? Het heet het Palladium. Je zult het geweldig vinden.' Ze pakte Alex' koffer. 'Laten we de trein naar de stad pakken. Hij vertrekt onder de terminal.'

Ze loodste Alex door de drukke aankomsthal. 'Ik sta nog steeds versteld dat je zo spontaan komt opdagen. Niks voor jou. Je zult het hier te gek vinden. Vooral Jannik. Hij is zo'n dot. Al is hij momenteel nogal lastig. Hij heeft iets onder de leden. We zullen het je niet kwalijk nemen als je liever in een hotel logeert, maar...'

'Ik zou me nu geen hotel kunnen permitteren, al zou ik het willen. Ik bofte dat dit ticket me in de schoot werd geworpen.'

'Hoe kom je eraan? Heb je de loterij gewonnen?'

'Zoiets.'

'Bofkont!' Nan stopte verscheidene munten in de geel-blauwe automaat. Ze liep naar een klaarstaande trein met het opschrift CENTRAAL STATION. 'Ik hoop dat je het niet erg vindt om in de woonkamer te slapen. Het is daar trouwens veel rustiger. Zo ver mogelijk van Janniks kamer.'

'Geen probleem.'

'Ik popel om hem aan je te laten zien. Maar dat zal pas morgen worden. Als we vanavond thuiskomen, slaapt hij. Ik ben zo gek op hem – alsof hij uit mijn eigen buik komt.' Ze trok Alex mee naar een coupé tweedeklas. *Nog altijd de zuinige boerendochter uit Nebraska,* constateerde Alex, *ondanks een dikke baan, geen schulden en een partner van wie de vader de halve binnenstad van Philadelphia bezit.*

Nan ging zitten en klopte naast zich op de bank. 'We hebben de adoptie al rond, weet je. Het is heel gemakkelijk hier in Holland. Onze kleine man heeft nu officieel twee moeders. Het zal interessant worden om te zien wat het verschil is als ik mijn baby krijg.'

'Ben jij ook zwanger?' vroeg Alex.

'Volgend jaar.' Nan glimlachte breed. 'We gaan dezelfde zaaddonor gebruiken als voor Jannik. Op die manier zullen de kids biologisch verwant zijn. Gaaf, hè?'

Toen ze het Centraal Station van Amsterdam binnenreden, kon Alex haast het water ruiken. Naast het perron lag de haven in volle glorie, vol veerboten, sleepboten en vrachtschepen. Het herinnerde haar aan Seattle.

Mensen verdrongen zich om hen heen. Ze zagen er opgewekt

uit. Het viel Alex op dat de Nederlanders een frisheid, een vitaliteit, een opgewektheid uitstraalden die ze in Zürich miste.

Alex haalde diep adem. 'Het is heerlijk om hier te zijn.'

'Volgens mij ga je het hier geweldig vinden.' Nan sleepte Alex mee door het drukke station. 'Er zijn massa's cafés en disco's, geweldige restaurants, en de museums zijn fantastisch.'

'Dat heb ik gehoord, ja.'

'Van wie?'

'Een héél spraakzaam type in het vliegtuig. Hij zei ook dat ik beslist naar het Anne Frank Huis moest gaan.'

'Daar heeft hij gelijk in. Moet je beslist doen. Wij zijn er geweest in ons eerste weekend hier. Het raakte mij nog meer dan Susan, denk ik – en zíj had familie die in de holocaust is omgekomen.' Nan leidde Alex naar een tramhalte aan de voorzijde van het station. 'Ik zou wel met je mee willen, maar ik denk niet dat ik het nog een keer aankan. Bovendien moet ik werken. Misschien kan Susan met je meegaan, maar overdag heeft ze haar handen vol aan Jannik. Ik heb haar beloofd dat ze morgenavond uit mag, vooropgesteld dat we een oppas kunnen vinden. Alleen wij drieën. Lijkt je dat wat?'

'Prima.'

'Heb je een vriendje in Zürich?'

'Niet echt. Mijn collega op het werk is een kanjer, maar...'

'Zo! Hoe ziet hij eruit?'

'Kort blond haar. Lekker lijf. Heeft wat weg van Sean Connery.'

'Een blonde Sean Connery? Klinkt afschuwelijk.' Nan glimlachte. 'En, doe je het met hem?'

'Niet echt.'

'Is dat een ontkenning à la Clinton?'

Alex lachte. 'Je had me gisteravond moeten zien. Ik heb mezelf compleet voor schut gezet. Ik dacht dat hij me meevroeg naar zijn kamer.'

'En?'

'Ik voelde me zo'n sukkel. Hij wilde alleen iets met me drinken in de bar.'

'Dan is hij de sukkel. Je bent een van de mooiste vrouwen die ik ken. En geloof me, ik ken vrouwen.'

'Nou ja, hij is mijn chef in het project waaraan ik werk. En de regels van Thompson verbieden seks met...'

'Maak het nou!' Nan lachte hard. 'Susan heeft ook als consultant gewerkt, weet je. En je had de verhalen moeten horen waar zij mee thuiskwam. Er werd heel wat afgerotzooid achter gesloten deuren. Regels of geen regels.'

Een met graffiti bedekte tram stopte naast hen. 'Hoe dan ook, ik wed dat hij je gewoon wilde opnaaien. Mannen doen dat soms, weet je. Gewoon om te zorgen dat je nog meer naar ze hunkert.'

'En hoe komt het dat jij zo'n expert bent geworden op het gebied van heteroseksuele romantiek?'

Nan lachte. 'Hé, ik ben opgegroeid met drie broers, weet je nog?'

Ze leidde Alex de tram in met het opschrift LEIDSEPLEIN.

Alex hield zich stevig vast toen de tram met een ruk optrok. Het stond haar nog levendig bij hoe Nan en haar familie hadden geposeerd voor de verplichte foto's bij hun afstuderen van de Yale School of Management. Haar grote, knappe broers, boerenzonen, stonden samen met hun stralende ouders trots met hun armen om Nan en een hoogzwangere Susan heen. Ze hadden Alex op een avondje uit in New York getrakteerd alvorens haar op het vliegtuig naar Seattle te zetten voor een bezoek aan haar moeder.

'Knoop goed in je oren wat ik je zeg.' Nan sprak met stemverheffing terwijl de tram door een klinkerstraat langs een smalle gracht zoefde. 'Geen gezonde heteroman zou nee tegen jou zeggen. Je bent in topconditie, ziet eruit om op te vreten. Oké, veel boezem heb je niet, maar dat komt door al dat fitnessen. Nee, je hebt het strakste, mooiste lijf dat mogelijk is.' Ze glimlachte breed. 'Hoe dan ook, het wordt een eitje om een vent voor je te zoeken. Iemand zoals hij bijvoorbeeld.' Nan wees naar een knappe man met blond haar die driftig trappend op de pedalen van een verroest oud rijwiel met de tram opfietste. Als op een afgesproken teken keek hij naar Alex op en glimlachte.

'Ik zei het toch!' Nan lachte hard.

De tram kwam plotseling met veel gepiep tot stilstand. Nan pakte Alex' koffer en was de deur uit voordat Alex kon protesteren. 'Kom op, laten we kijken of we Susan kunnen vinden.' Ze dook het drukke plein op. Rechts van hen was een man aan het jongleren met brandende fakkels. De rook van de fakkels dreef over het plein en vermengde zich met de geur van bier en versgebakken wafels. Op de gevel van een van de gebouwen stond de naam HIRSCH & CIE. De ouderwetse afkorting herinnerde Alex aan de code.

'Hé, moet je dat zien.' Nan wees naar een man met een baard die in kleermakerszit op de klinkers zat. Hij ontlokte al blazend diepe, sonore klanken aan een lange houten buis. 'Dat is een didgeridoo. Gaaf, hè?' Ze trok Alex mee in de richting van een drukbezet terras dat was verlicht door een knalrood neonlicht dat PALLADIUM – PALLADIUM – PALLADIUM knipperde. Rechts van hen zag Alex tussen de mensen ineens de man uit het vliegtuig. Hij stond te praten met een groepje mannen. 'Hé, hem ken ik. Dat is die kerel uit het vliegtuig waarover ik je vertelde.'

'Kijk! Daar is ze!' Nan wees naar Susan, die aan een van de voorste tafeltjes zat. 'Kom mee.' Ze trok Alex mee naar het terras. 'Is ze niet prachtig?'

'Wauw.' Susan was altijd al mooi, maar nu zag ze er verbluffend uit. Ze leek ontspannen, tevreden, in harmonie met zichzelf. Ze droeg felrode lippenstift en een glimmende blauwe jurk. Haar donkere haar was strak naar achteren gebonden waardoor haar fijne gelaatstrekken nog beter tot hun recht kwamen.

'Nou?' zei Nan. 'Ben ik een bofkont of niet?'

'Misschien moet ík ook maar lesbisch worden en een kind nemen.'

Nan schaterlachte. 'Zóver hoef je ook weer niet te gaan, schat.' Ze trok Alex mee door de drukte. 'Maar we kunnen ons altijd een stuk in de kraag drinken en erover praten.'

Alex keek zoekend rond naar de man uit het vliegtuig, maar hij was in de drukte verdwenen.

8

Een oorverdovend gekrijs galmde door het appartement. Een luiergeur bereikte haar. Alex trok een kussen over haar bonzende hoofd en probeerde weer in slaap te vallen.

Ineens herinnerde ze zich wat ze gedroomd had. Ze had in bed gelegen met iemand. Eric? Het was een lange man met een gladde, gespierde rug. Hij lag met zijn rug naar haar toe en telkens als ze dichterbij probeerde te komen, trok hij zich terug. Ze wilde zich tegen hem aan schurken, zijn lichaam tegen het hare voelen, maar dat liet hij niet toe. Het volgende moment stond hij in de hoek van de kamer met zijn rug naar haar toe iemand anders te kussen. De handen van die ander streelden zijn rug. Ze kon niet zien wie het was.

'Sorry voor al het kabaal.' Nan kwam de woonkamer in en ging naast Alex zitten. 'Hé, gaat het wel?'

'Niet echt.'

Nan trok het kussen van Alex' hoofd af. 'We denken dat hij last heeft van darmkrampjes.' Ze hield een flesje in haar ene hand en een vieze luier in de andere. 'We proberen hem nog een keer te voeden en dan weer in slaap te krijgen. Ik moet de hele dag werken, maar vanavond ben ik er weer.'

Ze stond op. 'Hé, waarom ga je niet met me mee naar mijn werk? Het kantoor is niet ver van hier. Het is in Haarlem, een kort ritje met de trein.'

'Dank je, maar als ik ergens niet wil zijn, dan is het in een kantoor.' Alex keek uit het raam. 'Ik denk dat ik maar een eindje ga wandelen.'

'Oké. Als je hoofd ernaar staat, het Anne Frank Huis is hier vlakbij, naast de Westerkerk, net om de hoek. Of misschien heb je meer zin in het Van Gogh Museum. Dat is te gek.' Nan overhandigde Alex een setje sleutels. 'Zorg alleen dat je met etenstijd terug bent. Oké, schat?'

'Natuurlijk.'

Na een snelle kop koffie met gebak in een café aan de overkant van de straat slenterde Alex langs de gracht tot ze bij de Westerkerk kwam en een rij wachtende mensen zag. Het carillon van de kerk luidde het kwartier. Ze ging in de rij staan, achter een groep luid pratende Franse toeristen.

Een jong stel sloot achter haar aan en begon onmiddellijk te zoenen. 'Wie was het ook weer?' vroeg de man. Hij sprak met een zwaar Schots accent.

'Een meisje dat vervólgd is,' antwoordde de vrouw.

'O?' Ze hervatten hun zoenen.

Alex hief haar gezicht naar de krachtige, koele wind die van zee kwam. Zürich leek heel ver weg en heel anders dan deze stad. Ze voelde zich vreemd met al die opgewekte mensen om zich heen.

De mensen die het museum uit kwamen, keken heel anders uit hun ogen dan degenen die naar binnen gingen. Ze keken triest, stuurs. Velen bleven rondhangen bij de ingang van de uit staal en glas opgetrokken museumwinkel – alsof ze niet goed wisten waar ze nu heen moesten.

Toen ze haar ticket had bemachtigd, beklom Alex de steile trap naar de specerijenhandel van de familie Frank. Bij de ingang naar de eerste ruimte hing een tekst die uitlegde hoe de Franks uit Duitsland waren gevlucht toen de nazi's in 1933 aan de macht kwamen – toen Anne pas vijf jaar oud was.

Aan de muur hing een citaat uit Anne Franks dagboek dat beschreef dat de Joden na de invasie van de Duitsers een jodenster moesten dragen en niet in de tram mochten. Verderop aan de muur hing een citaat over de razzia's: '1942. Talloze vrienden en kennissen zijn weg naar een vreselijk doel... Het lijkt wel een slavenjacht zoals ze die vroeger hielden. Ik word zelf bang als ik aan allen denk met wie ik me altijd zo innig verbonden voelde en die nu overgeleverd zijn aan de handen van de wreedste beulen die er ooit bestaan hebben.'

Boven de tekst hing een foto van naziofficieren die in een open jeep door Amsterdam reden. Vlaggen met hakenkruisen wapperden achter hen aan. Alex zag dat de kerktoren op de achtergrond bij de Westerkerk hoorde, de kerk waar ze buiten naast had gestaan.

De mensen dromden naar de volgende ruimte, maar Alex bleef achter, geïntrigeerd door een vergroting van een document met de titel 'Oproeping'. Het was de familie Frank toegestuurd op 5 juli 1942 en sommeerde een van hen, Annes zuster Margot, zich te melden in een 'werkkamp' in Duitsland. Hoewel het bevel in het Nederlands was gesteld, was het ondertekend door iemand van de Zentralstelle für jüdische Auswanderung, Duits voor het Centraal Bureau voor Joodse Emigratie.

Terwijl ze het document las, stelde ze zich voor wat er door de Franks heen moest zijn gegaan – wat er door Anne heen moest zijn gegaan – toen Annes zuster het bevel kreeg om Amsterdam te verlaten. Onder aan het document stond een lijst van dingen die ze mee mocht nemen.

Alex las het eerste item: *1 koffer of rugzak*. Alex vertaalde de lijst met gemak. De Nederlandse woorden leken griezelig veel op Duits. Ze begreep bijna elk woord op de lijst.

2 paar sokken
2 onderbroeken
2 hemden

De lijst zag er zo gewoon uit, zo onschuldig, alsof de mensen die deze marsorders ontvingen op vakantie werden gestuurd.

Alex hoorde een zachte stem naast zich. Ze keek tersluiks opzij en zag een jonge man die de woorden op de lijst ook fluisterend oplas. Hij zag er goed uit. Zo te zien was hij een latino, met gitzwart haar en een sikje, maar hij was gekleed als een klassieke Yalestudent – lichtbruine lange broek, donkerblauw overhemd, donkere leren mocassins. Zijn mouwen waren opgerold en toonden sterke onderarmen met een fijne, donkere beharing.

Aan zijn linkerpols droeg hij een zilveren Rolex, net zo een als waar Alex naar had staan kijken in de etalage van Bücherer.

'Ongelooflijk, hè?' Hij richtte zich tot Alex. 'De woorden lijken zo alledaags. Maar als je stilstaat bij wat ze werkelijk betekenden...'

Alex knikte. 'Ik dacht precies hetzelfde.'

'Heb je hulp nodig bij het vertalen?' vroeg hij. Zijn Engels had een licht accent, maar Alex kon het niet plaatsen.

'Ik geloof dat ik de strekking begrijp,' antwoordde Alex. 'Het lijkt veel op Duits.'

'O, ben je Duits?'

'Nee.' Ze draaide zich naar hem toe en glimlachte. 'Ik ben Amerikaan. Maar ik woon in Zwitserland. En jij? Ben jij Nederlander?'

'Met dit gezicht?' Hij glimlachte breed. Het wit van zijn tanden stak fel af tegen zijn donkere haar, zijn bruine huid. 'Ik ben Braziliaan. Maar ik heb in Den Haag gewoond. Mijn vader werkte voor de Itamaratí, de Braziliaanse Buitenlandse Dienst. En ik had de bof dat ik een Nederlandse vriendin had, een paar maanden dan.' Hij stak zijn hand uit. 'Tussen haakjes, ik heet Marco.'

'Aangenaam. Ik ben Alex.'

Zijn handdruk was stevig, maar aangenaam. Zijn ogen waren lichtblauw, bijna groen. 'Kun je geloven hoe pervers ze waren?' Hij wees naar de uitvergrote foto die de intocht van de nazitroepen in Amsterdam toonde. 'Ze stuurden deze brief aan alle Joden in Holland, onder het voorwendsel dat ze hen naar de bergen stuurden voor een zomervakantie.' Hij knikte naar de lijst. 'Ze lieten hen al die spullen meenemen. Maar ze stuurden hen de dood in.'

Hij las de rest van de lijst hardop en vertaalde hem meteen.

```
1 werkpak
2 wollen dekens
1 eetnap
1 drinkbeker
1 lepel
```

Het begon druk te worden om hen heen. 'Laten we naar achter gaan.'

'Waarom?' vroeg Alex.

'Daar heeft de familie ruim twee jaar ondergedoken gezeten. Anne noemde het haar geheime schuilplaats.' Marco leidde Alex langs een draaibare boekenkast vol stoffige ordners door een lage deuropening waarachter een trap omhoogleidde. 'Hier moeten we door.'

'Ben je hier al eens eerder geweest?' vroeg Alex.

'Ja, als kind. Het is me altijd bijgebleven.' Hij liep naar een paneel aan de muur. 'Zie je?' Hij wees naar een regel in het midden. 'Dit beschrijft de dekmantel voor de onderduik – ze zeiden dat ze naar Zwitserland vluchtten, dat ze een Zwitserse bankrekening hadden, wat hun het recht gaf om daarheen te gaan. De vader, Otto Frank, zette zijn specerijenhandel op naam van zijn Nederlandse zakenpartner, die beloofde de zaak terug te geven als de oorlog voorbij was.'

Alex herinnerde zich haar gesprek met Rudi van de vorige dag, voor de bank in Zürich. Dat al die families hun geld in handen van Zwitserse vertrouwensmannen hadden gelegd met de gedachte dat ze aan het eind van de oorlog alles terug zouden krijgen. En hoe betrouwbaar waren de Zwitsers werkelijk geweest?

Ze liepen door naar de achterkamer. Daar las Alex hoe de Nederlandse vertrouwensman van de Franks niet alleen zijn leven op het spel had gezet door de hele familie te verbergen, maar er na de oorlog op had gestaan om alles aan Otto Frank terug te geven, inclusief Annes dagboek. Zonder hem zou niemand ooit hebben geweten wat er gebeurd was.

'Dit was haar kamer.' Marco ging Alex voor naar een klein vertrek in het achterhuis. Eén muur was bedekt met prentbriefkaarten en uitgeknipte foto's van beroemde filmsterren. Een vergeelde landkaart hing aan de muur bij de deur van het vertrek ernaast.

'Zie je? Hier hielden ze de opmars van de geallieerden bij.' Marco's vinger volgde een spoor van kleine rode knopspelden vanaf de Franse kust naar Holland. 'Zie je? De geallieerden waren geland in Normandië. Ze hadden België bereikt, stonden al bijna aan de Nederlandse grens toen de Franks door de nazi's werden ontdekt. Kennelijk zijn ze verraden. Het is nooit bekend geworden door wie.'

Alex las het citaat uit Annes dagboek dat naast de kaart hing:

'6 juni, 1944. D-day, de invasie is begonnen! Het Achterhuis in opschudding. Zou dan nu werkelijk de langverwachte bevrijding naderen?'

Buiten sloeg een kerkklok en de kamer stroomde vol met een grote groep Franse toeristen. Ze spraken luid en verdrongen zich in het kleine vertrek en voerden Alex en Marco mee.

De volgende ruimte stond vol met beeldschermen. Alex bleef staan bij een scherm waarop een video werd vertoond over het schip waarover Rudi haar had verteld. Het had, in feite, net buiten de kust van Florida gelegen. Duizenden Joodse vluchtelingen aan wie al toegang tot Cuba was geweigerd, hadden wanhopig geprobeerd om toestemming te krijgen de Verenigde Staten binnen te gaan, maar de plaatselijke autoriteiten wilden hen niet toelaten. Na verscheidene dagen voer het schip terug naar Duitsland. Bijna iedereen aan boord, zo legde de documentaire uit, eindigde in de concentratiekampen van de nazi's. Alex kwam weer in het gedrang. Ze keek zoekend om zich heen waar Marco was. Hij was nergens te zien.

Ze liep door naar het volgende scherm, dat een interview met een vrouw toonde die met Anne Frank en haar zuster in Buchenwald had gezeten. De vrouw vertelde hoe de nazi's de kinderen behandelden – verhalen over verkrachting, marteling, dwangarbeid en wrede medische experimenten. Ze beschreef hoe Anne en haar zuster 'gelukkig' aan tyfus waren gestorven voordat de beulen aan hen toe waren gekomen.

Het interview was geïllustreerd met zwart-witbeelden die het leven in de kampen toonden. In één scène dreven de nazisoldaten gevangenen een modderig talud af. De meeste gevangenen waren naakt. Vel over been. De soldaten zetten de uitgemergelde mannen en vrouwen in rijen op de rand van een diepe kuil en schoten hen dood, methodisch. Een van de vrouwen had griezelig veel weg van Alex' moeder – op het eind, toen haar lichaam door de kanker was uitgeteerd.

Ze zag hoe golf na golf van gevangenen uit de weg werd geruimd – hoe hun levenloze lichamen in de kuil werden geduwd en de volgende rij gevangenen naar voren werd gebracht. Vreemd genoeg probeerde niemand te vluchten. Niemand gilde.

Niemand reageerde op wat er gebeurde. Ze stapten eenvoudig naar de rand van het talud en wachtten hun beurt af om te worden gedood.

Het begon warm en bedompt te worden in de propvolle kamer en Alex begon te transpireren. Ze keek weer om zich heen of ze Marco zag. Hij was nergens te zien. Ze wrong zich door de drukte, naar het blauwe Exit-bord aan de andere kant van de ruimte. Daar was hij ook niet.

Misschien is hij buiten, zei ze tegen zichzelf.

Ze liep naar de uitgang, door een ruimte met glazen vitrines die verschillende edities van Annes dagboek bevatten: Nederlandse, Hebreeuwse, Arabische, Russische, Spaanse, Italiaanse, Engelse, Franse – zelfs Duitse.

Aan het eind van de route, vlak voor de uitgang, was een citaat van Anne Franks vader op de muur gereproduceerd. Iets wat hij zei toen hij na de oorlog naar Holland terugkeerde nadat hij de kampen had overleefd en zijn familie aan de nazi's was kwijtgeraakt. Ondanks haar verlangen naar buiten te gaan werd Alex naar de tekst toe gezogen. Ze las hem aandachtig: 'Ik heb alles verloren behalve mijn leven,' schreef hij. 'Wat is gebeurd kan niet meer worden veranderd. Het enige wat kan worden gedaan, is leren van het verleden en beseffen wat discriminatie en vervolging van onschuldige mensen betekenen. Naar mijn mening heeft iedereen de plicht om te helpen vooroordelen te overwinnen.' Alex duwde de zware deur open en stapte het zonlicht in.

9

Amsterdam
Zaterdagavond

'Hoezo kwijtgeraakt?' Nan nam een slok van haar margarita. 'Ben je niet goed wijs?'

Blanca's Cantina – een Mexicaans restaurant dat naar Holland was overgeplant, met vijgenbomen, nagemaakte adobemuren en honderden flessen tequila in rijen achter de bar – was afgeladen met rokende, drinkende, lachende gasten.

'Waarom ben je dan niet naar binnen gegaan om hem te zoeken?'

Alex haalde haar schouders op. 'Je mag er niet meer in als je buiten bent geweest.'

'Ben je niet goed? Had desnoods een nieuw kaartje gekocht. Je gedraagt je nog net zoals op Yale. Altijd zo ingehouden. Je moet eens wat assertiever worden. Het ijzer smeden als...'

'Maar de rij liep tot halverwege de gracht. Het zou uren hebben gekost om weer binnen te komen.' Alex nam een flinke slok. 'Ik heb buiten trouwens tijden gewacht. Ik moet de klok minstens vijf keer het kwartier hebben horen slaan. Ik kon verder niets doen.'

'Nou, laten we dan maar drinken en alles vergeten.' Nan bestelde nog een rondje margarita's. 'Wat vind jij, zullen we vanavond uitgaan en ons amuseren? Tot in de kleine uurtjes, als we willen? Jannik is in goede handen bij de oppas.'

'Ik weet het niet. Na alles wat er vandaag is gebeurd...'

'Laten we het Susan vragen als ze komt – horen waar zij zin in heeft.' Haar ogen lichtten op. 'Hé, we zouden naar de disco kunnen gaan! Er is er een hier vlakbij. Het is heel groot. Iedereen komt er. Het is gemengd, zoals de meeste tenten hier – homo en hetero. Ik weet zeker dat we daar een leuke vent voor je vinden.'

'Ik weet niet of ik in de stemming ben.' Alex ving een glimp op van zichzelf in de spiegel achter de bar – ze zag er moe uit. 'Het Anne Frank Huis heeft me aan het denken gezet.'

'Waarover?'

'Over een heleboel dingen. Wat er met haar gebeurd is. Wat er deze week op mijn werk gebeurd is. Wat er met mijn moeder gebeurd is.'

'Heb je nog steeds het idee dat de verpleegster van je moeder iets met haar dood te maken heeft gehad?' Nan schoof haar stoel dichterbij. 'Weet je, ik heb eens gelezen dat vijfendertig procent van de mensen denkt dat de dood van hun ouders aan iemand te wijten is. Zelfs als het in het ziekenhuis gebeurt, denken ze dat er een luchtje aan zit.'

'Vind je het niet vreemd dat ze stierf in de nacht van mijn terugkomst van Yale? Ik heb zelfs geen kans gehad om met haar te praten.'

'Misschien heeft ze Evelyn er zelf om gevraagd. Heb je daar ooit aan gedacht?'

'Maar waarom koos ze dan de nacht van mijn terugkeer van Yale?'

'Heb je het Evelyn gevraagd?'

Alex knikte. 'Ze ontkende het natuurlijk. Ze zei dat mijn moeders kanker gewoon veel sneller was uitgezaaid dan ze verwachtte. Dat ze waarschijnlijk had gewacht tot ik thuis zou komen.' Ze haalde haar schouders op. 'Maar waarom heeft ze me dan niet eerder naar huis geroepen? Waarom wachtte ze tot ik was afgestudeerd?'

'Misschien wilde je moeder de pret niet voor je bederven. Misschien wilde ze niet tot last zijn. Dat is waarschijnlijk ook de reden waarom ze je niet tot executeur heeft benoemd.'

'Wist je dat ik een advocaat heb geraadpleegd na de begrafenis? Om te zien of alles legaal was.'

'En?'

'Het was legaal. De advocaat zei dat het niet ongebruikelijk was om een vriend of vriendin als executeur aan te wijzen. Omdat de nalatenschap weinig voorstelde, zou het niet veel zin hebben gehad om een advocaat of iemand anders tot executeur te benoemen.'

Nan nam een flinke teug. 'Herinner ik het me goed dat je moeder een hele zwik aandelen van je vader had gekregen toen ze van elkaar scheidden?'

'Hoofdzakelijk aandelen in computerbedrijven. Kennelijk heeft de dot-comcrash het grootste deel om zeep geholpen.'

'Heb je je vader ernaar gevraagd?'

'Je weet dat we elkaar niet veel spreken – alleen met verjaardagen en kerst.' Ze nam weer een slok. 'Ik weet trouwens precies wat hij zou hebben gezegd: dat mijn moeder altijd een ramp was met geld, dat het hem niets verbaasde dat er niets meer over was.' Ze nam nog een slok. 'Bijna mijn hele aanstellingsbonus van Thompson is opgegaan aan mijn moeders doktersrekeningen.'

'Was ze niet verzekerd?'

'Niet voldoende, kennelijk.' Alex begon aan de kartonnen onderzetter te pulken. 'Ik wou gewoon dat ik nog de kans had gehad om met haar te praten.'

'Om te zeggen dat je van haar hield?'

'Onder andere...'

'Luister, schat.' Nan sloeg haar arm om Alex heen. 'Je moeder wist dat je van haar hield. Dat weet ik zeker. Je was alles voor haar. Ze vond je geweldig.' Ze legde haar hand op die van Alex. 'En dat is waarschijnlijk de reden waarom ze voor zo'n einde koos. Ze wilde niet dat je haar zo zag – zoals ze op het laatst was.'

'Zoals die mensen in de video's in het Anne Frank Huis.' Alex haalde diep adem. 'God, het was afschuwelijk.'

'Het laat je niet los, hè, als je er bent geweest?'

'Zeker na wat er deze week in Zürich is gebeurd.'

'Wat was dat dan?'

'Ik weet niet of ik...'

Een serveerster met een strak zwart T-shirt zonder beha kwam vertellen dat hun tafel over een paar minuten gereed was. Nan bestelde nog een rondje margarita's.

'Nou, wat is er dan gebeurd?' Ze richtte zich weer tot Alex toen de serveerster was vertrokken.

'Ik weet niet of ik het je kan vertellen. Het is min of meer geheim.'

'Ben je gek.' Ze schoof haar kruk dichterbij. 'Susan vertelde me altijd alles over haar projecten toen ze als consultant werkte. Ze noemde gewoon nooit namen. Werkte prima.'

Alex haalde diep adem. 'Ik voel me er nogal stom onder.' De serveerster bracht hun nieuwe drankjes.

'Wat is er dan gebeurd?' drong Nan aan.

Alex nam een flinke slok. 'Ik heb per ongeluk contact gehad met een cliënt van de bank waarbij wij gedetacheerd zijn.'

'Nou en?'

'Je weet dat daar gevangenisstraf op staat in Zwitserland?'
'Ja, ja, ja. Ik weet maar al te goed hoe paranoïde de Zwitsers zijn als het gaat om geheimhouding.' Ze glimlachte. 'Dus wat is er gebeurd?'
Ze nam nog een slok. 'We sloten een weddenschap, mijn collega en ik: wie er het eerst achter was of de man wiens naam we in de code vonden nog leefde. Dus belde ik Inlichtingen en die verbonden me automatisch door. Ik had geen idee dat ze dat deden.'
'Doen ze in Holland ook.' Nan nam een flinke slok. 'Maar ik begrijp nog steeds niet wat het probleem is.'
'Nou, om te beginnen gebruikte ik de telefoon van mijn collega.'
'Oeps.' Nan trok haar wenkbrauwen op. 'Wat zei hij toen hij erachter kwam?'
'Hij kwam er niet achter.' Alex keek in Nans ogen. 'Dat heb ik weten te voorkomen.'
'Hoe?'
'Door met die man af te spreken.'
'Wát heb je gedaan?' Nan schreeuwde bijna.
'Ik moest wel. Hij zei dat hij het Eric zou vertellen als ik hem niet wilde ontmoeten. Hij had Eric iets horen zeggen over de datum – 19 oktober 1987. Dat joeg hem de gordijnen in. Hij zei dat hij zou blijven terugbellen – naar Erics telefoon – tot hij wist waar het allemaal om ging.'
'Nou en? Als je collega uit de school klapte, waarom zou jij je dan druk...?'
'Omdat ik degene was die gebeld had. Ik zou mijn baan zijn kwijtgeraakt als ze erachter zouden zijn gekomen. Eric ook, waarschijnlijk.' Ze nam nog een slok. 'Dus heb ik hem ontmoet. Om hem af te stoppen. Hij liet me geen andere keus.'
'Mannen! Ze zijn niet te geloven.'
'In de praktijk viel hij wel mee. Maar vervolgens eiste hij dat ik met zijn vaders oude zakenpartner zou lunchen – om uit te zoeken wat zijn vader precies was overkomen. De rekening die ik ontdekte was kennelijk vóór de Tweede Wereldoorlog geopend. Voor een Joodse familie, naar het schijnt. En het vreemde is dat

ze iets opzetten wat een trusteerekening heet. Daar zetten ze geld op op naam van...'

'Ik weet wat een trusteerekening is, schat. Susans ouders hebben er een voor ons geopend. Voornamelijk om de successierechten te ontlopen.'

'Maar dit was een geheime trusteerekening. Zelfs de bank wist niet wie de werkelijke rechthebbenden waren. Kennelijk zijn er in Zwitserland vóór de oorlog een heleboel van dat soort rekeningen geopend, en de meeste zijn nooit boven water gekomen.'

'Ah! Daar is ze!' Nan stond op en zwaaide. 'We zitten hier, schat.'

Alex zag hoe Susan langs de gezette pianiste liep die een medley van Cole Porter speelde. Ze gaf zowel Nan als Alex een kus op de lippen, vervolgens trok Nan haar op schoot. 'Is ze niet de mooiste vrouw die je ooit hebt gezien?'

Susan bloosde, wees toen naar hun halflege margaritaglazen. 'Zo, jullie hebben er geen gras over laten groeien. Ik wou dat ik mee kon doen, maar helaas. Ik geef nog steeds borstvoeding, dus zal ik het bij jus d'orange moeten houden.'

'Alex vertelde me net hoe ze eigenhandig een geheime Zwitserse bankrekening ontdekte die eigendom is van een Joodse...'

'Niet zo hard.' Alex greep Nans arm. 'Ik zei toch: als de bank erachter komt, raak ik mijn baan kwijt.'

'Maak je geen zorgen.' Nan legde haar hand op die van Alex. 'We zullen discreet zijn. Ik zweer het je.' Ze nam nog een slok en gebaarde Alex door te vertellen. 'Nou, hoe loopt het verhaal af?'

'Eigenlijk wel goed. Ik kreeg dit reisje naar Amsterdam.'

'Betaald door de man wiens vader de rekeninghouder was?' vroeg Nan. 'Wat voor type is het? Knap?'

'Je bent onverbeterlijk.' Susan gaf Nan een kus en richtte zich tot Alex. 'Vergeef het haar.'

'Je moet het hele verhaal horen.' Nan zoog op het rietje van haar margarita en begon Susan bij te praten. Terwijl ze over de code vertelde die Alex had gevonden, onderbrak Susan haar.

'Om welke datum ging het ook alweer?' vroeg ze.

'19 oktober 1987,' antwoordde Alex.

'Maar dat is het!'

'Wat?' vroeg Nan.

'Het klinkt mij in de oren alsof iemand zijn verliezen probeerde te dekken van de crash van 1987.'

'Welke crash?' vroeg Nan.

Susan glimlachte. 'Ik vergeet steeds hoe jong jullie twee zijn.' Ze nam Nans handen in de hare. '19 oktober 1987 – Zwarte Maandag – de grootste koersval in de geschiedenis van de Dow Jones. Zelfs groter dan die van 1929. Weet je dat niet meer?'

Nan schudde haar hoofd. 'Niet echt. Toen zat ik nog op de basisschool.'

'Maakt niet uit. Waar het om gaat, is dat de koersval enorm was. Ik weet nog dat ik toen bij mijn vader in Philadelphia woonde. Het scheelde maar zóveel of hij was alles kwijtgeraakt.' Ze hield haar duim en wijsvinger omhoog, bijna bij elkaar. 'Toen de waarde van zijn aandelen omlaag duikelde, gaven de banken hem een zogenaamde *margin call*. Hij moest met fondsen over de brug komen om de verliezen te dekken. Anders zou hij een enorm verlies hebben geleden.'

'Waarom?' vroeg Nan.

'Bij een *margin account* koop je aandelen met geleend geld. In de praktijk moet je zelf een deel van het geld fourneren en de bank geeft je de rest.'

'Waarom doen ze dat?' vroeg Nan.

'Omdat ze rente over de lening vangen, suffie. En ze willen dat je meer aandelen koopt – op die manier kunnen zij meer commissie vangen.'

'Gesnopen.'

Susan nam een slok van haar jus d'orange. 'Cliënten houden van *margin accounts* omdat ze meer rendement op hun geld kunnen maken. In een stijgende markt verdienen ze dan veel meer dan ze anders hadden gekund.'

'En in een dalende markt?' vroeg Nan.

'Dan zijn de poppen aan het dansen, om zo te zeggen. In een dalende markt kan de cliënt alles kwijtraken – en snel ook. Daarom geeft de bank je een *margin call*. Met andere woorden, je moet meer geld ophoesten om je verliezen te dekken, anders verkopen ze alles onder je kont vandaan.'

'Zoals de bank extra zekerheid wil wanneer de huizenprijzen dalen?'

Susan knikte. 'Precies. Ik herinner me dat mijn vader gedurende de beurskrach van 1987 een deel van zijn onroerend goed als onderpand moest inzetten. Op die manier kon hij zijn effectenportefeuille intact houden. Toen de markt een paar dagen later weer aantrok, was het leed geleden. Als hij had moeten verkopen bij de laagste koers, zou hij alles kwijt zijn geraakt.'

'En als je geen vastgoed hebt om als onderpand in te zetten?' vroeg Nan.

'Dan moet je een andere manier vinden om je verliezen te dekken.'

'Zoals een ongebruikte trusteerekening bij je bank in Zürich?' vroeg Alex.

'Precies.' Susan keek haar aan. 'Is er een slimmere manier om een *margin call* uit te zingen dan door gebruik te maken van een bankrekening die je in beheer hebt? Het enige wat je zou hoeven doen, is een fictieve verkooporder uitprinten.' Ze wendde zich tot Nan. 'Toen ik in de beleggingshandel werkte, vroegen we bij een crisis cliënten soms om een fax van een bankafschrift dat aantoonde dat ze ons hoogwaardige effecten verkochten – bijvoorbeeld Amerikaanse schatkistcertificaten – en dat het geld van de verkoop naar ons werd gecrediteerd. Op die manier wisten wij dat het onderpand onderweg was.'

'Zoals een kopie van een cheque die onderweg is,' vatte Alex samen.

Susan knikte. 'Precies. In dit geval zou je alleen een document nodig hebben gehad dat bewees dat er geld onderweg was. Dat je de middelen had om de koersval uit te zingen. Als je toegang tot de computer had, zou het makkelijk zijn geweest. Je zou dan alleen een afschrift hoeven uitprinten dat de indruk gaf dat je over de activa beschikte om je verliezen te dekken.'

'Wacht even.' Nan schudde haar hoofd. 'Waarom zou je al die moeite doen om fictieve bankafschriften te maken als je gewoon het geld had kunnen sturen?'

'Wat bedoel je?' vroeg Susan.

'Ik bedoel: als jij toegang had tot een geheime Zwitserse bankrekening waar geen mens naar omkeek, waarom zou je dan niet gewoon het geld dat je nodig had overmaken en de rest vergeten?'

'Als deze rekening lijkt op de trusteerekeningen die mijn vader opzette, kunnen de fondsbeheerders niet bij het geld.' Susan richtte zich tot Alex. 'De beheerder van die rekening had waarschijnlijk alleen het recht om de bank koop- en verkoopopdrachten te geven.'

'Klinkt logisch.' Alex knikte. 'Het klopt met de beschrijving die die man met wie ik lunchte gisteren gaf.'

'Voilà.' Susan wendde zich tot Nan. 'De enige manier om het te gebruiken, was door een flink pakket effecten te verkopen en vervolgens de naam op het afschrift zo te veranderen dat het leek alsof de effecten door iemand anders werden overgedragen.'

'En het zou nooit zijn opgemerkt?' vroeg Nan aan Susan.

'Als ik me goed herinner, greep de Federal Reserve onmiddellijk in door de geldvoorraad te vergroten. Binnen een paar dagen waren de koersen weer op hun oude niveau, wat betekent dat geld voor de *margin call* niet langer nodig was. Degene die de afschriften vervalste had de bank gewoon opdracht kunnen geven om de schijntransactie te annuleren.' Susan leunde naar achter. 'En er zou geen haan naar kraaien.'

'Tot Alex op het toneel verscheen.' Nan hield haar drankje omhoog om te proosten. 'Uit de kunst!'

De serveerster kwam zeggen dat hun tafel gereed was.

'Ik zou toch oppassen als ik jou was,' zei Susan tegen Alex, terwijl ze opstond. 'Toen ik als consultant werkte, was een van de eerste regels dat je nooit de grenzen van je mandaat te buiten mocht gaan.'

Alex dronk haar glas leeg. 'Ik heb het heus niet met opzet gedaan.'

Amsterdam

Zaterdagnacht

De rij naar de disco strekte zich slordig uit over de gracht. Zoals Nan had voorspeld, stonden mensen van elke – innerlijke of uiterlijke – sekse en seksuele voorkeur te wachten om naar binnen te mogen. Mannen, vrouwen, travestieten, macho's. Iedereen leek op zijn gemak, ontspannen en vriendelijk. Alex hoorde minstens vijf verschillende talen om zich heen. Het duurde een halfuur voordat ze de ingang bereikten. Ze stonden op het punt naar binnen te gaan toen Alex hem uit de massa zag opduiken. 'Dus dáár ben je!' Marco liep op Alex af en kuste haar op beide wangen. 'Ik heb de halve dag naar je gezocht.'

'Ik ook naar jou.'

'Dat zegt ze uit beleefdheid.' Marco zond Nan en Susan een stralende glimlach toe. 'Ik weet zeker dat ze van me af probeerde te komen in het Anne Frank Huis.'

'Ik heb ruim een uur buiten op je staan wachten.'

'En ik bijna twee uur op jou.'

'Echt? Waar dan?'

'Binnen.' Marco knikte. 'Stel je me nog voor aan je vriendinnen?' Alex stelde hem voor aan Nan en Susan. 'Wat een stuk,' fluisterde Nan tegen Alex terwijl ze naar voren kwam om Marco's hand te schudden. Hij kuste zowel Susan als Nan op de wang.

Hij zag er geweldig uit – perfect gekamd haar, stralende huid. Hij droeg een donker colbertje en een lichtblauw overhemd. Een wereld van verschil met de discogangers. 'Ik ben blij dat ik je gevonden heb.' Hij glimlachte Alex warm toe. 'Ik begon al te denken dat ik naar Zürich zou moeten om je op te sporen.'

'Ga je met ons mee?' Nan stapte opzij om Marco in de rij op te nemen. 'We staan op het punt om naar binnen te gaan.'

'Ik ben niet zo'n discoliefhebber.' Marco haalde zijn schouders op. 'Ik was eigenlijk van plan om een wandeling langs de grachten te maken. Het is zo'n mooie avond.' Hij draaide zich om naar Alex en knikte haar toe. 'Wil je me gezelschap houden?' Na drie margarita's aarzelde ze niet.

Ze wendde zich tot Nan en Susan. 'Vinden jullie het erg? Ik kan altijd straks nog komen.'

'Geen probleem, je hebt je sleutels nog, hè? Voor het geval je ons niet kunt vinden.'

Marco legde zijn hand zachtjes op Alex' rug en begon richting de bloemenmarkt te lopen, aan de gracht rechts van hen. 'Wat waren jullie aan het vieren?' vroeg hij. 'Het zag eruit alsof jullie dikke pret hadden.'

'We waren gewoon een avondje uit, meiden onder elkaar.' Alex schoof wat dichter naar hem toe terwijl hij zijn arm om haar heen legde.

Een groep dronken Nederlandse tieners zwalkte hun tegemoet. Ze aten worst, dronken bier en lachten hard. Marco schermde haar rustig, moeiteloos af en loodste haar veilig verder. Zijn hand voelde sterk, warm, veilig aan.

'Dank je,' zei Alex glimlachend. 'Je lijkt te weten wat je doet.'

'Toen ik op de middelbare school zat, gaf ik les in karate.' Hij draaide zich naar haar toe en glimlachte. 'Maar die tijd is nu voorbij. Ik sta op het punt bij Itamaratí te gaan werken.'

'Wat is dat?' vroeg Alex.

'De diplomatieke dienst – onze versie van het State Department. Hé, kijk daar eens.' Hij wees naar een oude art-decobioscoop. 'Ik wed dat ze daar naar de film ging.'

'Wie?'

'Anne Frank. Herinner je je al die foto's van filmsterren die ze aan haar muur had geprikt?' Hij leidde Alex erheen om het beter te bekijken. 'Ongelooflijk, hè? Nog een puzzelstukje van haar leven hier midden in Amsterdam.'

Marco bukte zich en beroerde het jaartal dat in het beton aan de voet van het grote portaal was gebeiteld: 1931. 'Ik wed dat ze op deze trap heeft gestaan.' De gekleurde lichtjes van de luifel van het Tuschinski Theater legden een zachte pastelgloed op zijn gezicht. 'Tjee, het idee dat zij en haar zuster hier waarschijnlijk op zaterdagmiddag naar de film gingen. Vóór de oorlog, voordat de nazi's binnenmarcheerden en iedereen deporteerden.'

Zou dát zijn gebeurd met de eigenaars van die rekening in Zürich? vroeg Alex zich af. Waren ze daarom onvindbaar na de oorlog?

Ze dacht aan de luchthartige manier waarop Ochsner over hen had gesproken. 'Het is niet de taak van Zwitserse bankiers om overal op de wereld hun neus te steken in de privézaken van hun cliënten. Onze taak is hun bezit verantwoordelijk te beheren totdat zij, of hun erven, naar ons toe komen. Dat is de kern van het Zwitserse bankgeheim.'

'Hé, ik zal je iets laten zien. Je zult het geweldig vinden.' Marco leidde Alex langzaam over de lege bloemenmarkt. Duizenden afgedankte tulpen en rozen lagen op hopen naast de gesloten kiosken. Sommige waren in de gracht gevallen. Ze snoof diep en genoot van de geur van de bloemen en de frisse zilte lucht. Toen ze het eind van de markt bereikten, liepen ze naar de reling langs de brede gracht. Kleine gele lampjes die langs de bogen van de bruggen waren aangebracht, werden weerspiegeld in het donkere water eronder.

'Weet je, je was daar ongelooflijk vandaag.'

'Waar?' vroeg Alex.

'In het Anne Frank Huis. Ik keek naar je. Je zag er zo... geraakt uit.'

'Dat zou toch iedereen zijn?'

'Was het maar waar.' Marco liet zijn hand over de bovenkant van haar rug glijden en wreef zachtjes. 'Jij bent anders, weet je. Ik ken je nog nauwelijks, maar wat ik zie bevalt me.'

'Dank je. Mij ook.' Alex keek op naar Marco's gezicht. Zijn wimpers wierpen lange schaduwen over zijn wangen. Hij leek zo kalm, zo zeker. Ze keken omlaag en zagen hun dubbele silhouet in het water weerspiegeld, samen met honderden kleine lichtjes van de bogen van de brug.

'Ben je ooit in Australië geweest?' vroeg Marco.

'Nee. Jij wel?'

Marco knikte. 'Wist je dat de Australische aboriginals geloven dat de wereld door dromen is geschapen?'

'Hoe dat zo?'

'Ze geloven dat dromen de wereld tot leven roepen, en dat je elke keer dat je droomt verder schept aan de wereld waarin we leven.'

'Klinkt goed.'

'Wat zou jouw droom zijn?'

Alex hoefde niet lang na te denken. 'Eerst zou ik mijn schulden afbetalen. En dan zou ik...'

'Je zou alles kunnen krijgen wat je wilt, en dan vraag jij om geld?'

'Je hebt gelijk.' Ze glimlachte. 'Ik moet iets belangrijkers verzinnen. Het is gewoon... Eerlijk gezegd weet ik niet meer zo goed wat ik zou vragen.'

'Wat dacht je van een eind aan haat en vooroordelen? Na wat we vandaag hebben gezien...'

'Klinkt goed.'

'En dit.'

'Wat?'

'Hier staan, aan de grachten van Amsterdam – met jou.'

Hij boog zich naar haar toe en kuste haar.

'Prettig.' Hij kuste haar nogmaals.

Laat je gaan, zei Alex tegen zichzelf. *Nu niet inhouden.*

Marco nam haar arm in de zijne en leidde haar weg van de markt, door de smalle geplaveide straatjes, langs de grachten en over de verlaten pleinen van Amsterdam.

Alex zei niets toen ze het huis van Nan en Susan passeerden. Toen ze het Leidseplein op liepen, waar zij en Nan de avond tevoren met Susan hadden gezeten, gebaarde Marco naar een barok gebouw aan de overkant van het plein. 'Dat is mijn hotel.' Hij wees naar een hoekraam met balkon. 'Zie je dat raam? Dat is mijn kamer.'

'Ziet er groot uit.'

'Dat is het ook.'

'Dan moet je 's zien waar ík slaap. Ik werd vanmorgen wakker door het geluid van een krijsende baby en de stank van vieze luiers.'

Amsterdam
Zondag, laat in de middag

Alex zag een paar konijnen over de startbaan rennen en zich in het hoge gras ernaast verbergen. Windsokken bliezen woest in de wind. In de verte steeg een straalvliegtuig van El-Al op. Terwijl haar vliegtuig naar zijn startplaats taxiede, leunde ze achteruit en dacht aan de nacht die ze achter de rug had.

Ze sloot haar ogen en riep zich haar samenzijn met Marco voor de geest. Zijn warmte, zijn geur, zoals hij de liefde met haar had bedreven

Ze hadden zelfs besloten elkaar het volgende weekend weer te zien. Hij zou dan in Parijs zijn, en Alex had gezegd dat ze zich daar bij hem zou voegen – zonder zelfs over de kosten na te denken. Dat was van later zorg.

'*Cabin ready for take-off.*' Een stewardess overhandigde Alex een exemplaar van een Zwitserse zondagskrant, de *Sonntags Zeitung*, en liep toen snel door. Alex wilde hem al in de stoelzak voor haar stoppen, toen haar aandacht werd getrokken door een kopje onder aan de voorpagina: *Bankier Tod* – Bankier Dood. *Suizid in Basel* – Zelfmoord in Bazel.

Haar hart stond stil toen ze de naam op de eerste regel zag: 'Georg Ochsner is laat in de nacht van vrijdag van de Wettsteinbrug in Bazel gevallen... Een val van 100 meter in de Rijn... Op slag dood... Lichaam aangespoeld op de rivieroever in Klein-Bazel... Geborgen door de politie... Geen getuigen... Geen sporen die op een misdrijf wijzen.'

Verscheidene malen in het artikel vielen de woorden 'vermoedelijk zelfmoord', alsof de krant iedereen ervan wilde overtuigen dat er niets verdachts was gebeurd. Maar Georg Ochsner leek er de man niet naar om van een brug te springen – althans niet de Ochsner die ze vrijdag had ontmoet.

Bel Rudi, zei ze tegen zichzelf. *Nu.*

Ze holde naar de achterkant van het vliegtuig. 'Ik moet dringend telefoneren,' vertelde ze de stewardess. 'Ik moet onmiddellijk iemand in Zürich bellen.'

'We zijn aan het opstijgen!' antwoordde de stewardess kortaf. 'U moet naar uw plaats terugkeren. Nu!'

Alex staarde uit het raampje terwijl het vliegtuig zich boven het IJ verhief en over het vlakke Nederlandse platteland vloog. Rudi's nummer maalde door haar hoofd, net als op vrijdagochtend. *Wat is er met Ochsner gebeurd? Zou Rudi het weten? Leefde hij nog wel?*

Eindelijk ging het lichtje van de veiligheidsriemen uit. *'Hier ist Ihr Kapitän.* U mag zich weer vrij door het toestel bewegen. Wij raden u echter aan uw stoelriem vast te laten wanneer u in uw stoel zit.' Alex keerde onmiddellijk terug naar de telefoon achter in het vliegtuig. Ze haalde haar creditcard door de magnetische lezer en draaide Rudi's nummer. Zijn telefoon ging een paar keer over voordat het antwoordapparaat aansloeg. 'Rudi, met Alex,' riep ze. 'Als je er bent, neem dan alsjeblieft op.'

Niets. Dus belde ze naar de receptie van haar hotel. Er waren geen boodschappen voor haar.

Toen herinnerde ze zich dat Rudi niet wist waar ze woonde. Hij kon haar niet bereiken. Het enige telefoonnummer dat hij had, was Erics nummer. Zou Rudi hém hebben opgebeld?

Alex belde naar zijn mobiele nummer, voor de zekerheid. 'Hallo, Eric, hoe staat het leven?'

'Prima. Ik ben in Genève, bij vrienden. Waarom vraag je dat?'

'Zomaar. Ik vroeg het me gewoon af. Ben je vanavond terug in Zürich?' Het klonk alsof hij in een bar was.

'Luister eens, Alex. Ik moet je iets vertellen. De reden dat ik niet... dat ik laatst geen interesse had, is omdat ik homo ben. Ik vond dat ik het je moest vertellen. Het ligt dus niet aan jou dat ik niet op je val, maar gewoon...'

'Het geeft niet.'

'Ik wil gewoon dat je het weet, om verdere misverstanden te voorkomen. Als ik hetero was, zou je de eerste zijn aan wie...'

'Eric, ik zei toch dat het niet geeft. Echt waar. Ik moet verder.'

Alex hing op en probeerde Rudi's kantoornummer, maar daar werd ook niet opgenomen.

In de aankomsthal van de luchthaven probeerde ze het opnieuw. Nog steeds geen gehoor, op geen van beide nummers. Ze belde Inlichtingen en vroeg of ze Rudi's mobiele telefoonnummer kon krijgen. Ze gaven het haar onmiddellijk.

Ook op dat nummer nam hij niet op. Maar dat was vreemd. Rudi had zijn mobieltje bijna altijd aan staan. Waar was hij? Of lag hij ook op de bodem van de Rijn?

Niet in paniek raken, hield ze zichzelf voor. *Het komt allemaal goed.* Maar dezelfde gedachten bleven terugkeren: *Georg Ochsner was er de man niet naar om zelfmoord te plegen. En als het geen zelfmoord was, wat was het dan wel? Een ongeluk? Geen denken aan. Moord? Maar wie zou die sneue oude man hebben vermoord? En waarom? Kon Rudi erbij betrokken zijn?* Ze ging in de rij staan voor de paspoortcontrole. Rudi had geen reden om Ochsner te vermoorden. Hij had gewoon toegang tot die rekening kunnen krijgen door HBZ binnen te lopen en erom te vragen. Ochsner had dat zelf gezegd.

Dus wat was er gebeurd?

Ze zag een deur met het woord POLICE erop. Er kwam net een man uit. Hij droeg een blauw overhemd met grote epauletten, geborduurd met kleine gouden letters: 'Kantonspolizei Zürich.'

'Agent.' Alex stapte op hem af.

'Ja?'

'Als ik vermoed dat iemand in Zürich in moeilijkheden verkeert, moet ik dan mijn naam opgeven? Raak ik erbij betrokken als ik alleen maar wil dat u nagaat of alles goed met hem is?'

'U hoeft uw naam niet op te geven, nee.' Hij leek verbaasd om Alex' vraag. 'Maar over wie gaat het? Hoe weet u dat hij in moeilijkheden verkeert?'

'Ik weet het niet zeker, maar het zou prettig zijn als iemand kon nagaan...'

'U moet die kant op.' Hij wees naar een bord waar ZOLLFREI – NOTHING TO DECLARE op stond. 'De politie van Zürich komt na de douane. In Parkhaus A. Dit hier is de luchthavenpolitie.'

Alex ging weer in de rij staan om door de douane te gaan. *Dat is het. Laat de politie van Zürich ernaar kijken,* hield ze zichzelf voor. *Geef ze geen informatie over jezelf. Zeg gewoon dat*

Rudi misschien in de problemen zit en laat hen de rest doen.
Buiten de douane vond ze de lift naar Parkhaus A. Naast de knop voor de vierde etage was een klein bordje met het opschrift POLIZEI – POLICE. Ze herinnerde zich Susans woorden in Amsterdam: 'Ga niet buiten de grenzen van je mandaat.'
Ze drukte op de knop en wachtte tot de deuren dichtgingen.
Misschien moet ik de bank bellen om te vertellen wat er gebeurd is. Nee. Hou de bank erbuiten, zei ze tegen zichzelf. Hou iedereen erbuiten. Iedereen behalve de politie. Laat die het maar opknappen.
De liftdeuren gingen open. Ze liep naar de glazen deur met het opschrift POLIZEI en belde aan. Ze kon meteen naar binnen.
Ze liep naar een man achter een dikke glazen ruit. Hij zat een krant te lezen. Hij had een baard van drie dagen en droeg een spijkerbroek en een geruit overhemd.
'Ja?' Hij keek op van zijn krant.
'Bent u van de politie?' Alex sprak in een kleine microfoon naast het raam.
'Ja, wat is er van uw dienst?'
'Ik vroeg me af... of u een kennis van mij kunt bereiken. Hij woont in Zürich. Ik vermoed dat hij in de problemen zit.'
'Wat voor soort problemen?'
'Dat weet ik niet. Hij neemt zijn telefoon niet op.'
'Wat wilt u dat ík daaraan doe?' Hij staarde haar met een effen blik aan. Hij had geen pistool. Geen penning. Niets om haar gerust te stellen. Alleen een dikke glaswand ter bescherming – zijn bescherming, zo te zien.
'Kan er niet iemand naar zijn huis gaan?'
'Wat is uw relatie tot hem? Bent u familie?'
'Nee, ik ben gewoon een vriendin. Ik wil alleen zeker weten dat hij veilig is.'
'Als u geen familie bent, kunt u niet...'
'Hier.' Alex pakte een stuk papier en schreef Rudi's naam en nummer op. 'Kan er niet iemand heen gaan om te kijken of alles goed met hem is?'
Hij schudde zijn hoofd. 'Hebt u dat zelf al geprobeerd?'
'Ik wíl er niet heen. Ik wil alleen zekerheid dat er niets met hem

aan de hand is.' Alex duwde haar haar achter haar oren en boog zich dichter naar de microfoon. 'Waarom kunt u niets doen?'

Hij keek over zijn leesbril heen en zei iets waar Alex niets van begreep.

'Kunt u dat herhalen?' vroeg ze.

'Ik zei dat u het kunt proberen bij de Stadtpolizei. Daar kunnen ze u misschien helpen. Wij zijn de kantonnale politie – de regionale politie – en als u geen familie bent, kunnen wij niets voor u doen.'

'Waar zit de Stadtpolizei?' vroeg Alex boos.

'In het Centrale Districtsbureau-FNZ.'

'Waar is dat?'

'In Zürich-centrum. Maar het is zondag. Ik weet niet of er nu iemand aanwezig is. Op zondag zijn ze alleen 's ochtends open.'

'Is er op zondag niemand aanwezig op het politiebureau van Zürich?'

'Niet in het Centrale Districtsbureau. Maar als u opbelt, kunnen ze u misschien vertellen welk bureau...'

'Waarom kunt u niet bellen?'

'Hoe dat zo?'

'Laat maar.' Alex liep snel naar de taxistandplaats. Op weg ernaartoe zag ze een rij telefooncellen. Ze gebruikte een van de telefoons om Rudi's adres nog eens te controleren.

Binnen een paar minuten stopten ze voor een statig, oud appartementengebouw op de Zürichberg, een elegante woonwijk vol oude villa's en appartementengebouwen, het ene nog chiquer dan het andere.

Voor het huis stond een wagen van de Stadtpolizei Zürich met knipperende lichten. Had de kantonnale politie ze toch gewaarschuwd?

Rudi Tobler stond naast de politieauto. Hij zag er boos uit. De vrouwelijke agent naast hem schreef iets in een notitieboekje.

Alex sprong uit de taxi en rende naar Rudi. 'Goddank, je leeft.' Hij staarde haar alleen maar aan.

'Waar zat je?' vroeg Alex hem. 'Ik dacht dat je iets overkomen was.'

98

Hij bleef haar kwaad aankijken.

De agente keek op van haar notitieboekje. 'Bent u degene die met mijn collega's op de luchthaven heeft gesproken?'

'Ja.' Alex draaide zich terug naar Rudi. 'Waarom nam je je telefoon niet op?'

'Hij stond niet aan. Ik was bij madame Ochsner. Ze heeft het erg te kwaad. Zoals je je kunt voorstellen onder de omstandigheden.' Hij zei het op een toon alsof het háár schuld was, alsof Alex iets verkeerd had gedaan. 'Ik kwam net thuis, toen de politie aan kwam scheuren. Ze zeiden dat ze waren gestuurd door een Amerikaanse vrouw op het vliegveld. Ik begreep dat jij het moest zijn.'

'Ik maakte me zorgen om je.'

'Ik ook om jou, maar ik heb niet de politie op je dak gestuurd.' Hij draaide zich om en zei iets in het Zwitsers-Duits tegen de vrouwelijke agent. Ze gaf Rudi een hand en liep terug naar haar wagen.

'Wat doen we nu?' vroeg hij Alex laconiek.

'Ik weet het niet. Ik ben gewoon blij dat alles goed met je is.'

'Nou, zoals je kunt zien, ben ik springlevend.' Hij klonk nog steeds boos.

Alex zag dat verscheidene buren van Rudi voor de ramen stonden te kijken.

'Het spijt me.' Ze legde haar hand op zijn schouder. 'Toen ik las wat er met Georg Ochsner was gebeurd en ik je nergens kon bereiken, leek het me gewoon verstandig om de politie te waarschuwen.'

'Ik waardeer je bezorgdheid. Maar sinds de dood van mijn vader sta ik op gespannen voet met de politie. Vooral zíj probeerden me ervan te overtuigen dat het zelfmoord was. Ze waren totaal niet geïnteresseerd in de mogelijkheid dat iemand hem had vermoord. En nu met Ochsner is het weer hetzelfde liedje.' Hij gebaarde naar een bovenverdieping van het appartementengebouw achter hem. 'Kom op, laten we uit het zicht van mijn glurende buren gaan.'

Op de eerste etage moest Rudi twee sloten openmaken om de deur van zijn appartement open te doen. In de entree hing een groot schilderij van Marilyn Monroe op een achtergrond van bladgoud. Alex liep erop af om het beter te bekijken.

'Het is een Warhol. Vind je het mooi?' Rudi sloot de deur zorgvuldig achter hen. 'Volg mij maar.' Hij ging Alex voor naar de woonkamer. De muren waren bedekt met schilderijen, in alle vormen en maten.

'Dit hier is mijn favoriet.' Hij leidde haar langs een lage tafel vol kunstboeken en ingelijste foto's naar een groot doek in felle kleuren. Het besloeg bijna een hele muur. 'Het heet *The Last Supper*. Het is een van Andy's laatste werken.'

'Andy? Kende je Andy Warhol persoonlijk?'

'Ja, we waren bevriend,' zei hij nonchalant. 'Wil je iets drinken?' Hij liep naar een art-decobar in de hoek en begon een fles wijn open te trekken.

'Is bordeaux goed?'

'Ja, hoor.' Alex ging zitten op de enorme witte sofa. Op de tafel stond, naast de boeken, een ingelijste foto van Elizabeth Taylor. Hij was gesigneerd: *'Dear Rudi, All my love. Elizabeth.'*

'Ook mee bevriend.' Rudi reikte Alex haar glas wijn aan. 'Ze kwam vaak naar Zwitserland om de kerst met ons door te brengen – in Gstaad.' Hij hield haar een zilveren sigarettenkoker voor. 'Rook je?'

'Nee, dank je.'

'Nou, ik ben wel aan een shot nicotine toe.' Rudi nam een lange sigaret met een gouden filter en stak hem aan terwijl hij naast Alex ging zitten. 'Je hebt geen idee wat ik de afgelopen twee dagen heb doorgemaakt. Dat telefoontje van madame Ochsner, gisteren, dat haar man zelfmoord had gepleegd. Het bracht zóveel herinneringen terug aan wat er in 1987 is gebeurd.'

Hij nam een forse teug van zijn wijn. 'Op de terugweg van Bazel reed ik over de Wettsteinbrücke, de brug waar Ochsner vanaf is gesprongen – of geduwd.' Hij nam nog een trek. 'Het was ongelooflijk – bijna even hoog als de Golden Gate Bridge. Kun jij je voorstellen dat iemand daarvanaf springt? Iemand als Ochsner?'

'Waarom schreef de krant dan dat het zelfmoord was?'

'Omdat de politie dat zegt. Ze hebben een brief gevonden op de brug. Zijn vrouw heeft hem aan me laten zien.' Rudi zette het wijnglas op een van de boeken en leunde naar achter. 'Het waren bijna precies dezelfde bewoordingen als die in de brief die mijn vader achterliet. Hij vroeg zijn vrouw goed voor de kinderen te zorgen. Verder niets.' Hij keek Alex aan. 'Het was alsof hij mij een boodschap wilde geven. Ik bedoel, waarom zou hij anders dezelfde woorden als mijn vader gebruiken?'

'Denk je dat hij de brief onder dwang heeft geschreven?'

'Zou kunnen.'

'Of misschien gebruikte hij in zijn verwarde toestand je vaders woorden onbewust.'

'Misschien,' antwoordde Rudi. 'Maar ik kan me niet onttrekken aan de gedachte dat ik de politie over ons gesprek met hem had moeten vertellen.'

'Heb je dat dan niet gedaan?'

'Natuurlijk niet. Omdat ik ze dan over jou had moeten vertellen.' Hij keek haar gespannen aan. 'En ik heb beloofd dat ik jouw naam erbuiten zou houden, weet je nog wel?'

'Bedankt.' Alex keek naar buiten. Het begon donker te worden. 'Ik vermoed dat het geen zin heeft de politie erbij te betrekken als we het alleen over een hysterische oude man hebben.'

'Bedoel je mij?'

'Natuurlijk niet. Ik doelde op Ochsner.' Alex nam nog een slokje. 'Denk jij dat hij zelfmoord kan hebben gepleegd om... iets toe te dekken?'

'Zoals?'

Ze dacht aan Susans theorie dat iemand de rekening gebruikte om een *margin call* in 1987 uit te zingen. 'Vergeet niet dat de code de computer opdroeg de naam Rudolph Tobler op de verkooporder in Tobler & Cie te veranderen. En wie stond er toen aan het hoofd van Tobler & Cie? Ochsner.' Ze leunde naar achter. 'Maar misschien is het onze zaak niet.'

'Zou kunnen.' Rudi stond op en schonk zichzelf nogmaals wijn in. 'Hoe dan ook zullen we er gauw genoeg achter komen wat er met hem gebeurd is. Ik heb madame Ochsner gevraagd om de politie een lijkschouwing te laten verrichten.' Hij kwam Alex' glas vullen. Ze zag dat de wijn een Lynch Bages was, een dure bordeaux die haar moeder alleen bij bijzondere gelegenheden dronk. Rudi gedroeg zich alsof hij hem elke dag dronk.

'Hoe dan ook,' hij liep naar de balkondeuren en keek naar buiten, 'ik weet zeker dat de politie de zaak zo snel mogelijk zal willen sluiten. Net als bij mijn vader. Zodat alles weer pais en vree is.' Hij staarde verscheidene minuten naar buiten.

Door de glazen deuren kon Alex het meer zien. Honderden kleine bootjes voeren kriskras over het Meer van Zürich. In de verte ging de zon onder boven de Alpen. 'Wanneer denk je dat we de uitslag van de lijkschouwing horen?' vroeg ze.

'Morgen, zeiden ze. Mevrouw Ochsner vroeg of ik voor haar wilde bellen naar het... Institut für Rechtsmedizin?'

'Het forensisch instituut?'

'Precies.' Rudi doofde zijn sigaret in een van de porseleinen asbakken op de koffietafel. 'Tot het zover is, zullen we moeten afwachten.'

'Ik moet er weer eens vandoor.' Alex stond op.

'Wil je niet blijven eten?' vroeg Rudi. 'Mijn werkster zet 's zondags altijd iets te eten voor me klaar. Meestal is het genoeg voor twee.'

Alex keek op haar horloge. Het was bijna negen uur. 'Ik weet het niet. Ik moet eigenlijk terug naar het hotel. Mijn vrienden zitten op me te wachten.'

'Ik ga even in de keuken kijken wat ze gemaakt heeft.'

Toen hij weg was, liep Alex naar het schilderij en bekeek het aandachtig. *Is het wel verstandig dat ik hier ben?* vroeg ze zich af, terwijl ze naar Warhols versie van het Laatste Avondmaal staarde. *Kan ik deze vent vertrouwen?*

Haar intuïtie zei ja. Maar waarschijnlijk deed ze er goed aan iemand te vertellen waar ze was. Maar wie? Niet Eric. Als ze hem belde, zou hij weten dat ze niet alleen contact had opgenomen met een cliënt van de bank, maar ook bij hem bleef eten. 'We boffen!' Rudi kwam op haar af met een extra couvert en schone wijnglazen. 'Er is eten in overvloed. Genoeg voor ons allebei.'

Hij dekte de tafel voor twee. 'Toe, zeg dat je blijft. Ik wil vanavond niet alleen eten.'

Alex aarzelde.

'Vind je het eng om hier te zijn?' vroeg Rudi.

'Dat is het niet,' loog ze.

'Goed zo, want dat is nergens voor nodig.' Hij opende de nieuwe fles wijn, een Château Lafite, een nog duurdere bordeaux dan de eerste.

'Maak je geen zorgen.' Rudi reikte haar een vol glas aan. 'Als ik van plan was je iets aan te doen, zou ik je niet hier hebben uitgenodigd, toch?' Hij glimlachte. 'Dankzij jou weet de politie dat je hier bij me bent.'

12

Zürich

Maandagochtend

'Zürich is Los Angeles niet, weet je. We hebben hier geen zinloze moordpartijen.' Rudi leidde Alex vanaf haar hotel langs de rivier en vervolgens over een brede voetgangersbrug tegenover Hotel zum Storchen. 'Als Ochsner is vermoord, moet dat een reden hebben.'

'Ben je daar zeker van?' Alex had moeite om hem bij te benen.

'Zekerheid krijgen we pas als we die rekening te zien krijgen.' Hij wees naar de smalle voetgangersstraat die naar de Bahnhofstrasse leidde. 'En maak je geen zorgen, je hoeft alleen maar buiten te wachten, net als vrijdag. Zodra ik de rekening onder ogen krijg, zullen we weten waarom Ochsner niet meer leeft.' Hij pakte haar arm en trok haar mee. 'Het is uitgesloten dat hij zich zonder reden van het leven heeft beroofd.'

'Misschien was er inderdáád een reden.' Alex bleef abrupt staan.

'Zoals?'

'Rudi, ik moet je iets vertellen. Voordat je naar de bank gaat.' Alex wees naar een lage betonnen bank aan de zijkant van de brug met uitzicht op het meer. 'Ga even zitten.'

Alex ging naast Rudi zitten en begon hem Susans theorie over de *margin call* uit te leggen, en hoe de trusteerekening tijdelijk gebruikt kon zijn om verliezen te dekken gedurende de beurskrach van oktober 1987.

'Dus we hebben het gewoon over een oude man die zijn vingers brandde?' Rudi staarde Alex aan. 'Maar ik begrijp het niet. Als Ochsner tijdens die krach echt met een fictieve verkooporder op de proppen kwam, zou de bank dat dan niet vroeg of laat hebben ontdekt?' zei hij met een peinzende blik. 'Dat zou toch iemand moeten zijn opgevallen?'

'Niet per se. De code zat zo in elkaar dat de computer de verkoopopdracht automatisch genereerde. Niemand van de bank zou ooit van de verandering hebben geweten. Ochsner hoefde alleen het vervalste afschrift aan zijn bank te laten zien, om hen ervan te verzekeren dat er voldoende geld was om zijn verliezen te dekken. Er zou geen haan naar hebben gekraaid.'

'Maar dat spelletje kan nooit lang hebben standgehouden. Ongeacht de inhoud van de verkooporder ging de transactie ten laste van mijn vaders trusteerekening, niet Ochsners bedrijf. De bank die Ochsner het geld leende op zijn *margin account* zou er toch vroeger of later achter zijn gekomen dat de twee verkooporders verwisseld waren?'

'Jawel, maar het schijnt dat de koersen in de dagen na de beursval weer stegen. Helemaal terug naar hun oude niveau, in feite. Met andere woorden, er zou niet langer een noodzaak zijn geweest om de verliezen te dekken.'

'Omdat?'

'Omdat er geen verliezen geleden waren. De vervalste verkoopopdracht zou niet langer nodig zijn geweest. De opbrengsten van de verkoop van de effecten van de trusteerekening hadden dan opnieuw belegd kunnen worden zonder dat er een haan naar kraaide.'

'Maar mijn vader dan?' Rudi staarde naar het heldergroene water onder hen. 'Die moet er dan toch ook van geweten hebben?' Alex haalde haar schouders op.

Rudi keek haar ongelovig aan. 'Denk jij dat mijn vader onder één hoedje speelde met Ochsner? Denk jij dat hij daarom zelfmoord heeft gepleegd in Tunesië? En dat Ochsner zich vrijdag daarom van het leven heeft beroofd?'

'Waarom niet?'

'Maar mijn vader wist helemaal niets van computers. Hij zou onmogelijk met die code hebben kunnen rommelen – om welke reden dan ook.' Rudi legde zijn hand op Alex' schouder. 'Ga maar na. Hij is geboren in 1906. Weet je hoe oud hij in 1987 was?'

'Eenentachtig. Maar dat betekent niet dat hij niet iemand had kunnen vinden om het werk voor hem te doen.'

'Maar waarom zou hij de trusteefondsen gebruiken om een *margin call* te dekken voor een rekening die hem niet eens toebehoorde? Ochsner heeft ons zelf verteld dat hij destijds de eigenaar van Tobler & Company was. En dat hij zelfs niet van de trusteerekening wist tot mijn vader naar Tunesië vertrok, dus dagen na de koersval.'

'Misschien loog Ochsner.'

'Het rammelt nog steeds. Waarom zou Ochsner ons over de trusteerekening hebben verteld als hij die had gebruikt om zijn verliezen te dekken? Ochsner was niet het type om zoiets te vergeten. Hij had een ijzeren geheugen.'

Alex haalde haar schouders op. 'Hoe zou jij het dan verklaren?'

'In de film zouden de Fransen zeggen: *cherchez la femme*. In Hollywood zouden ze zeggen: *follow the money*.'

'En?'

'Het komt erop neer dat als je naar een motief zoekt, je altijd moet uitzoeken wie er profijt van het misdrijf zou trekken.' Zijn ogen werden groter. 'Ga maar na: al dat ongebruikte geld waar niemand oog op hield...'

'Maar er was wel iemand die er oog op hield. Ochsner. En je vader ook.'

'En moet je zien hoe het met hen is afgelopen!' Rudi stond op. 'Daarom wil ik die rekening zien. Dat is de enige manier om te weten te komen wat er echt is gebeurd.' Hij klopte op de zijkant van zijn versleten leren koffertje. 'En nu ik alle documenten heb waar ze om vroegen, kunnen ze niets doen om me te beletten het uit te zoeken.'

Alex zag Rudi door de glazen draaideuren van HBZ gaan en de kassier zijn documenten overhandigen. Na verscheidene minuten van discussie overhandigde de kassier hem enkele papieren. Rudi keek ze zorgvuldig door, zei toen iets tegen de kassier.

De kassier schudde nee, meerdere malen. Rudi draaide zich om en liep de bank uit. Hij passeerde Alex rakelings zonder een woord te zeggen, stak de straat over en bleef voor een boetiek van Louis Vuitton staan wachten.

Alex liep naar hem toe. 'Wat doe je allemaal?' vroeg ze.

'Zorg dat niemand ziet dat je met me praat,' fluisterde hij.

'Waar is al die geheimzinnigheid goed voor?'

'Niets zeggen. Je begrijpt het wel als je dit hebt gezien.' Hij legde de documenten op de vensterbank van de etalage en liep weg.

Alex pakte de stapel en begon te lezen. Boven aan de eerste pagina stond een rood HBZ-logo met de woorden KONTOAUSZUG – ACCOUNT STATEMENT, rekeningafschrift. Eronder stond een blauwe subtitel: U.S. Dollar Account.

Ze wierp een blik op de onderkant van de pagina: totaal 12.104,65 Amerikaanse dollars. De volgende pagina vermeldde het bedrag in euro's. Het was niet veel groter. Ze bladerde door de resterende pagina's, zeventien in totaal, en telde de andere valuta op: Japanse yens, Hong Kong-dollars, Canadese dollars. Het kwam alles bij elkaar uit op ruwweg 32.400 dollar. En dit was een rekening waar miljoenen op zouden staan? Het sloeg nergens op.

Ze keek op en zag dat Rudi een poort halverwege het blok in dook. Ze volgde hem.

Het sloeg nergens op, zei ze tegen zichzelf. *Waarom zou Ochsner benadrukken hoe goed hij en Rudi's vader de rekening hadden beheerd, als ze het geld al die tijd hadden verduisterd? Waarom zou Ochsner opscheppen over exponentiële groei en waardevermeerdering als het niet om een heleboel geld ging?* Ze liep de binnenplaats op en zag Rudi achter een grote gietijzeren fontein glippen en vervolgens door een poort aan de andere kant verdwijnen.

Ze volgde hem de straat op en haalde hem in toen hij de brug naast het Storchen overstak. Hij was halverwege de brug, bijna bij het stenen gebouw van de Kriminalpolizei, toen hij zich naar haar omkeerde en zei: 'Het was de volmaakte misdaad.'

'Wat bedoel je?' vroeg Alex.

'De volmaakte misdaad. Een waarbij niemand zelfs weet dat er een misdaad is gepleegd.' Hij wenkte haar mee naar een bank, dezelfde bank waarop ze eerder hadden gezeten. 'Ga maar na: al het geld op die rekening ligt daar te wachten, te wachten tot iemand het komt opeisen.'

'En?' vroeg Alex.

'Na de dood van mijn vader was Ochsner de enige die van de rekening wist.'

'Behalve de mensen die hem openden.'

'En die zijn waarschijnlijk allemaal dood.' Rudi staarde naar het water. 'Net als Ochsner.'

Hij draaide zich naar haar toe. 'Ochsner pleegde zelfmoord toen hij zag dat zijn perfecte misdaad op het punt stond onthuld te worden.' Hij haalde zijn schouders op. 'Het is een duidelijke zaak. Hij is degene die al die jaren geld heeft gestolen.'

Alex schudde haar hoofd. 'Dat wil er bij mij niet in. Toen we vorige week met hem lunchten, leek Ochsner er helemaal niet mee te zitten dat je achter het bestaan van de rekening was gekomen.'

'Dat deed hij omdat hij besefte dat het spel uit was. Snap je dat niet? Ochsner gebruikte de rekening in 1987 om zijn verliezen te dekken, vermoordde vervolgens mijn vader toen die ontdekte wat er gaande was. En toen Ochsner zag dat wij op het punt stonden zijn misdaad bloot te leggen, had hij twee mogelijkheden: ons vermoorden of springen. Hij koos de gemakkelijkste weg.'

'Dus dat is het? Zaak gesloten?'

'Precies.'

Alex schudde haar hoofd. 'Afgelopen vrijdag gedroeg Ochsner zich anders helemaal niet als iemand die op heterdaad is betrapt.'

'Misschien was dat gewoon toneelspel.'

'Waarom zou hij dan met ons hebben willen lunchen?' vroeg Alex.

'Om erachter te komen wat wij wisten.'

'Maar waarom dan al die poespas over trusteerekeningen, Joodse eigenaars, ongeopende brieven? Waarom zou hij ons überhaupt over de rekening vertellen? Je weet vast nog wel dat hij degene was die je vertelde waar de rekening liep. Niet ik.'

'Waarschijnlijk een doodswens. Toen hij begreep dat we hem in de smiezen hadden, wilde hij niet meer leven.'

'Doodswens? Perfecte misdaad? Je begint te klinken als een slechte Hollywoodfilm.'

'Het spijt me, maar het is de enige plausibele verklaring.'

Alex schudde haar hoofd. 'Ochsner zou nooit hebben gesuggereerd dat er miljoenen dollars op die rekening stonden als hij degene was die hem geplunderd heeft. Iemand anders heeft het geld gestolen.'

'Wie dan?'

'Ik weet het niet.' Alex nam pijlsnel de mogelijkheden door. 'De computercode is beslist met een bepaalde reden aangebracht. Niemand zou al die moeite hebben gedaan om die rekening te gebruiken om een *margin call* te dekken als er niet veel geld op stond, correct?'

'Ik moet even iets bekijken.' Rudi pakte de rekeningafschriften en begon de kasposities op te tellen. 'Misschien stond er ooit geld op de rekening, maar heeft Ochsner het verduisterd nádat hij het voor de *margin call* had gebruikt. Nádat hij mijn vader had vermoord.'

'Waarom zou hij je dan nu over de rekening vertellen?'

'Dat weet ik niet.' Rudi staarde haar aan. 'Maar als Ochsner het geld niet stal, wie dan wel?'

'Wat dacht je van je vader?'

'Jij denkt dat mijn pa het geld heeft gestolen? Nadat het was gebruikt om de *margin call* te dekken tijdens de koersval?' Rudi was even stil. 'En dat Ochsner ons er afgelopen vrijdag niet over vertelde omdat hij het probeerde af te dekken? Wilde zorgen dat ik er niet achter kwam wat een boef mijn vader werkelijk was?'

'Heb jij een andere verklaring?'

'Maar mijn vader had absoluut geen motief om te stelen. Hij barstte van het geld. Moet je zien hoeveel hij me naliet. Al die schilderijen heb ik gekocht met het geld dat ik van hem heb geërfd.'

'Hoe weet je dat het niet het geld van de trusteerekening was?'

'Geen denken aan. Dat geld was er al veel en veel eerder. Mijn vader hield me altijd op de hoogte van zijn financiële situatie, al toen ik nog maar een jongen was. Ik kan je verzekeren dat hij massa's geld had, van zijn vader, en zijn vader voor hem. Lang voordat de trusteerekening zelfs maar bestond.' Hij haalde diep adem. 'En als hij het geld van de rekening had gestolen, zou er niets zijn geweest om de *margin call* te dekken gedurende de koersval van 1987, toch? Je zei zelf dat er veel geld op de trusteerekening moet hebben gestaan, want wat zou anders het doel van de computermanipulatie zijn geweest?'

'Daar zit iets in.'

'Je theorie verklaart ook niet waarom Ochsner zelfmoord pleegde. Hij kan het niet hebben gedaan om te verhinderen dat ik erachter kwam wat mijn vader met de trusteerekening had gedaan. Door zijn dood kwam de rekening rechtstreeks in mijn handen.'

'Dat is waar.'

'Nou, computergenie, wat denk jij dan dat er gebeurd is?'

Alex' brein vulde zich met als/dan-redeneringen: als Rudi's vader het geld had ingepikt, dan zou Ochsner geen reden hebben gehad om zelfmoord te plegen. Als Ochsner het geld van de rekening had gestolen, dan zou hij hun er niet over hebben verteld. Als noch Rudi's vader noch Ochsner het geld had gestolen, waar was het dan nu?

Toen herinnerde ze zich de brief.

'Zei Ochsner niet dat de brief waarin staat wie de werkelijke eigenaar van de rekening is pas na zijn dood mag worden geopend?'

Rudi keek haar bevreemd aan. 'Je denkt dat Ochsner zelfmoord heeft gepleegd om mij toegang tot die brief te verschaffen? Waarom gaf hij hem niet gewoon aan me?'

Alex stond op en boog zich over de reling om in de rivier te kijken. Het koude water raasde onder haar door.

Toen kreeg ze een idee. Wat als Rudi het geld had gestolen? Hij had het die ochtend kunnen doen toen hij bij de bank was. Het kon in een paar minuten worden overgeboekt. Van de ene HBZ-rekening naar een andere.

Ze nam hem tersluiks op. Of misschien had hij het afgelopen vrijdag gedaan, toen ze buiten de bank op hem wachtte. Of nadat ze naar Amsterdam was vertrokken. Had hij dáárom een ticket voor haar gekocht? Om haar uit de buurt te hebben? Was Ochsner dáárom vermoord? Om hem ook uit de weg te hebben?

Alex wierp een blik op het politiebureau aan de overkant van de brug. De deuren gingen schuil achter vier enorme zuilen. Ze rekende uit hoe lang het zou duren om erheen te rennen.

Ze pakte haar handtas. 'Nou, wat er ook is gebeurd, het is voorbij. Het is mijn zaak niet.' Ze draaide zich om. 'Ik ga terug naar mijn werk.' Ze begon in de richting van het politiebureau te lopen.

Rudi greep haar arm. 'Wacht even. Jij denkt dat ik Ochsner vermoord zou kunnen hebben, hè?'

Ze verzette zich. 'Laat me los!'

Rudi weigerde haar te laten gaan. 'Je denkt dat ík hem heb vermoord om die brief te krijgen?' Hij duwde haar naar de rand van de brug.

'Ben je gek geworden? Ga je mij er ook in duwen?' Alex keek omlaag. Het was maar een paar meter van het water. 'We zijn hier niet in Bazel, weet je. Ik zou gewoon weg kunnen zwemmen.'

Rudi liet haar arm los. Alex begon te rennen. 'Voor je gaat,' riep hij haar na, 'moet je één ding weten. Ik had bij de rekening gekund wanneer ik maar wilde.'

Alex bleef halverwege de brug staan.

'Waarom zou ik Ochsner vermoorden,' vroeg Rudi, 'als de rekening op mijn naam staat?'

Alex draaide zich naar hem om. 'Om te zorgen dat hij je niet aangaf.'

'Wat ben jij naïef.' Rudi liep naar haar toe. 'Waarom heb ik jou dan niet vermoord?'

'Omdat de politie wist dat ik bij je was.' Ze wierp een blik op het gebouw van de Kriminalpolizei. 'Je had er niet mee weg kunnen...'

'Maar de politie kende je naam niet. Ze wisten niet wie je was. Ze zouden jouw dood nooit met mij in verband hebben gebracht.'

'Als ze erachter kwamen dat ik vermist werd, zouden de agenten met wie ik gisteren op het vliegveld heb gesproken een en een bij elkaar hebben opgeteld.'

'Je snapt het nog steeds niet, hè?' Rudi kwam kalm naar haar toe. 'Mijn vader had het beheer over die rekening. Dat betekent dat hij – of ik – ermee kon doen wat we wilden.' Hij legde zijn hand op haar schouder. 'En zonder motief geen misdrijf.'

Alex probeerde haar hoofd leeg te maken. De gebeurtenissen van de afgelopen vier dagen overspoelden haar. Na drie nachten zonder veel slaap viel het niet mee om alles op een rijtje te houden: drie verdachten, drie tijdsperioden, twee mogelijke uitkomsten – goed of slecht – voor elk scenario. De mogelijke combinaties leken eindeloos.

'Denk eens na.' Rudi stak haar de bankafschriften toe. 'Als ik je uit de weg wilde hebben, waarom zou ik er dan op aandringen dat je vanochtend met me mee ging naar de bank? Waarom zou ik je deze rekeningafschriften überhaupt laten zien?'

Hij duwde ze in haar hand. 'Als je denkt dat ik erachter zit, waarom ga je er dan niet mee naar de politie?'

Alex pakte de papieren aan.

'Je wilt bewijs dat ik niets te verbergen heb?' Rudi pakte Alex bij de hand en trok haar mee naar het politiebureau. 'Laten we ze alles vertellen. Dan hoef je niet bang voor me te zijn, toch? Als ze eenmaal van de rekening weten, als ze van jouw bestaan weten, hoef je me niet meer te verdenken.'

Hij belde aan. De spiegelende panelen in de dikke deur reflecteerden zijn boze gezicht. 'Laten we naar binnen gaan.'

Alex aarzelde. Rudi moest erachter zitten, het kon niet anders. Hij blufte natuurlijk. 'Wat moet dit bewijzen?' vroeg Alex nerveus. 'Wat kunnen ze ons binnen vertellen?'

Rudi drukte nogmaals op de bel.

Maar als hij de politie echt over de ontdekking van de rekening vertelde, hoe lang zou het dan duren voordat de bank erachter kwam wat ze verleden week had gedaan?

Hij belde voor de derde keer, nu secondelang.

Moet ik de uitdaging aannemen? Alex keek op naar een verweerd standbeeld van een wraakengel boven de ingang van het bureau. Hij hield een zwaard in één hand. Het stenen zwaard was bedekt met duivenpoep. De andere hand was geheven in een uitdagend gebaar; de middelvinger leek omhoog te steken. De deur zoemde. Rudi duwde hem open en liep naar binnen.

Alex volgde hem en zag dat Rudi in de rij ging staan achter een Spaans echtpaar. Ze probeerden een parkeervergunning te regelen. De politieman achter de balie hoorde hun geworstel met het Duits aan en verwees hen toen door naar de Stadtpolizei. Hij wenkte Rudi.

Rudi liep naar voren. Alex bleef op enige afstand staan.

Het moment van de waarheid.

'*Ja?*' vroeg de politieman in bars Zwitsers-Duits. Hij had een baard van drie dagen, net als de politieman op het vliegveld. '*Was wilsch?*'

Hij zat aan een bureau achter een hoge stenen muur, als een magistraat die op het punt staat een vonnis te vellen over arme smekelingen.

Rudi stak hem de HBZ-documenten toe. 'Bekijkt u deze papieren eens,' zei hij in het Engels. 'Mijn naam is Rudolph Tobler en we vermoeden dat er een misdrijf is gepleegd.'

Hij had het magische woord gezegd: *misdrijf*. De politieman pakte de documenten snel aan en begon te lezen.

'Dit is een trusteerekening, een *Treuhand*-rekening, van voor de Tweede Wereldoorlog,' lichtte Rudi toe. 'Bij de Helvetia Bank Zürich. De rekening staat op mijn naam. En ik denk dat iemand het geld heeft verduisterd.'

De politieman las de papieren zorgvuldig door.

Het was nu duidelijk dat Rudi niet blufte. Alex beroerde zijn schouder. 'Het spijt me. Misschien moeten we maar weggaan.'

Rudi draaide zich boos naar haar om. 'Jij bent ongelooflijk, weet je dat?' Hij sprak zo hard dat de politieman het kon horen. 'Jij bent degene die dit heeft aangehaald. Nu wil je er ineens mee kappen! Wat wil je dat ik doe? Zeggen dat het allemaal een grap was? Je kunt nu niet terugkrabbelen.'

De politieman achter de balie riep er een collega bij. Deze man droeg een pak in plaats van een uniform en hij was gladgeschoren. Hij zag er eerder uit als een accountant dan als een politieman. Hij begon de documenten zorgvuldig door te nemen. De ruimte was warm, bedompt. Alex zag niet één raam in het kantoor. Het was alsof ze in een graftombe waren, volledig afgesloten van de buitenwereld.

De agent in burger richtte zich in het Zwitsers-Duits tot Rudi. Alex boog zich naar voren om te horen wat ze zeiden. Ze begreep geen woord van de vreemde keelklanken. Maar van één ding was ze vrij zeker. Haar naam was niet gevallen.

'*Wo ist der Vermögensausweis?*' vroeg de politieambtenaar.

'Wat is dat?' vroeg Rudi in het Engels. 'Dit is het enige wat de bank me heeft gegeven.'

'Dit is alleen de kaspositie,' zei de politieman in het Engels. 'U hebt het andere document nodig.' Hij sprak langzaam, alsof hij tegen een kind sprak. 'U hebt de *Vermögensausweis* nodig.'

'Waar vraagt hij om?' vroeg Alex.

'Ik weet het niet. Een ander document. Een *Vermögensausweis*, wat dat ook wezen mag.'

Alex herinnerde zich iets te hebben gelezen over de *Vermögensausweis* in haar trainingshandboek voor HBZ. Toen wist ze het ineens. 'Ik denk dat hij een fondsenoverzicht wil zien,' fluisterde ze tegen Rudi.

'Bedoel je dat de bank me dat niet heeft meegegeven?'

'Kennelijk niet.' Alex herinnerde zich dat HBZ haar commerciële activiteiten en beleggingsactiviteiten zorgvuldig scheidde. Elke rekening had twee overzichten, een kaspositie en een effectenpositie. 'Ik denk dat je erom moet vragen.'

Rudi nam Alex bij de arm en leidde haar het gebouw uit. 'Wat een dwaas ben ik geweest. Ik had natuurlijk naar andere overzichten moeten vragen.'

'Typerend, hè?' Alex liep de stralende middagzon in. 'Zwitserse bankiers geven je niets uit zichzelf. Vertellen je niets tenzij je erom vraagt.'

Rudi Tobler kwam de Helvetia Bank Zürich uit met een stapel

papieren. 'Hier zijn ze.' Hij overhandigde ze aan Alex. 'Alle activa op mijn rekening, in alfabetische volgorde. Zevenendertig pagina's.'

Alex begon meteen te lezen terwijl ze door de drukke straat liepen. 'Het barst van de topbedrijven. Goudgerande effecten van elke belangrijke markt op de wereld.' Ze bladerde de stapel snel door en telde de verschillende totalen bij elkaar op. 'We weten nu tenminste dat de rekening niet is geplunderd.'

'Ongelooflijk.' Rudi boog zich naar haar toe om te kijken. 'Hoeveel is het?'

'Driehonderdzevenennegentig – zo te zien.'

'Driehonderdzevenennegentig wát?'

'Miljoen, Rudi.' Ze gaf hem de documenten terug. 'Deze rekening is bijna vierhonderd miljoen dollar waard.'

13

Zürich

Maandag, tussen de middag

'*Merci vielmals!*' Rudi liet zijn mobiele telefoon weer in zijn zak glijden. 'Dat was de vrouw van Ochsner. Ze zei dat de lijkschouwing geen aanwijzingen voor een misdrijf heeft opgeleverd.' Hij leidde Alex over de Burkliplatz naar een stenen verhoging met uitzicht over het meer. De met sneeuw bedekte Alpen waren zichtbaar aan de horizon.

'Het is nu wel duidelijk, dunkt me.' Hij bleef staan naast een standbeeld van Ganymedes die een grote adelaar op zijn schouder had. 'Ochsner moet in paniek zijn geraakt toen hij zag dat we op het punt stonden te ontdekken wat hij in 1987 had gedaan.' Hij legde zijn hand op de voet van de jongen. 'Toen ik hem over de code vertelde, moet hij hebben gedacht dat ik de rekening snel op het spoor zou komen. En eenmaal terug in Bazel moet hij hebben beseft dat hij vroeg of laat tegen de lamp zou lopen.' Hij zweeg even om naar een stoomboot te kijken die aanmeerde aan de kade onder hen. 'Ik wou dat hij me voor zijn dood verteld had wat er met mijn vader is gebeurd.'

'Maar dat hééft hij je verteld.'

'O ja? Ik geloof nog steeds niet dat mijn vader zelfmoord heeft gepleegd. En zolang ik geen reden heb om van gedachten te veranderen...' Hij draaide zich om naar Alex. 'Ik wil er gewoon het fijne van weten.'

'Misschien zul je het nooit weten.' Alex liep naar hem toe. 'Soms kun je dingen beter laten rusten, vind je niet?'

Hij keek uit over het meer. 'Ik heb altijd gedacht dat ik op een dag zekerheid zou krijgen...' Hij draaide zich om naar Alex. 'Hé, ik bedacht zojuist iets! Bewaart HBZ geen kopie van alle transacties? Zouden ze die van 1987 nog hebben?'

'Ze zeggen dat ze om de zoveel jaar alles wissen.'

'Maar de waarheid is...?'

'Ik weet het niet. HBZ kennende is de administratie ergens op schijf opgeslagen.' Ze haalde haar schouders op. 'Alleen zullen ze dat nooit toegeven. Maar ik weet zeker dat elke bank die ons een fortuin betaalt om oude codes uit de jaren tachtig na te lopen, zijn administratie bewaart...'

'Wacht eens even! Jij hebt toch toegang tot de computer van de bank? Jij kunt overal bij!'

'Ik heb geen toegang tot de archieven. Ik mag alleen bij de code, het computerprogramma.'

'Dus je kunt de computer niet opdragen om mij – de cliënt – de informatie te geven waar ik om vraag?'

'Nee. Het spijt me.' Ze stak haar hand uit. 'Ik moet nu gaan. Ik heb mijn collega gezegd dat ik wat later zou komen. Niet dat ik de hele ochtend zou wegblijven.'

'Ga je terug naar je werk? Na alles wat we zojuist achter de rug hebben?'

'Sorry, hoor, maar ik heb een baan.'

'Wacht even.' Hij keek op zijn horloge. 'Je kunt nu sowieso niet terug naar je werk. Het is lunchpauze.'

Hij glimlachte. 'Kom op. Laat me je op een lunch trakteren. Ik heb geen zin om alleen te eten – niet vandaag.'

Rudi wees naar een elegant oud hotel aan het meer, rechts van hen. 'Dat is het Baur au Lac. Ze hebben een van de beste restaurants in Zürich. Je kunt zelfs buiten eten, in de tuin.' Hij pakte haar arm. 'Wat zeg je ervan? Laat me je als dank voor je hulp op een lunch trakteren.' Hij begon te lopen. 'Kom op. Na die beproeving die ik je vanmorgen heb laten doorstaan, is dat wel het minste.'

Alex' voorgerecht, een salade met foie gras, kostte meer dan ze normaal aan een hele maaltijd uitgaf. Rudi stond erop een brunello di montalcino dei angeli te bestellen, de duurste wijn op de kaart.

'Jij boft maar.' Alex keek toe hoe de wijn zorgvuldig werd ingeschonken. 'Je hebt nu een rekening waar een slordige half miljard dollar op staat. Je zou de rest van je leven zo chic kunnen eten.'

'Maar het is mijn rekening niet, weet je nog wel?'

'Dat is waar, maar je weet dat je het geld er zomaar af zou kunnen halen. Wie zou je tegen kunnen houden?'

'Je vergeet iets.' Hij hief zijn glas naar Alex en nam een teug. 'De politie weet nu alles over mij. En over de rekening.'

'Alsof het ze iets kan schelen.' Alex nam een slokje. De wijn was voortreffelijk.

'Ik kan er nog steeds niet over uit hoeveel geld erop stond. Erop staat.' Rudi hield zijn glas wijn tegen het licht. 'Ik begrijp niet dat iemand zo veel geld aan een ander toevertrouwt.'

'Er stond vast niet zoveel op toen ze de rekening openden.' Alex maakte een snelle berekening. 'Aangenomen dat de activa die ze op je vaders naam zetten maximaal vijf procent per jaar groeiden, wat minder is dan Ochsner suggereerde, zou je in de jaren dertig nog altijd niet meer dan een paar ton nodig hebben gehad om vandaag de dag driehonderdzevenennegentig miljoen dollar te krijgen, zelfs met grote koersschommelingen – zolang je de rentes en dividenden steeds opnieuw herinvesteerde.'

'Heus?'

'Het is een wiskundig wonder. Exponentiële groei, noemde Ochsner het, weet je nog? De groei is cumulatief. Het is alsof je met een stuiver begint en dat bedrag een maand lang elke dag verdubbelt. Na dertig dagen heb je dan meer dan een miljoen dollar.' Ze nam een flinke teug. 'Waar ik niet bij kan, is dat niemand van de bank ooit contact met je heeft opgenomen. In de States zou je zijn bestookt met jaarverslagen, verzoeken om machtiging tot automatische afschrijving enzovoorts. Mijn moeder kreeg altijd bergen van dat spul, en zij bezat geen aandelen om over naar huis te schrijven. Laat staan als je honderden miljoenen dollars aan aandelen en obligaties hebt. Ze zouden je íéts hebben gestuurd.'

'Maar dit was een gehéíme rekening.' Rudi zei het alsof die twee woorden alles verklaarden. 'Ze sturen je nooit iets als je er niet om vraagt. Ze nemen nooit contact met je op, of je moet erom vragen.'

'Maar toch... Betalen jullie in Zwitserland geen inkomstenbelasting? Vermogensbelasting? Waarom hebben ze nooit contact met je opgenomen?'

'Als de belastingdienst niet over het bestaan van een rekening wordt ingelicht, kan die er onmogelijk weet van hebben.'

'Hoe kon die nu geen weet hebben van een rekening met bijna nul komma vier miljard dollar?'

'Je weet niet veel van het Zwitserse bankwezen, hè?' Rudi glimlachte. 'Het is Zwitserse banken bij wet verboden om wie dan ook gegevens over een rekening te verstrekken – zelfs niet aan de belastingdienst.' Hij vulde hun glazen bij. 'In feite zullen Zwitserse banken nooit contact opnemen met een cliënt, tenzij de cliënt dat vraagt. In de praktijk ontvangen de meeste buitenlandse rekeninghouders geen enkele informatie over de post, omdat ze niet het risico willen lopen dat de belastingdienst van hun land erachter komt dat ze hier een rekening hebben. Ze komen meestal pakweg één keer per jaar naar Zwitserland, gewoon om te zien hoe hun rekening ervoor staat. Ze nemen wat geld op om te gaan shoppen – in Parijs, Londen of waar dan ook – en gaan vervolgens weer naar huis. Punt uit.'

'En als ze nóóit komen opdagen?'

Rudi haalde zijn schouders op. 'Dan wacht de bank gewoon af. Meer mogen ze niet doen. De enige situatie waarin een Zwitserse bank ooit gegevens van een rekening mag verstrekken – aan wie dan ook – is als kan worden aangetoond dat er een misdrijf is gepleegd.' Hij leunde naar achter en stak een sigaret op. 'En dan heb ik het over echte misdrijven. Niet belastingontduiking – dat is in Zwitserland trouwens slechts een overtreding, geen misdrijf. Als jij een Zwitser was en je werd betrapt op belastingfraude, zouden ze je niet in de gevangenis kunnen zetten. Je zou gewoon moeten betalen wat ze zeggen dat je hun schuldig bent.'

Zijn mobiele telefoon ging over. Hij raadpleegde het lcd-schermpje, keek toen op naar Alex. 'Dat is vreemd. Hier staat dat het Ochsner is.'

Rudi drukte op de groene toets. 'Het moet zijn vrouw zijn.' Hij begon in het Zwitsers-Duits te spreken.

'Arme vrouw.' Rudi hing snel op. 'Ze wilde zich er alleen van overtuigen dat ik dinsdag op de begrafenis kom.' Hij legde de telefoon weer op de tafel. 'Ze vertelde me ook dat er een advocaat contact met me heeft gezocht. Peter Koth, de executeur van haar man. Ik ken hem. Hij werkte ooit voor mijn vader.'

'Over de brief, waarschijnlijk.' Alex nam een slok.

'Peter zei tegen haar dat hij me de hele dag thuis heeft proberen te bellen. Mevrouw Ochsner vroeg me of ze hem mijn mobiele nummer mocht geven.' Hij nam nog een slok. 'Ik heb ja gezegd.'

'Misschien kom je nu te weten wie de rekening toebehoort.'

'Ik weet zeker dat het daarover gaat. Stel je voor,' Rudi legde zijn hand op haar arm, 'dat we die familie zouden kunnen vinden. Dat zou geweldig zijn. Het idee alleen al dat geld aan iemand over te kunnen dragen. Driehonderd en hoeveel miljoen?'

'Driehonderdzevenennegentig. Minus wat je vader toekwam – wat jou toekomt, nu jij...'

'Precies! En vergeet niet dat we hebben afgesproken om alles fifty-fifty te delen.'

'Huh?' Alex rekende het snel uit. Vijf procent van driehonderdzevenennegentig miljoen dollar was negentien miljoen achthonderdvijftigduizend dollar. 'Besef je dat de helft van je vaders beheerloon bijna tien miljoen dollar is?'

'Nou en? Waarom denk je dat mijn aanbod dan niet meer van kracht zou zijn?'

'Rudi, dat kun je niet menen.'

Hij haalde zijn schouders op. 'Waarom zou ik je je aandeel niet willen geven? Als je me zou helpen om de eigenaars van de rekening te vinden, zou ik je dolgraag...'

'Jij wilt mij bijna tien miljoen dollar geven om je te helpen een vermiste familie te vinden?'

'Waarom niet? Ik heb je bezig gezien. Toen met Ochsner liet je hem nergens mee wegkomen. Ik zag hoe helder je denkt. Met jouw aanleg voor cijfers...' Hij glimlachte. 'Waarom niet? Iemand zoals jij is precies wat ik nodig heb.'

'Waarom ga je niet naar de politie?'

'De politie zou geen poot uitsteken. Je zag zelf hoe ze zijn.'

'Maar je hoeft mij toch niet de helft van het beheerloon te geven om erachter te komen wat er met de eigenaars van die rekening is gebeurd? Je kunt ook een detective inhuren. Een heel team van detectives.'

'Volgens Ochsner heeft mijn vader dat al gedaan. Zonder een steek verder te komen.' Zijn ogen werden groter. 'Maar nu hebben we computers om ons te helpen – internet, databases en ga maar door. Kom op, dit is onze kans om te doen waar mijn vader en Ochsner nooit toe in staat zijn geweest.'

'Maar je zou het zelf kunnen doen en de volle twintig miljoen opstrijken.'

Rudi schudde zijn hoofd. 'Ik weet zeker dat ik zonder hulp – zonder iemand zoals jij om me te helpen – nergens zou komen. Ik weet niets van computers.' Hij haalde zijn schouders op. 'Is je dat niet opgevallen in mijn appartement? Ik heb er geen.'

'Dat zag ik, ja.'

'En met jouw handigheid met computers zouden we internet op kunnen en allerlei informatie kunnen vinden die voorheen niet beschikbaar was.'

'Er zijn een heleboel zoekmachines waarmee je mensen kunt zoeken. In het Anne Frank Huis heb ik zelfs een paar websites gezien die je kunnen helpen mensen op te sporen die gedurende de holocaust zijn verdwenen.'

'Kijk, dat is precies wat ik bedoel. Daarom heb ik je hulp nodig.'

'Maar je kunt zo veel mensen een computerzoekactie voor je laten doen. Je zou deze informatie zelfs aan een holocaustgroep kunnen geven. Laat die voor je zoeken. Ik weet zeker dat het ze zou interesseren.'

'Dat is nou net de reden waarom ik ze er niet bij wil betrekken. Ik weet zeker dat ze het geld aan holocaustslachtoffers zouden willen geven.'

'Wat is daar zo erg aan?'

'Ten eerste weten we niet zeker dat die familie in de holocaust is omgekomen. In feite weten we niets over hen. Alleen dat ze mijn vader voldoende vertrouwden om hem het beheer over hun vermogen te geven.' Hij legde zijn hand op Alex' arm. 'Misschien zijn ze nog in leven.'

'Dat is waar.'

'Daarom wil ik die brief zien. En daarom moet jij me helpen om hen te vinden.'

'Ik zou je dolgraag helpen, Rudi. Hoe zou ik nee kunnen zeggen tegen tien miljoen dollar?' Alex schudde haar hoofd. 'Maar als ze bij de bank ooit zouden horen waar ik mee bezig was, als ze er ooit achter zouden komen dat ik me inliet met een van hun cliënten, zouden ze...'

'Maar je bent er al bij betrokken.' Rudi schonk hun glazen bij. 'En vergeet niet dat deze cliënt uitdrukkelijk om je hulp vraagt. Daar is toch niets mis mee?'

'Jij zou bereid zijn mij negen komma acht miljoen dollar te geven in ruil voor mijn hulp? Dat is waanzin.'

'Het is geen waanzin. Als jij je geld krijgt, krijg ik het mijne ook.' Hij zweeg een moment. 'En al doende kom ik er misschien achter wat er in 1987 is voorgevallen.'

'Dus daar draait het allemaal om! Je wilt nog steeds dat ik je help om uit te zoeken wat er met je vader is gebeurd.'

Hij zei niets. 'Ik wil er gewoon het fijne van weten.' Hij keek omlaag naar zijn handen. 'En ik weet niet of ik wel wil dat iemand anders erachter komt.'

'Waarachter komt? Dat je vader Ochsner misschien heeft geholpen om de trusteerekening te gebruiken gedurende de beurs-krach?'

Hij haalde zijn schouders op. 'Ik wil het gewoon weten, hoe het ook uitpakt.' Hij dronk zijn glas leeg. 'Daarom wil ik uitzoeken wat er in 1987 met die rekening is gebeurd.' Hij schonk on-middellijk nog een glas in. 'En als ik al doende de echte eige-naars van de rekening vind, des te beter.'

Hij hield zijn glas omhoog voor een toast. 'Op het welslagen. Op ons welslagen.' Hij glimlachte. 'Als we allebei aan dezelfde kant werken, maken we een betere kans.'

Hij had een punt. Kansberekening was een van Alex' beste vak-ken geweest. Je vermenigvuldigde een beloning met de kans dat je hem binnenhaalde om een waarschijnlijke beloning te krijgen. Zelfs met een heel kleine kans op succes was een pad altijd het inslaan waard als de beloning hoog genoeg was. En voor tien miljoen dollar had je geen extreem hoge kans nodig om de po-ging de moeite waard te maken.

'En?' vroeg hij. 'Doe je het?'

Het was als een staatslot dat je op straat vond. Je kon er alleen achter komen of je iets gewonnen had als je je bukte en het op-raapte.

'Oké.'

'Prachtig.' Rudi glimlachte breed. 'Er is slechts één voorwaar-de.'

'Ik had het kunnen weten. Zeg op.'

'Ik wil dat je – alleen deze keer – met me meegaat naar de bank.' Alex schudde haar hoofd. 'Nee.'

'Wacht even. Laat me uitspreken.' Hij haalde diep adem. 'Ik wil alleen even gaan praten met de mensen die mijn rekening onder zich hebben. Misschien kunnen zij me helpen om uit te zoeken wat er gebeurd is.'

'Waarom heb je mij daarbij nodig?'

'Ik wil dat je me helpt om de juiste vragen te stellen. We hoe-ven ze niet te vertellen wie je bent. Niemand van de afdeling Vertrouwelijk bankieren mag trouwens iets over je loslaten aan iemand van andere afdelingen. Dat is het mooie van het Zwit-serse bankgeheim.' Hij glimlachte. 'Toe, zeg nou ja. Dan kunnen we die familie gaan zoeken.' Hij hief zijn glas om nogmaals te proosten.

'Voor niets gaat de zon op, hè?' Alex proostte terug.

Rudi's mobiele telefoon ging over. Hij nam snel op en sprak een tijdje in het Zwitsers-Duits. 'Dat was Peter.' Hij legde de telefoon weer naast zijn wijnglas. 'Hij wil ons de brief komen brengen. Hij zei dat hij onderweg was.'

Rudi schoof zijn stoel dichterbij. 'Lees de brief. Kijk wat erin staat. Daarna kun je beslissen of je me wilt helpen. En maak je geen zorgen over Peter. Ik beloof je dat ik hem niet zal vertellen wie je bent.' Hij gaf haar een kneepje in haar arm. 'Ik heb toch ook mijn woord gehouden bij Ochsner?'

Hij diepte een vulpen en een stuk papier op. 'Misschien dat dit je geruststelt.' Hij las hardop wat hij schreef: 'Ondergetekende, Rudolph Tobler, Nägelistrasse 8, Zürich, Zwitserland, nominaal eigenaar van een rekening bij de Helvetia Bank Zürich, rekeningnummer...'

Hij keek Alex vragend aan. Ze gaf hem het nummer zonder aarzelen.

Hij glimlachte. 'Zie je wat een geweldig team we zijn?'

Hij ging verder met schrijven. '... verbind me hierbij om de helft van mijn aandeel in de rekening – groot tweeëneenhalf procent – te betalen aan Alex Payton, Amerikaans staatsburger, woonachtig te Zürich, Zwitserland.' Hij eindigde met: 'Deze aangegane verplichting is onderworpen aan Zwitsers recht en kan niet worden herroepen.' Hij overhandigde het document aan Alex ter goedkeuring.

Ze las het zorgvuldig door. Toen ze uitgelezen was, keek ze op en zag een lange, goedgeklede man met grijs haar naar hun tafel lopen.

Rudi stond op om hem te begroeten. 'Herr Koth, wat prettig u weer te zien.'

Koth zag er gedistingeerd uit, op en top de Zwitserse zakenman. Hij rook naar fatsoen en pijptabak.

Hij zei een paar woorden in het Zwitsers-Duits en overhandigde Rudi een envelop. Hij keek Alex niet aan.

Voordat Peter vertrok, vroeg Rudi hem zijn handtekening op

het document dat hij voor Alex had opgesteld te legaliseren. Hij vouwde de bovenkant van het document zorgvuldig om, zodat de advocaat alleen de handtekening kon zien. Vervolgens haalde deze een notarieel zegel uit zijn koffertje en drukte het op het document om het officieel te maken.

Had Rudi hem gevraagd het mee te brengen? vroeg Alex zich af.

Zodra Koth weg was, opende Rudi de envelop en haalde er een kleinere envelop uit die achterop een waszegel droeg. Aan de voorkant stonden verschillende regels handgeschreven tekst. 'Het is van mijn vader.'

Rudi las hardop: "'Lieber Rudi, ontferm je alsjeblieft over deze rekening. Ik heb er alle vertrouwen in dat je het juiste zult doen."

Vreemd,' mompelde hij, 'het lijkt griezelig veel op zijn afscheidsbrief.' Hij draaide de envelop om en om in zijn handen. Toen pakte hij een mes van tafel en hield het omhoog, als een miniatuur-Excalibur. 'En de winnaar is...'

Hij sneed de envelop zorgvuldig open, het zegel intact latend, en trok er een enkel vel velijnpapier uit. Hij hield het Alex voor. Eén zijde bevatte getypte tekst.

Rudi hield het tegen het licht en bekeek het zorgvuldig. 'Het is in het Engels. Ik vermoed omdat de cliënt dat beter beheerste.'

Aan de onderkant van de pagina ontwaarde Alex twee handtekeningen. Een ervan was duidelijk 'Rudolph Tobler, Zürich'. De andere zag eruit als 'Aladár Kohen, Boedapest'.

Rudi legde de verbleekte brief op tafel en begon hem hardop voor te lezen.

```
Verklaring: Betreft rekening 2495 bij de
Helvetia Bank Zürich-Hauptsitz,
geregistreerd op naam van Rudolph Tobler,
Spiegelgasse 26, Zürich, Zwitserland
```

'Dat is ons oude adres.' Rudi's ogen lichtten op. 'Het huis waar ik ben opgegroeid – voordat we naar de Zürichberg verhuisden.' Hij las verder.

1. Voornoemde rekening is een trusteerekening, geopend op naam van Rudolph Tobler, hierna te noemen de Trustee, ten gunste van de heer en mevrouw Aladár Kohen, Andrássy út 6, Boedapest VI, Hongarije, hierna te noemen de Eigenaars.

2. Deze rekening behoort in haar geheel toe aan de heer en mevrouw Aladár Kohen. In geval van hun beider overlijden dient de rekening te worden verdeeld over al hun kinderen.

3. In geval van overlijden van de Trustee gaat het nominale eigendom van de rekening over op zijn erfgenamen c.q. hun afstammelingen, en dit voor onbepaalde tijd, totdat de Eigenaars de rekening wederom opeisen.

4. Als vergoeding voor het zorgvuldige en betrouwbare beheer van deze rekening zal 5 procent van de totale waarde van de rekening worden uitbetaald aan de Trustee c.q. aan zijn erfgenamen, zodra het bezit van de rekening naar behoren is overgedragen aan de Eigenaars c.q. hun erfgenamen.

Getekend in Zürich, Zwitserland, op 22 mei, 1938:

Rudolph Tobler, Zürich
Aladár Kohen, Boedapest

Rudi reikte Alex de brief aan. 'Het is beslist mijn vaders handtekening. Maar wat voor rekeningnummer is dat?' Hij wees naar de bovenste regel. 'Het heeft maar vijf cijfers.'

'Ik weet zeker dat het dezelfde rekening is,' antwoordde Alex. 'De kerncijfers kloppen. De andere zijn er in de loop der jaren aan toegevoegd.' Ze pakte het document en las het zorgvuldig door. 'Nu kennen we tenminste de namen van de eigenaars: de heer en mevrouw Aladár Kohen.'

'Zie je dat het een Joodse naam is?' vroeg Rudi. 'Dat verklaart waarom ze een trusteerekening openden. Waarom ze hun geld eigenlijk op mijn vaders naam zetten.'

'En zag je dat iemand het woord "al" heeft onderstreept? Waarom zou dat zijn?'

Rudi keek over haar schouder. 'Het is dezelfde inkt als Aladár Kohen voor zijn handtekening gebruikte, dus zal hij het gedaan hebben.' Rudi trok de brief uit Alex' handen. 'Misschien vertrouwde hij een van de zoons of dochters niet. Misschien was hij bang dat een van hen al het geld wilde inpikken.'

'Hoe dan ook,' Alex leunde naar achter, 'betekent het dat hij meer dan één kind had. Met andere woorden, we hebben meer kans om iemand te vinden.'

Alex betrapte zichzelf erop dat ze het woord 'we' was gaan gebruiken.

'Laten we ze opbellen!' Rudi pakte zijn telefoon.

'Maar er staat geen telefoonnummer bij.'

Rudi glimlachte. 'Ja, maar wel een naam. En als er iemand is die alles weet van Inlichtingen, dan ben jij het wel.' Hij toetste drie vijven en wachtte.

Terwijl Rudi sprak, herkende Alex het woord *Ungarn*, het Duitse woord voor Hongarije. Vervolgens spelde Rudi de naam zorgvuldig: 'K-o-h-e-n.' Hij kruiste zijn vingers en leunde naar achter om te wachten.

Een beetje erg gemakkelijk, nietwaar? dacht Alex. *Als Rudi's vader de Kohens na de oorlog niet had kunnen vinden, hoe groot was dan de kans dat zij hen nu vonden, in het telefoonboek?*

Ze pakte de overeenkomst die haar recht gaf op de helft van Rudi's aandeel. Het papier zag er officieel uit, met de handtekening, het zegel en de legalisering.

'*Sind Sie sicher?*' Rudi legde de telefoon op tafel en haalde zijn schouders op. 'Niet één Kohen in Boedapest. Dat is toch vreemd? Ik dacht dat Kohen een veelvoorkomende Joodse naam was.'
'Misschien niet in de spelling met een K.'
'Dat zou kunnen.' Rudi leunde naar achter. 'Ik heb een vriend in Boedapest, Sándor Antal, een professor die een paar jaar geleden met sabbatverlof in Zürich was. Hij vertelde me eens dat de meeste joden in Boedapest ver voor de oorlog hun namen hebben veranderd. Aan het begin van de eeuw in feite. Helaas is het antisemitisme geen uitvinding van de nazi's.' Hij stopte de envelop in zijn koffertje en stond op. 'Ben je klaar om naar de bank te gaan?'
'Ja hoor. Laat me alleen even naar mijn collega bellen om te zeggen dat ik vanmiddag ook niet kom.'

'Maak je geen zorgen.' Rudi leidde Alex naar de hoofdingang van HBZ. De zon scheen door de lindebomen langs de Bahnhofstrasse. 'Zelfs als de bank erachter zou komen dat je me helpt, wat niet gebeurt, dan zou je ontslag kunnen nemen.'
Alex keek Rudi aan. 'Het zal je misschien vreemd in de oren klinken, maar ik heb mijn salaris nodig om van te leven.'
'Maar nu we de naam van de rekeningeigenaars kennen, zou je veel meer geld kunnen verdienen door mij te helpen.'
'Maar ik kan niet zonder mijn baan. Ik heb geen schilderijen die een miljoen dollar waard zijn. Ik heb schulden af te lossen.'
'Hoeveel?'
Alex schudde haar hoofd. 'Veel.'
'Hoeveel?'
'Dat wil je niet weten.'
'Jawel hoor.'
'Ik weet dat het krankzinnig klinkt, maar het is meer dan honderdduizend dollar.'
'Echt waar?'
'Zoveel kost een studie in Amerika vandaag de dag. Echt waar.'
'Ongelooflijk.'
'Ongelooflijk maar waar. Het betekent dat ik de komende vijf jaar als een pauper moet leven.'

'Maar je moet een smak geld verdienen met je werk aan de computer van de bank.'

'Jawel, maar het grootste deel gaat op aan de aflossing van mijn leningen.' Alex liep naar de geldautomaat in het portiek van HBZ. 'Zal ik je iets laten zien?'

Ze voerde haar pasje in en schermde haar hand af terwijl ze de pincode intoetste. Ze vroeg het rekeningsaldo op, printte het uit en overhandigde het aan Rudi. 'Dit heb ik kunnen sparen sinds ik hier in juni ben komen werken.'

Hij las het bonnetje zorgvuldig. 'Dat is nog geen duizend dollar!'

'Precies. Nu zie je zelf dat ik mijn baan niet op het spel kan zetten om je te helpen.' Ze toetste op Annuleren en nam haar pasje terug.

'Nu zal ik jou iets laten zien.' Rudi liep naar de automaat. 'Ik heb hier toevallig ook een rekening.' Hij voerde zijn pasje in, drukte op een paar toetsen, keek toen aandachtig naar de bon die Alex hem had gegeven. 'Laten we eens zien of dit werkt...'

'Wat ben je aan het doen?' vroeg Alex.

'Wacht even. Wat is de huidige koers van de dollar?'

Alex keek op het valutaoverzicht achter het raam en gaf Rudi de wisselkoers tot op de vierde decimaal. 'Waarom wil je dat weten?'

'Wacht maar af.' Hij drukte nog wat toetsen in en verwijderde toen zijn pasje. 'Ik denk dat je hiermee een geruster gevoel krijgt over het idee mij te helpen.'

'Waar heb je het over?'

Hij stapte weg van de geldautomaat. 'Controleer je rekeningsaldo nu nog eens.'

Alex schoof haar pasje in de automaat, typte haar pincode in en vroeg het rekeningsaldo op. Het was het equivalent van honderdduizend dollar in Zwitserse franken.

'Wat...' Ze duwde haar haar achter haar oren en boog zich naar voren. Om het scherm beter te zien schermde ze het met haar hand af tegen de zon. 'Waarom heb je dat gedaan?'

'Een simpele intrabancaire overboeking. Met het rekeningnummer van je bonnetje.' Hij gaf het terug aan Alex. 'Tussen twee rekeningen bij HBZ kun je bijna elk bedrag overboeken. En het staat er meteen op. Ik gebruik het soms om rekeningen te betalen. Ze noemen het *intrabanking*. Je hoeft alleen maar...'

'Ik weet hoe het werkt. Ik kan niet geloven dat je zo veel cash op je rekening hebt staan en dat je...'

'Ik heb zojuist een van mijn schilderijen verkocht, een Eric Fischl.' Hij glimlachte. 'En ik heb nog niet besloten wat ik met het geld ga doen.' Hij stopte zijn pasje terug in zijn portefeuille en leunde tegen de etalageruit naast Alex. 'Zo, nu tevreden?'

'Rudi, dit kan ik onmogelijk accepteren.'

'Zie het dan maar als een voorschot.' Hij haalde zijn schouders op.

'Zelfs dan niet.'

'Probeer het dan zo te zien: ik heb je zojuist de eerste termijn gegeven van het geld dat we zullen krijgen. Wanneer we de familie Aladár Kohen uit Boedapest vinden.'

'En als we de Kohens niet vinden?'

'Beschouw het dan maar als een verzekeringspolis. In het onwaarschijnlijke geval dat je je baan kwijtraakt, mag je het geld houden.'

'Dat kun je niet menen.'

'Natuurlijk wel.' Hij legde zijn hand op haar schouder. 'En maak je niet bezorgd. Ik zal zorgen dat niemand iets over jou te weten komt. Dat beloof ik. Het is per slot van rekening in mijn eigen belang. Ik heb je evenzeer binnen de bank nodig als erbuiten. Zullen we naar binnen gaan?' Hij draaide zich om en liep onder de twee naakte cupido's door naar binnen.

De liftdeur ging open op de eerste verdieping en Rudi leidde Alex een rijk gemeubileerde, gelambriseerde ruimte binnen. Licht stroomde door ramen die uitkeken op een binnenplaats. De vloer was bedekt met verscheidene oude oosterse tapijten.

Een bewaker in een donker pak schoot toe en begroette hen. *'Grüezi!'*

Rudi sprak hem in het Engels aan. 'We zouden graag iemand spreken die verantwoordelijk is voor mijn rekening. Het nummer is...' Hij draaide zich om naar Alex. De bewaker schreef het nummer zorgvuldig op terwijl Alex het opgaf.

'Er komt zo iemand bij u.' Hij gebaarde naar een zithoek aan de overkant van het vertrek. Rudi nam plaats en begon de documenten door te nemen.

'Ik kan nog steeds niet geloven wat er allemaal aan deze ene rekening hangt: IBM, Nestlé, Daimler-Benz, Google, Microsoft. Ik kan er niet bij dat de bank me er niet over vertelde toen ik hier eerder was.'

'Waarom zouden ze?' vroeg Alex. 'Zei Ochsner niet dat de rekening wordt beheerd door iemand van buiten de bank?'

'Ja, iemand van een kleine beleggingsmaatschappij, FINACORP.' Hij keek op. 'Maar dat betekent niet dat er binnen de bank niet iemand is die er toezicht op houdt. Die gaan we nu hopelijk ontmoeten.'

Hij schudde zijn hoofd. 'Ik vind nog steeds dat hij me die overzichten had moeten geven toen ik hier vanmorgen was. Zelfs als ze het geld niet beheren, verdient HBZ een lief sommetje aan dit soort rekeningen. En aan een rekening van deze omvang moeten ze een fortuin verdienen.' Hij haalde zijn schouders op. 'Of misschien heeft hij wel dagelijks te maken met rekeningen van vierhonderd miljoen dollar.'

'Ik wil nog iets weten. Waarom staat de bank eigenlijk toe dat er externe fondsbeheerders bij betrokken zijn?'

'Omdat veel cliënten die willen, als het om beleggingsbeslissingen gaat. Zij behalen meestal betere rendementen dan de mensen van de bank. En een paar procent meer rendement weegt ruimschoots op tegen de extra kosten. Mijn vader was bijvoorbeeld veel beter in het kiezen van aandelen dan de bank. Daarom kozen mensen voor hem.' Hij haalde zijn schouders op. 'Bovendien stellen cliënten prijs op een meer persoonlijke dienstverlening.'

'En de bank vindt het niet bezwaarlijk dat iemand anders hun rekeningen beheert?'

'Wat kan hun dat schelen? Ze krijgen toch wel betaald. Grote banken zoals HBZ geven zelfs computerterminals aan de zelfstandige fondsbeheerders, zodat ze online toegang hebben tot de rekeningen van hun cliënten. Uiteindelijk levert het de banken meer omzet op. En meer commissie.'

'Hoeveel?'

'Voor wie? De externe fondsbeheerder? Ongeveer een half procent, denk ik. Dat is wat mijn vader rekende...'

'En de bank?'

'Die krijgt meestal ook ongeveer een half procent. Als je de commissies en dat soort dingen meerekent.'

'Betaalde Ochsner die man zoveel om jullie rekening te beheren?' vroeg Alex.

'Waarschijnlijk.'

'Weet je hoeveel een half procent per jaar is, op een rekening van deze omvang?'

'Wat maakt het uit? Cliënten van Zwitserse banken maken geen punt van de kosten. Ze vinden het een veilig gevoel om hun geld hier onder te brengen. Het is veel zekerder dan het in eigen land te houden – in Argentinië of Zuid-Afrika of waar dan ook. Besef je wel hoeveel belasting ze zouden moeten betalen als ze hun geld in eigen land zouden bewaren?'

'Maar de bank en de fondsbeheerders verdienen elk bijna twee miljoen dollar per jaar aan deze ene rekening.'

'Nou en?' vroeg Rudi. 'Wie maalt erom?'

'Dus Ochsner betaalde een of andere knakker twee miljoen dollar per jaar om de bank te vertellen hoe ze het geld moesten beleggen?'

'Zo werkt dat hier. Maar ik weet zeker dat de man die deze rekening beheert niet al het geld mag houden – meestal moeten ze het met hun partners in het bedrijf delen.' Hij keek uit het raam. 'Vergeet niet dat het niet goedkoop is om in Zwitserland een zaak te drijven. Het leven is hier duur. Iedereen zit op hoge kosten.'

Alex trok de rekeningafschriften uit Rudi's handen en keek ze door. 'Realiseer je je dat je vader jaren van extra profijt opgaf door zich bij een bedrag van vijf procent ineens neer te leggen?' vroeg ze.

'Maar twintig miljoen dollar is een heleboel geld.' Rudi's ogen werden groter. 'Wat kan een mens meer verlangen?'

'Maar denk aan al die andere fondsbeheerders die de normale halve procent jaarlijkse commissie opstreken over rekeningen als deze, na al die jaren waarin de rekeningen exponentieel groeiden. Zij hebben waarschijnlijk honderd keer zoveel verdiend.'

'Nou en?' antwoordde Rudi blijmoedig. 'Het betekent nog altijd twintig miljoen voor ons samen.'

'Je hebt gelijk.' Alex nam de rekeningafschriften zorgvuldig door. 'Vreemd. Ik zie nergens iets over ingehouden kosten.'

'Dat is logisch. Weet je nog wat die man op het politiebureau zei? De *Vermögensausweis* toont alleen de fondswaarden van de rekening, niet wat erbij komt of eraf gaat.'

'Daar moet je dus ook naar vragen.' Alex gaf hem de papieren terug.

'Zie je hoe nuttig het is om iemand zoals jij erbij te hebben?' Rudi klopte haar op de rug. 'Wat zou ik zonder jou beginnen?'

Een kleine, donkerharige man kwam aanlopen door de lobby. Hij droeg een mosgroen colbert, bruine broek, witte sokken en zwarte schoenen. Hij stak Rudi de hand toe. *'Es freut mich nochmals.'*

'Het genoegen is wederzijds, meneer Versari,' antwoordde Rudi in het Engels. 'Zoals u ziet, heb ik ditmaal een vriendin meegebracht. Ze is mijn persoonlijk adviseur, à titre personnel, die me bijstaat met deze rekening.'

'Aangenaam.' Versari schudde Alex plichtmatig de hand en richtte zich weer tot Rudi. 'Zullen we dan maar?'

Het viel Alex op dat hij niet naar haar naam vroeg. Hij wees alleen naar de deur aan de overkant van het vertrek. 'Deze kant op, alstublieft.'

Hij leidde hen door een lange reeks smalle gangen. Er leek geen einde te komen aan de privéontvangstruimten en binnenplaatsen van HBZ; het was een labyrint.

Hij nam hen mee naar een klein, elegant ingericht vertrek tegenover een zoveelste binnenplaats. De ramen waren bedekt met doorzichtige witte rolgordijnen.

'Wilt u koffie?' vroeg hij. 'Mineraalwater?'

'Nee, dank u.' Rudi nam de documenten uit Alex' handen en

overhandigde ze aan de bankier. 'We willen nog wat gegevens met betrekking tot mijn rekening.'

'Natuurlijk.' Versari gebaarde hen plaats te nemen. 'Wat kan ik voor u doen?'

Rudi wierp een blik op Alex en brandde los. 'Ik wil een overzicht van alle uitgevoerde transacties. Met name die van oktober 1987.'

'1987?' Versari trok zijn wenkbrauwen op.

'Ja. Ik heb ze nodig om alle papierwerk van mijn vaders nalatenschap af te ronden.'

'Maar ik denk niet dat onze archieven zover teruggaan. Een paar jaar gaat nog, maar niet 1987.'

'Ik weet zeker dat u het kunt vinden.' Rudi wisselde opnieuw een blik met Alex. 'Het moet ergens in uw computer staan.'

'Ik denk niet dat dat mogelijk is.' Versari schudde langzaam zijn hoofd.

'Misschien kan mijn collega het u beter uitleggen.' Rudi keek Alex aan en leunde naar achter.

Ze schraapte haar keel. 'Meneer Versari, ik weet zeker dat de oudere administratie ergens op schijf moet staan.' Ze knikte naar de computerterminal in de hoek van de kamer. 'U hoeft alleen iemand in de oude bestanden te laten kijken.'

'Mag ik even kijken?' Versari opende zijn map en las snel. 'Hier staat dat uw rekening hier in de praktijk wordt beheerd door iemand van FINACORP – in Zürich. Ik weet zeker dat het makkelijker zal zijn om contact met hen op te nemen om de informatie te krijgen die u wenst. Hun kantoren zijn niet ver van hier – in de Gartenstrasse, meen ik. Ik heb geen rechtstreeks contact met hen, maar de computer stuurt hun een kopie van elke transactie. Zij hebben op hun computer ongetwijfeld kopieën van alle relevante informatie die u zoekt.'

'Maar ik wil de informatie van u hebben!' Rudi verhief zijn stem. 'En als u me niet wilt helpen, dan ik wil ik uw chef spreken.'

'Ik zie niet wat u daarmee zou opschieten.' Versari hield zijn handen gevouwen voor zich. 'Ik zei u dat de bank onmogelijk bij de informatie kan waar u om vraagt.'

'Hoor eens hier,' zei Rudi nog harder. 'Ik ben hier de afgelopen twee dagen verschillende keren geweest en telkens als ik om iets vraag, word ik met een kluitje in het riet gestuurd. Ik begin er genoeg van te krijgen.'

'Maar ik kan niets voor u doen.' Versari haalde zijn schouders op.

'U gelooft niet eens dat ik recht heb op deze rekening, hè?'

'Dat is het punt niet, meneer Tobler. Ik ben slechts bevoegd om...'

'Kijkt u hier eens naar.' Rudi reikte naar zijn koffertje. 'Deze brief bewijst onomstotelijk dat ik het recht heb op alle informatie over deze rekening die ik maar wil.'

Hij pakte zijn vaders contract met Aladár Kohen en begon hardop te lezen. 'In geval van overlijden van de Trustee gaat het nominale eigendom van de rekening over op zijn erfgenamen c.q. hun afstammelingen, en dit voor onbepaalde tijd.' Rudi overhandigde Versari de brief en leunde met over elkaar geslagen armen achteruit. Alex kon vanuit haar ooghoek zien dat hij glimlachte. Opnieuw zou Rudi Tobler krijgen wat hij wilde.

Versari wierp een blik op het document en reikte naar de telefoon. Hij toetste een nummer van vier cijfers en wachtte.

'Wat doet u?' vroeg Rudi.

'Ik wil een van onze juristen om advies vragen.'

'Waarom hebt u juridisch advies nodig?' vroeg Alex. 'U weet dat de rekening aan meneer Tobler toebehoort.'

Versari stak zijn hand op. 'Maak u geen zorgen. Dit duurt maar even. Het is gewoon een formaliteit.'

Verscheidene minuten later kwam er een lange, knappe vrouw met felrood haar de kamer in. 'Reinbeck. Aangenaam.' Ze gaf eerst Alex een hand, toen Rudi. 'En het document?' Ze stak haar hand uit naar Versari. Hij gaf de brief gedienstig aan haar door. Ze las hem snel door.

Alex ving een zweem van parfum op – lelies of misschien patchouli. Reinbeck droeg een perfect gesneden mantelpak. Ze zag er belangrijk uit. 'Dit ziet eruit als een trusteerekening.' Reinbeck ging tegenover Rudi en Alex aan tafel zitten. 'Iets wat ik lange tijd niet gezien heb.'

'Ja, hij is voor de Tweede Wereldoorlog geopend, op mijn vaders naam. Maar nu is hij op mij overgegaan,' antwoordde Rudi. 'En ik wil graag dat meneer Versari hier me de transacties toont die in het verleden zijn uitgevoerd. Met name die van 1987. Ik heb toch het volste recht daarom te vragen?'

'Maar u bent slechts de trustee.'

'Precies. En zoals u aan de brief kunt zien, heb ik nu de leiding. Ik ben mijn vaders universele erfgenaam. Ik mag elk document opvragen dat ik wil. Waar of niet?'

'Niet meer.'

'Wat bedoelt u? Totdat de familie is gevonden, ben ik de enige verantwoordelijke voor deze rekening.'

'Dat mag zo hebben gewerkt in 1938.' Reinbeck gaf de brief aan Rudi terug. 'Maar in de tussentijd zijn de wetten veranderd.'

'Waar hebt u het over?' zei Alex. 'Meneer Tobler heeft het volste recht om te zien wat er met zijn rekening gebeurt.'

'Het spijt me. Ik houd me alleen aan de regels, die zijn veranderd onder druk van de Amerikaanse overheid.' Ze keek Alex recht in de ogen.

'Deze rekening staat op naam van Rudolph Tobler en zolang de ware eigenaar niet is gevonden...'

'Maar dat is juist het probleem.' De juriste legde haar handen plat op de tafel. 'Enkele jaren geleden oefende de Amerikaanse overheid, onder andere, druk op ons uit om anonieme rekeningen te verbieden, naar verluidt om de stroom van drugsgeld een halt toe te roepen. En wij deden wat ze vroegen. Met tegenzin, voeg ik eraan toe. Nu moeten alle Zwitserse rekeningen de beneficiaire eigenaars onthullen.'

'Nou en?' zei Alex. 'We weten wie de beneficiaire eigenaars zijn. Dat staat in de brief.'

Reinbeck pakte een map van een stapel bij de computer. 'Ziet u dit?' Ze overhandigde Alex een pakket voor het openen van een rekening. 'Kijkt u maar eens goed naar het formulier achterin.'

Alex opende het pakket bij de laatste pagina en zag bovenaan een grote zwarte A, gevolgd door de woorden *Feststellung des wirtschaftlich Berechtigten*.

'Dat formulier, dat verklaart wie de beneficiaire eigenaar is, is nu verplicht voor elke rekening bij de bank,' legde de juriste uit. 'Zelfs voor rekeningen die in het verleden zijn geopend. Er is geen uitzonderingsclausule.'

'Maar we weten nu wie de beneficiaire eigenaar is.' Alex gebaarde Rudi haar de brief te geven. Ze begon te lezen. 'Zijn naam is Aladár Kohen. En dit is zijn adres. Andrássy út 6, Boedapest.'

Alex pakte haar pen en begon het formulier in te vullen. 'Daarna heeft meneer Tobler recht op informatie over zijn rekening, nietwaar?'

Reinbeck schudde haar hoofd. 'Zo gemakkelijk is het niet. We dienen te weten wie de huidige beneficiaire eigenaar is.'

'Met alle respect, dit formulier vraagt alleen om de náám van de beneficiaire eigenaar – niet of hij of zij nog in leven is.' Alex schoof het ingevulde *Formular A* over de tafel.

Reinbeck schoof het terug. 'Maar de beneficiaire eigenaar moet een levend persoon zijn.'

'Maar u weet niet zeker dat dit echtpaar niet in leven is, hè?' Alex schoof het formulier terug naar Reinbeck. 'Dus moet het formulier geldig zijn. Op zijn minst totdat kan worden bewezen dat ze dood zijn.'

'In feite ligt het precies andersom. We hebben bewijs nodig dat ze in leven zijn.' Reinbeck stond op. 'Dat is nu wettelijk verplicht. Precies zoals uw regering het wilde.' Ze wees naar het document. 'Om toegang te krijgen tot deze rekening dient u ons een vorm van bewijs te leveren dat deze beneficiaire eigenaars nog in leven zijn. Vanzelfsprekend zou het het best zijn als zij persoonlijk naar de bank kwamen.'

'Vroeg u om bewijs dat ze in leven waren toen u deze rekening opende?' vroeg Alex.

'We wisten niet eens dat ze bestonden,' kaatste de juriste terug. 'Dat is het punt met deze trusteerekeningen. De bank is er nooit over ingelicht.' Ze draaide zich om naar Rudi. 'En nu we weten dat het een trusteerekening is, kunnen we niets doen tot we bewijs hebben van beneficiair eigenaarschap.'

'In het verleden,' legde Versari uit, 'kon je hier een rekening openen met niet meer dan een handdruk en een handtekening. Maar nu moeten we absoluut weten wie de beneficiaire eigenaar is. En als u ons niet kunt bewijzen dat meneer en mevrouw Kohen in leven zijn, moet u ons bewijzen dat ze dood zijn. En ons dan de namen van hun erfgenamen geven.'

'En zolang we u de informatie die u verlangt niet kunnen geven,' vroeg Rudi, 'kunnen we niets inzien?'

'Niets.' Versari leunde naar achter en sloeg zijn armen over elkaar. 'En dat betekent dat de fondsbeheerder van FINACORP óók niet langer toegang zal hebben tot de rekening. Heb ik dat juist?' Hij draaide zich om naar Reinbeck.

Ze knikte instemmend.

'Met onmiddellijke ingang?' vroeg hij.

Ze knikte opnieuw. 'Tot ze ons een levende beneficiair tonen, is de rekening geblokkeerd.'

Rudi stond op. 'Hoe waarschijnlijk is dat, als je nagaat dat de familie Joods was en in de Tweede Wereldoorlog onder de nazibezetting leefde?'

14

Zürich
Maandag, halverwege de middag

'Hoe heb ik zo stom kunnen zijn.' Rudi mengde zich tussen het winkelende publiek dat het trottoir voor de bank bevolkte. 'Waarom moest ik ze zo nodig de brief laten zien?'

'Het is jouw schuld niet.' Alex had moeite hem bij te houden. 'Dat kon je niet weten.'

'Ik wilde er alleen bij hem inhameren dat ik het volste recht had de rekening in te zien, en het werkte averechts. Nu zal ik de informatie nooit krijgen.' Hij deed Alex denken aan de Blikken Man uit de *Wizard of Oz* – wachtend op toestemming de Smaragdgroene Stad te betreden, met als enige resultaat dat hij te horen kreeg: 'Weet je dat niet? De tovenaar ontvangt niemand. Niemand.'

'Het enige wat ik wilde,' Rudi keek haar met een wanhopige blik in zijn ogen aan, 'was zien wat er in 1987 in de computer gebeurde. Ik wilde het gewoon met eigen ogen zien. Maar nu zal ik het nooit weten.'

'Kun je dat niet loslaten?' vroeg Alex. 'Waarom concentreer je je niet op het vinden van de familie, op de twintig miljoen?'

'Natuurlijk!' Rudi's gezicht klaarde op. 'Ik hoef alleen de familie te vinden en door hen dat *Formular A* te laten invullen. Dan moet HBZ me de afschriften wel laten zien.'

'Waarom maak je je zo druk over dat rekeningoverzicht?'

'Omdat het me zal vertellen waarom mijn vader is gestorven.'

'Ik kan je zo al vertellen wat erop heeft gestaan.' Alex hield Rudi tegen. 'Het is gewoon een kwestie van decoderen van de instructies die in de computer zijn ingevoerd. De code vertelde de computer dat op elke verkooporder die op die dag in oktober werd uitgeprint de naam van je vaders bedrijf bovenaan moest staan, in plaats van de naam van de trusteerekening. Dat is alles.'

'Maar we weten niet op welke verkoop het slaat.'

'Wat maakt dat uit?'

'Het zal me helpen om zekerheid te krijgen.'

'Vergeet het maar. Dat gaat niet gebeuren.'

'Ik heb een idee!' Rudi's ogen lichtten op. 'We zouden naar FINACORP kunnen stappen. Ik weet zeker dat ze daar alle oude gegevens hebben. Weet je nog? Zij zijn degenen die het beheer van de rekening overnamen toen Ochsner ermee ophield. En als officiële rekeninghouder heb ik het volste recht om alles te zien.' Hij wees naar de overkant van een smal kanaal. 'Hun kantoor is daar, meen ik. We hoeven alleen maar aan te bellen en erom te vragen.'

'Maar Ochsner vertelde ons dat die man van FINACORP de rekening pas begin jaren negentig is gaan beheren. De manipulatie met de code vond plaats in 1987.'

'Geen probleem.' Rudi trok haar mee. 'Als ik Ochsner een beetje ken, dan gaf hij die man van FINACORP alles, inclusief de bankafschriften van vóór zijn pensionering.'

'En zo niet?'

'Het kan toch geen kwaad om het te vragen?' Rudi klopte op de zijkant van zijn koffertje. 'En deze documenten bewijzen dat ik de officiële eigenaar van de rekening ben. Als rekeningbeheerder moet FINACORP me toch toegang geven tot de gegevens?' Rudi liep de brug op.

Alex bleef staan. 'Maar de bank heeft FINACORP zojuist geschrapt als rekeningbeheerder.'

'Maar bij FINACORP weten ze dat niet. Nog niet.' Hij draaide zich om naar Alex. 'Herinner je je wat Versari zei? Hij heeft geen contact met ze. Hij stuurt alleen kopieën van de transacties – nadat ze zijn uitgevoerd. Het zal dagen duren voor ze erachter komen.'

'Maar als ze via de computer een transactie willen uitvoeren, merken ze het meteen.'

'Daarom moeten we er nu naartoe.'

FINACORP – FINANCIAL ASSET MANAGEMENT CORPORATION vermeldde een goudkleurige plaquette op de deur. Rudi drukte op een kleine goudkleurige bel rechts van de deur en deed een stap terug. 'Eén ding,' fluisterde hij tegen Alex, 'doe gewoon alsof er niets aan de hand is. Het komt wel goed. Laat mij het woord doen.'

'Ik begrijp niet waarom je mij erbij nodig hebt.'

'Ik heb je nodig om het bestand zo snel mogelijk door te kijken. Dan smeren we hem voordat ze merken dat ik hen van de rekening heb gegooid.' Rudi belde nogmaals aan.

De man die de deur opende zag eruit alsof hij regelrecht uit een catalogus van Brooks Brothers was gestapt. *Eindelijk een goed uitziende bankier,* dacht Alex. Lang, knap, tot in de puntjes verzorgd en onberispelijk gekleed. Een perfect gesneden grijs pak en een wit overhemd. En een das van Hermès, net als Ochsner.

'*Grüezi.*' Rudi schudde zijn hand en stak van wal. 'Ik zou graag mijn rekening willen inzien.'

'Hoe is uw naam?' De man schakelde moeiteloos over naar het Engels.

'Rudolph Tobler.'

'Meneer Tobler!' Het was duidelijk dat hij de naam herkende.

'Komt u binnen.' Hij gaf Alex een hand. 'Mijn naam is Christoph Pechlaner, tussen haakjes.' Net als de bankemployés van HBZ vroeg hij zelfs niet naar Alex' naam. *Discrétion oblige.*
Pechlaner leidde hen door een smalle gang naar een grote vergaderruimte die uitkeek op een lommerrijke binnenplaats. Moderne kunst bedekte de muren. 'Dank u dat u ons zo onverwacht ontvangt.' Rudi opende zijn koffertje en pakte er zijn documenten uit. 'Ik ben hier om wat informatie te krijgen met betrekking tot mijn rekening.'
Hij las het rekeningnummer af van de bovenkant van de HBZ-afschriften die hij uit zijn koffer had gehaald. 'Dit hoeft maar een paar minuten in beslag te nemen.'
Hij overhandigde Pechlaner zijn paspoort en de andere documenten.
'Ik ben een beetje beduusd.' Pechlaner inspecteerde Rudi's paspoort zorgvuldig. 'Ik verkeerde in de veronderstelling dat deze rekening deel uitmaakte van een nalatenschap die werd beheerd door Georg Ochsner.'
'Dat is ook zo,' antwoordde Rudi snel. 'Mijn vaders nalatenschap.' Hij wees naar zijn geboorteakte en de overlijdensakte van zijn vader. 'En ik ben zijn enige erfgenaam.'
'Maar ik weet niet beter dan dat meneer Ochsner ons vertelde dat er geen erfgenaam was toen hij mijn collega mandaat gaf deze rekening te beheren. Hij zei dat hij ons te zijner tijd zou informeren over de werkelijke eigenaar. Tot het zover was, moest mijn compagnon, Max Schmid, de rekening conservatief beheren. Hetgeen hij nu al vele jaren doet.'
'Nou, zoals u aan deze documenten kunt zien, ben ik de enige erfgenaam. Ik ben nu de persoon met wie u te maken hebt.'
'Ik denk dat u dit alles met meneer Schmid dient te bespreken. Zeker gezien het overlijden van meneer Ochsner.'
'Zegt u dan tegen Schmid dat ik hem onmiddellijk wil spreken.'
'Dat zal niet gaan. Hij is op zakenreis. Maar hij komt morgen terug. Op tijd voor de begrafenis van Georg Ochsner.'
'Dan zal ik hem daar zeker zien.' Rudi nam zijn paspoort terug en stopte het in zijn koffertje. 'Maar ik zou toch mijn rekeningafschriften willen inzien.'

Pechlaner keek Rudi's andere documenten door. 'Alles lijkt in orde te zijn.' Hij stond op. 'Vindt u het goed dat ik kopieën maak van deze documenten?'

'Wat u maar nodig hebt,' antwoordde Rudi. 'Zolang ik toegang krijg tot mijn rekening.'

Zodra Pechlaner weg was, draaide Rudi zich om naar Alex en glimlachte. 'Zie je? Het werkt.' Hij stond op en begon door de kamer te lopen. 'Over een paar minuten weten we alles.'

Hij bleef staan om een kleine ingelijste tekening naast de deur te bestuderen. 'Dat is een Jean Cocteau.' Toen liep hij naar een lithografie van brede penseelstreken aan de volgende muur. 'Een Lichtenstein. Deze jongens hebben een goede smaak.'

De deur ging open en Pechlaner kwam naar binnen met twee donkergrijze ordners. Hij liet ze met een dreun op de tafel vallen. 'Dit is alles wat we hierboven hebben.'

Alex zag de codering op de rug: HBZ konto: 230-SB2495.880-01L.

Het nummer had er in de loop der jaren diverse cijfers en letters bij gekregen, maar het was beslist de rekening die Rudi's vader in 1938 had geopend.

Ze pakte de eerste ordner en las het label: *Kontozustand 1-3 Quartal*. Het bevatte de kwartaalsaldi van de rekening voor de afgelopen acht maanden. De andere ordner bevatte alle transactieoverzichten voor dezelfde periode.

'Ik weet zeker dat u alles in orde zult bevinden.' Pechlaner ging tegenover hen zitten. 'Ik heb ook de vrijheid genomen een diagram uit te printen dat laat zien hoe de rekening het de afgelopen jaren heeft gedaan.' Hij legde een computeruitdraai van een staafdiagram midden op tafel.

Rudi boog zich naar voren om het te bekijken. 'Zoals u kunt zien,' lichtte Pechlaner toe, 'is de rekening consistent in waarde gestegen, ondanks alle woelingen in de markt.'

Rudi schoof het diagram terug naar Pechlaner. 'Dat is prettig, maar waar ik echt in geïnteresseerd ben zijn de rekeningafschriften van voor 1987.'

'Waarom?'

'Omdat ik mijn vaders nalatenschap moet afwikkelen. En aangezien deze rekening het enige is wat nog niet is afgehandeld, wil ik weten hoeveel die waard was op het moment van zijn overlijden. Namelijk in oktober 1987.'

Rudi begon een goede leugenaar te worden, viel Alex op. Of was hij dat altijd al geweest? 'Ik weet niet of onze archieven zover teruggaan.' Pechlaner opende een van de ordners en keek het rekeningoverzicht op de eerste pagina door. 'Volgens dit overzicht zijn wij deze rekening pas in januari 1991 gaan beheren.'

'Maar meneer Ochsner vertelde me dat hij u alle eerdere afschriften ter hand heeft gesteld. Zou u even kunnen kijken?' drong Rudi aan. 'U hebt vast wel ergens een archief, toch?'

'Beneden in de kelder.' Pechlaner stond op. 'Maar ik kan niets beloven. Zoals ik zei, valt deze rekening niet onder mijn beheer.'

'Ik zou het op prijs tellen als u ging kijken.'

'Het kan een paar minuten duren.'

'Geen probleem.' Rudi liep met Pechlaner naar de deur. 'Als u wilt, zal ik u helpen.'

'*Nein!*' antwoordde Pechlaner snel. 'We laten niemand in de kelder. U zult wel begrijpen waarom. De gegevens van onze cliënten zijn strikt vertrouwelijk.' Pechlaner trok de deur stevig achter zich dicht.

'Denk je dat hij het zal vinden?' vroeg Alex. Ze pakte de ordner met transactieoverzichten en begon te bladeren.

'Ik hoop het.' Rudi stond op en begon weer te ijsberen. 'Ik wil weten wat er gebeurd is.'

'En als je er niet achter komt?'

'Proberen kan toch geen kwaad?'

'Wauw.' Alex stopte bij een pagina halverwege de ordner. 'Moet je dit zien.' Ze wees naar een item midden op de pagina. 'Wist jij dat er een kluis aan je rekening gekoppeld was? Ik zie hier een automatische afschrijving voor een safeloket bij HBZ Zürich.' Ze hield de pagina zo dat Rudi hem kon zien: *Schliessfach 4483, Miete. HBZ Hauptsitz.*

'Het moet een joekel zijn. Het kostte je meer dan vierduizend frank per jaar.' Rudi las de debetnota zorgvuldig door. 'Hier staat dat het gaat om een safeloket in de kelders van de hoofd-

vestiging van HBZ – waar we vanmiddag waren. Ik vraag me af waarom HBZ me er niet over heeft verteld. Of waarom er geen sleutel zat in de envelop die mijn vader voor me achterliet.'
'Misschien hebben de Kohens de sleutel.'
'Of hadden.' Hij staarde Alex aan. 'Ik vraag me af waarom Ochsner het er nooit over heeft gehad.'
'Misschien wist hij er niet van.'
'Hoe kan dat nou?' vroeg Rudi. 'Het bedrag werd toch elk jaar afgeschreven?'
'Maar weet je niet meer wat Ochsner ons vertelde? Hij keek alleen naar de kwartaalsaldi van de rekening.' Alex wees naar de andere ordner. 'Om te zien hoe de rekening ervoor stond. Hij had er geen weet van, of het interesseerde hem niet, hoeveel er aan kluishuur werd betaald – of aan andere kosten – zolang de rekening maar gestaag groeide.'
'Je hebt gelijk.' Rudi kwam dichterbij en zag dat Alex door de overige bij- en afschrijvingen bladerde. 'Het zou geinig zijn om te gaan kijken wat er in die safe zit, nietwaar?' Hij legde zijn hand op haar schouder. 'Ik zou dat mogen, weet je. Zelfs als je geen sleutel hebt, kan dat bij Zwitserse banken. Je hoeft alleen maar vijfhonderd frank te betalen om iemand te laten komen om het slot open te boren. Zolang je maar het recht hebt om de kluis te openen. Het is me al eens eerder gebeurd.'
'Maar dat recht heb je nu niet meer. Je bent afgesneden van de rekening, weet je nog wel?' Alex bestudeerde een bijschrijving. 'Wat is dit? Zo te zien heeft iemand in januari vier komma twee miljoen naar je rekening overgemaakt.'
Rudi boog zich over haar schouder om mee te kijken. 'Waarom zou iemand dat doen?'
Alex bladerde verder. 'Er zijn er nog meer, in feite.' Ze telde ze snel bij elkaar op.
Cijfers. Daar kon je niets tegen inbrengen. Als kind al hield Alex van cijfers, omdat ze het enige waren wat niet was bezoedeld door de chaos van de wereld om haar heen. Cijfers waren betrouwbaar – onveranderlijk. Ze logen nooit. Toen ze zeven was en ontdekte dat ze een anderhalf jaar oud halfbroertje had, had ze bijvoorbeeld onweerlegbaar bewijs gehad dat haar vader zijn

nieuwe gezinnetje was gestart voordat hij haar en haar moeder had verlaten.

'Waar is BVI?' vroeg ze. Alex pakte een andere bijschrijving en hield hem Rudi voor: *Überweisung zu gunsten des Kontos 230-SB2495.880-01L von: Caribbean Trust Bank, BVI.*

'Waarschijnlijk staat BVI voor de Britse Maagdeneilanden. Vrienden van mij hebben daar een huis. Maar waarom zou die bank geld naar mijn rekening overmaken? Ze weten niet eens van het bestaan ervan. Niemand weet ervan.'

'Dat is toch het hele punt?'

'Wat bedoel je?'

'Het was slechts een kwestie van tijd tot het gebeurde.'

'Wat?'

'Ga maar na, Rudi. Een miljoenenrekening waarvan niemand controleert wat er in en uit gaat. Alleen een oude man die op het eind van elk kwartaal trouw het saldo controleert.'

'Iemand heeft deze rekening gebruikt om geld wit te wassen?'

'Natuurlijk. Zolang ze zorgden dat het geld voor het eind van het kwartaal bij- en weer af- werd geschreven, zou Ochsner het nooit merken.'

'Misschien zat hij in het complot.' Rudi zette grote ogen op. 'Hij was de enige die gemachtigd was om transacties uit te voeren. Hij was de executeur van mijn vaders erfenis en deze rekening hoorde nog steeds bij de nalatenschap, dus kon hij doen wat hij wilde.'

'Maar waarom vertelde hij ons dan over de rekening? En kom niet aan met je doodswenstheorieën.' Alex wierp een blik op de deur.

'Denk jij dat FINACORP erachter zit?' vroeg Rudi. 'Maar waarom zou Pechlaner ons al dit spul laten zien, als dat zo was?' Hij wees naar de twee rekeningordners.

'Misschien is hij niet degene die het doet. Misschien is het die andere vent.'

'Schmid?' Rudi schudde zijn hoofd. 'Maar hoe zou hij dat kunnen maken? De bank zou dat toch hebben gemerkt?'

'Je zei dat het de bank niet kan schelen wat er met de rekening gebeurt, zolang externe fondsbeheerders geen geld van de rekening overmaakten.'

'Je hebt gelijk. Bij de bank keken ze waarschijnlijk niet naar geld dat binnenkwam – dat vonden ze best. Het betekende meer inkomsten. Maar ze zouden Schmid nooit geld hebben laten overmaken. Dat is het enige wat externe fondsbeheerders nooit mogen.'

'Maar Schmid maakte geen geld over.' Alex hield een papier omhoog met het opschrift AKTENKAUFVERTRAG – STOCK PURCHASE, effectenaankoop. 'Hij belegde het in een beleggingsfonds dat gevestigd is op Cyprus.'

Alex wees naar de onderste regel van het afschrift. 'Zie je? Kort voor het eind van het afgelopen kwartaal gaf Schmid HBZ opdracht tot twee afzonderlijke beleggingen vanaf jouw rekening naar deze twee fondsen op Cyprus. En het belegde bedrag was, toevallig, precies hetzelfde bedrag dat in de loop van het kwartaal van de Britse Maagdeneilanden was binnengekomen.'

Ze opende de andere ordner. 'En waar ging het naartoe? Naar deze twee beleggingsfondsen, allebei op Cyprus.' Ze liet de pagina's aan Rudi zien. 'We hebben college gehad over dat soort offshorecentra. Niemand houdt toezicht op wat erin omgaat. Als het geld eenmaal naar ze is overgemaakt, zou het gemakkelijk zijn geweest om het terug te sluizen naar degene die het in eerste instantie naar jouw rekening had overgemaakt. Daar draait het toch allemaal om bij witwassen van geld? Het uitwissen van alle sporen van het illegale verleden ervan. En hoe zou dat beter kunnen dan door het te verplaatsen via een geheime Zwitserse bankrekening en een paar anonieme fondsen op Cyprus?'

'Maar waarom is daar niets van te zien op de afschriften die Ochsner controleerde?' vroeg Rudi. 'Als het beleggingen waren, hadden ze dan niet ergens op het fondsenoverzicht moeten opduiken?'

'Dat doen ze ook.' Alex stak haar hand uit en bladerde door de afschriften die Rudi had meegebracht. Ze wees naar twee kleine items in het midden. 'Zie je? Het aantal aandelen dat je in die Cyprusfondsen bezit, blijft stijgen, kwartaal na kwartaal, maar de aandelenprijs blijft dalen. Dat betekent dat de totale hoeveelheid geld die in de fondsen is belegd nooit verandert. Dit moeten twee van de slechtst presterende fondsen in de geschiedenis van het internationale geldverkeer zijn.' Ze leunde naar achter. 'En ik wil wedden dat jouw rekening de enige was die erin investeerde.'

'Maar behoren de autoriteiten geen toezicht te houden op wat er in dat soort fondsen omgaat?' vroeg Rudi.

'Niet in oorden als Cyprus, kennelijk. *Caveat emptor.* Met andere woorden, het is aan de belegger om oog te houden op wat er omgaat. In dit geval Ochsner. Maar aangezien hij nooit verder keek dan zijn neus lang was, heeft hij nooit geweten wat er speelde.'

'Hij moet het toch hebben geweten?' fluisterde Rudi. 'Hij vertelde ons zelf dat hij de rekeningafschriften trouw controleerde.'

'Precies. Maar hij controleerde de rekeningsaldi aan het eind van elk kwartaal. En aangezien de hoeveelheid geld die ze in de fondsen op Cyprus verloren precies even groot was als wat er in de loop van het kwartaal binnenkwam, heeft hij nooit gemerkt dat er iets niet klopte.'

Alex pakte de ordner en borg het afschrift zorgvuldig terug op de plek waar ze het had gevonden. 'De witwassers hoefden alleen te zorgen dat alle inkomende en uitgaande bedragen vóór het einde van het kwartaal tegen elkaar wegvielen. En vervolgens konden ze weer van voren af aan beginnen.'

'Ik zal eens kijken wat er dit kwartaal gebeurd is.' Ze opende de credit-debetordner opnieuw en bladerde door de overzichten voor de maanden juli, augustus en september. 'Er zijn sinds begin juli drie bedragen op de rekening bijgeschreven. Voor een totaal van eenentwintig komma drie miljoen dollar.'

'Shit!' mompelde Rudi. 'Wat gaan ze doen als ze merken dat ze niet meer bij de rekening kunnen? Dat ze hun geld met geen mogelijkheid terug kunnen krijgen?' Hij keek schichtig naar de deur.

'Wacht even,' fluisterde Alex. 'Er stond vanmorgen nauwelijks cash op de rekening, weet je nog? Misschien is het al overgemaakt. Het is tenslotte bijna eind september.'

'Dat hoeft niet,' reageerde Rudi. 'Een goede fondsbeheerder zou het geld in termijndeposito's hebben gestopt. Dat zou mijn vader tenminste hebben gedaan.'

'Even checken.' Alex sloeg het deel van de beleggingsordner open dat de kortetermijnbeleggingen toonde. 'Je hebt gelijk. Hier staat het. Op de kop af eenentwintig komma drie miljoen dollar in een termijndeposito bij UBS Luxemburg. En raad eens wanneer het bedrag vrijvalt?' Ze wees naar het einde van de vermelding. 'In de laatste week van september. Binnen drie dagen.'

'Dat betekent dat het geld nog niet is uitgegaan.'

'Maar de opdracht om het te beleggen kan al zijn doorgestuurd.' Ze bladerde naar een schutblad aan het eind van de transactie-ordner met het opschrift PENDENT – PENDING, in behandeling. 'Ah, hier is het.' Ze trok de laatste pagina eruit. 'Deze beleggingsopdracht is midden vorige week naar HBZ verzonden. Schmid gaf HBZ opdracht voor een nieuwe belegging in die twee fondsen op Cyprus. En raad eens voor hoeveel? Hij gaf HBZ opdracht vier miljoen dollar in het ene fonds en zeventien komma drie miljoen dollar in het andere te storten. Dat is samen eenentwintig komma drie miljoen, exact hetzelfde bedrag dat in de loop van het kwartaal is binnengekomen.'

'Dus alles is in orde!' Rudi pakte de beleggingsopdracht en stopte hem zorgvuldig terug in de ordner. 'Ze hebben hun geld teruggekregen. En zolang we doen alsof we niet wisten wat er speelde, kan ons niets gebeuren.'

'Maar waarom zit hij nog steeds in de afdeling In behandeling?' vroeg Alex. Ze las de beleggingsorder zorgvuldig door. 'O jee.'

'Wat?'

Ze hield haar wijsvinger bij een regeltje onder aan de pagina. 'Ze kunnen dit soort transacties niet online uitvoeren. Omdat de Cyprusfondsen niet genoteerd zijn op een geautomatiseerde beurs, moet het met de hand worden gedaan.'

Ze wees naar drie woorden op het einde van de zin: *per Hand, Börse*. 'Dat betekent dat de transactie aan de beursafdeling van de bank is gegeven voor handmatige verwerking. Die zit waarschijnlijk nog steeds in de pijplijn.'

'Dus hoe lang zal het duren voordat die opdracht is afgehandeld?' vroeg Rudi opgewonden. 'Hoe lang duurt het voordat hun geld van mijn rekening is afgehaald?'

'Laten we eens kijken hoe dat eerder in zijn werk ging.' Alex sloeg de transactieoverzichten van maart en juni op. 'Het ziet ernaar uit dat het bij de andere transacties zeven tot tien dagen duurde voordat het geld was overgemaakt naar de bank van die fondsen op Cyprus: de Mediterranean Credit Bank of Larnaca.'

'Hoe weten we zeker dat...'

'Stil!' Alex wees naar de deur. 'Ik hoor iemand.'

Ze sloot de ordner en schoof hem snel terug naar het midden van de tafel, waar Pechlaner hem had achtergelaten.

Rudi liep weg en deed alsof hij de schilderijen bestudeerde terwijl Pechlaner naar binnen kwam met verscheidene ordners. 'Excuses voor het oponthoud.' Hij ademde zwaar. 'Het duurde even, maar ik denk dat ik alles heb gevonden wat u zocht.'

15

Zürich

Maandag, laat in de middag

'We moeten zorgen dat ze hun geld krijgen.' Rudi liep snel over de kleine voetgangersbrug die over het kanaal leidde. 'We moeten zorgen dat de transactie doorgaat, zodat ze niet achter ons aan komen – achter mij aan komen, bedoel ik.' Plotseling bleef hij stokstijf staan en draaide zich om naar Alex. 'O, mijn god! Ik bedacht zojuist iets. Wat als Versari de transactie blokkeert?'

'Hoe zou hij dat kunnen? De transactie liep via de computer. Versari zal hem pas zien wanneer hij op het rekeningoverzicht van de klant verschijnt – nadat de transactie is uitgevoerd. En tegen die tijd is het geld al op Cyprus.'

'Maar wat als hij de transacties die nog in behandeling zijn, gaat doornemen,' vroeg Rudi, 'precies zoals wij net deden?'

'Waarom zou hij dat doen?'

'Ik weet het niet. Omdat hij ons wil pakken? Je zag hoe hij is.'

Hij knikte. 'Ik zeg het je, we moeten een manier vinden om zeker te zijn dat de transactie onmiddellijk wordt uitgevoerd – voordat ze de kans krijgen hem te annuleren.'

'Maar we kunnen niets doen. We kunnen alleen maar wachten tot de transactie uit zichzelf doorgaat, en dan doen alsof onze neus bloedt...'

'Maar ik wil me ervan overtuigen dat hij doorgaat. Nu. Voor alle zekerheid.'

'Zorgen dat alles perfect is, heeft ons in deze situatie gebracht.' Alex schudde langzaam haar hoofd. 'Je hebt net gezien dat de transactie in 1987 niet meer was dan een geannuleerde verkoop van willekeurige effecten van je vaders rekening. Het had geen gevolgen. Als we ons er niet in gemengd hadden...'

'Maar dat hebben we wel gedaan. Oké? En nu zitten we echt in de penarie. Als de witwassers erachter komen dat ik van de rekening af weet – dat ik weet waar ze mee bezig zijn geweest – komen ze achter me aan. Misschien vermoorden ze me wel, net als Ochsner.'

'Rudi, we weten niet hoe Ochsner aan zijn einde is gekomen. Misschien heeft hij wel zelfmoord gepleegd. Misschien hebben de witwassers niets te maken met...'

'En als ze er wel iets mee te maken hebben?' Hij keek Alex doordringend aan. 'Ik ben niet van plan om te wachten tot er een stel geflipte drugshandelaren achter me aan komt.'

'Je weet niet of het drugshandelaren zijn. Je weet helemaal niet wie het zijn. Het kan iedereen wezen.'

'Je hebt gelijk, het kan iedereen wezen: wapenhandelaren, corrupte dictators, de Russische maffia.' Rudi schudde zijn hoofd. 'Je denkt toch niet dat ik ga zitten wachten tot ze achter me aan komen, hè?'

'Waarom ga je dan niet naar de politie?'

'Wat kan ik ze nou vertellen?'

'De waarheid.'

'Kom nou! Je hebt zelf gezien hoe ze ons behandelden. Zonder bewijs zullen ze helemaal niets doen. Het enige bewijs dat we hebben,' hij wees naar de kantoren van FINACORP, 'ligt daar. En bij de bank.'

Hij keek weer naar Alex. 'En zelfs als ze ons zouden geloven en een onderzoek zouden starten, is het zo klaar als een klontje wie hen op het spoor heeft gezet. De witwassers zullen weten dat ik hen erbij heb gelapt.' Hij schudde langzaam zijn hoofd. 'De enige troef die ik op dit moment heb, is dat niemand weet dat ik het weet. Dat wij het weten. We moeten een manier vinden om te zorgen dat niemand erachter komt wat we hebben ontdekt.' Hij leunde op de reling en staarde in het kanaal. Het lag vol boten, stuk voor stuk afgedekt met spierwit canvas. 'Ik ben bang, Alex.'

Hij draaide zich naar haar toe. 'Ik bedoel, ga maar na: mijn naam staat op de rekening. Hoe moeilijk denk je dat het zal zijn om me te vinden? Ik sta verdomme in het telefoonboek. Zelfs jij wist me te vinden – en jij hebt niet eens je best gedaan.'

Hij spreidde zijn handen. 'We moeten terug naar de bank. Zorgen dat FINACORP weer het beheer over de rekening krijgt. Dat is de enige manier om zeker te zijn dat de transactie doorgaat. De enige manier om zeker te zijn dat de witwassers er niet achter komen dat wij ervan weten, dat wij er een hand in hebben.'

'En hoe doen we dat?'

'Ik weet het niet.'

'Je zag zelf hoe ze waren.' Ze wees naar de bank. 'Ze laten je niet bij die rekening zonder een geldig *Formular A* dat aantoont wie de echte eigenaars zijn.'

'Laten we dan uitzoeken wie dat zijn.'

'A-l-a-d-a-r K-o-h-e-n.' Alex typte de elf letters in het rechthoekige veld boven aan het scherm, klikte toen op Zoeken. Ze leunde naar achter en wachtte tot de pagina zich met tekst vulde.

'En?' Rudi keek over haar schouder mee.

'Kijk.' Alex wees naar een regel boven aan de pagina: *Resultate 1-10 von 126.860.* 'Er zijn meer dan honderdduizend websites met Kohen, Aladár of allebei.'

Ze bewoog de cursor over de eerste regel. 'Zie je? Hier is iemand met de naam Aladár Lilien: directeur van een sinaasappelsapbedrijf in Israël dat Kohen Brothers heet. Zou hij het kunnen zijn?' Ze bewoog de cursor omlaag over de pagina. 'En hier is er nog een: Aladár Faragó, auteur van een boek over een familie Kohen, woont in Buenos Aires.' Ze liep de volgende twintig vermeldingen langs. 'Zie je? Allemaal bevatten ze beide namen, maar niet in combinatie.'

'Hoe weet je dat? Moet je ze niet allemaal langsgaan?'

'Dat hoeft niet. Dat doet de zoekmachine voor je. Die zet de sites waarop beide namen naast elkaar staan boven aan de lijst.' Ze duwde haar haar achter haar oor. 'Maar voor alle zekerheid.' Ze bracht aanhalingstekens aan om de twee namen en klikte opnieuw op Zoeken. 'Nu laat ik alleen zoeken naar de combinatie van die twee namen.'

Het scherm toonde een enkele regel: *Es wurde keine mit ihren Suchanfragen gefunden.*

Alex draaide haar hoofd en keek op naar Rudi. 'Begrijp je dat allemaal?'

'Het betekent dat er niets is. Nul. Nop. *Nichts.*' Hij pakte de brief van zijn vader en reikte hem aan. 'Weet je zeker dat je de juiste spelling hebt gebruikt? Er staat een accent in de naam Aladár.'

'Ik zal hem aanbrengen, maar het zal geen enkel verschil maken.' Alex begon weer te tikken en probeerde elke mogelijke combinatie van accenten. 'Het maakt geen verschil. Die twee namen komen niet samen voor. Nergens.'

'Wat doen we nu?' vroeg Rudi.

'De andere zoekmachines proberen.' Ze ging terug naar het URL-venster en riep een nieuwe zoekmachine op. 'Je weet nooit.'

'Ga je gang. Probeer alles.' Hij steunde op Alex' schouder om zich op te richten. 'Terwijl jij aan het werk bent, ga ik een paar kopieën van deze brief maken – een voor jou en een voor mij. Dan kan ik het origineel in mijn kluisje bij de bank stoppen. Voor het geval dat.'

Terwijl hij weg was, probeerde Alex de naam in elke zoekmachine die ze kon bedenken. Met accenten, zonder accenten; met hoofdletters, zonder hoofdletters. Telkens kreeg ze hetzelfde antwoord: niets.

'En, al beet gehad?' Rudi ging weer zitten en gaf haar een kopie van de brief.

'Nog niet.'

Hij overhandigde haar ook de gelegaliseerde overeenkomst om de vijf procent fifty-fifty te delen. 'Gewoon voor het geval je hen vindt.'

Alex vouwde het document zorgvuldig op en borg het op in haar handtas. 'Laten we het hopen.'

Ze keek weer naar het scherm. 'Ik ga een paar holocaustsites proberen die ik in het Anne Frank Huis heb gezien.' Ze nam ze allemaal door, maar vond nog steeds geen vermelding van Aladár Kohen. 'Deze site in Washington D.C. zegt dat je er persoonlijk heen moet als je wil dat ze voor je zoeken.'

'Ga dan.' Rudi trok zijn creditcard en legde hem naast haar op tafel. 'Boek elke vlucht die nodig is. Ga overal heen. Zorg gewoon dat je hem vindt.'

'Zelfs als ik Aladár Kohen op een van die holocaustlijsten vond, wat schieten we daar dan mee op? We hebben erfgenamen nodig om bij de rekening te kunnen. Levende erfgenamen.'

'Nou, zoek er dan een paar. Ga desnoods naar Boedapest. Het kan me niet schelen hoeveel het kost.' Hij schoof de creditcard dichter naar haar hand.

'Waarom ga je niet zelf naar Boedapest?' Alex keek niet op. 'Zei je niet dat je daar een vriend had? Misschien kan hij je helpen.'

'Ik kan niet weg. Ik moet morgen naar de begrafenis van Ochsner. Als Schmid me daar niet ziet, weet hij meteen dat er iets niet pluis is. Ik moet ernaartoe en doen alsof er niets aan de hand is.'

'Misschien is er ook niets aan de hand.'

'Wil jij dat risico nemen? Wil jij wachten tot we erachter komen dat de transactie niet is doorgegaan? Wat dan? Ik wil ze niet achter me aan hebben.' Hij klopte op haar hand. 'Kom op. Ik weet zeker dat je iets kunt vinden.'

'Ik weet het niet.' Alex schudde haar hoofd. 'Ik ben moe, Rudi. Besef je wel dat ik de afgelopen vier dagen nauwelijks heb geslapen? Sinds ik je voor het eerst aan de telefoon had? Waarom gaan we niet slapen om morgenvroeg met frisse moed te beginnen? Ga

jij morgen gewoon naar die begrafenis, dan kunnen we daarna...'
'Maar we moeten vandaag iets doen. Voor ze ons vinden.'
'Ons?'
'Laten we realistisch zijn, Alex. Als ze achter mij aan komen, hoe lang denk je dan dat het zal duren voordat ze achter jou aan komen?' Hij haalde diep adem. 'Ik mag dan heel dapper lijken, maar denk je dat ik niet door kan slaan?'
'Bedoel je dat je me erbij zult lappen als ik niet ga?'
'Ik ben gewoon realistisch. Wie weet waartoe ze in staat zijn.' Hij schudde plechtig zijn hoofd. 'Hoe dan ook, zelfs als ik niets loslaat, weten ze misschien al van je af. Wat denk je dat Ochsner hun vertelde voordat hij... Stel dat ze hem bij zijn voeten over die brugleuning in Bazel hebben laten bungelen, tweehonderd meter boven de Rijn. Denk je dat hij niet alles zou hebben gezegd om zijn huid te redden?'
'Maar hij wist niet hoe ik heette.'
Rudi staarde haar aan.
'Je hebt het hem toch niet verteld, hè?' vroeg Alex.
'Nee.' Hij legde zijn hand op haar schouder. 'Maar zelfs zonder een naam moet het toch niet moeilijk zijn om de jonge Amerikaanse vrouw te vinden die aan de computers van de Helvetia Bank in Zürich werkte?'

16

Boedapest
Maandag, vroeg in de avond

Het vliegtuig landde onzacht en een verouderd model pendelbus kwam aanrijden om de passagiers op te halen. Plotseling begon iedereen hardop te praten. Alex begreep geen woord van wat ze zeiden.
In de bus die hen naar de aankomsthal bracht, knipperden drie woorden: *Üdvözöljuk Budapest Ferihegy.*

Alex wierp een blik op de klok op de zijkant van de uit staal en glas opgetrokken terminal: acht uur. Het was een van de langste dagen van haar leven geweest. Drie bezoeken aan de bank, een bezoek aan de politie, een louche fondsbeheerder, twee flessen wijn, honderdduizend dollar op haar bankrekening en een internationale witwasoperatie die iedereen naar de filistijnen dreigde te helpen.

Het leek wel tijdbom, het spel dat ze als kind in Seattle met haar vriendjes speelde. Je stelde een kookwekker in die als bom dienstdeed, en gaf hem aan elkaar door. Als hij afging, ontplofte de bom, en degene die hem vasthad, werd 'gedood'.

Nu speelde Alex een nieuwe versie van het spel. Aladár Kohen en zijn vrouw openden in 1939, vóór hun verdwijning, een trusteerekening in Zürich op naam van Rudolph Tobler senior. Nadat hij de bom bijna vijftig jaar in handen had gehad, pleegde hij plotseling zelfmoord. Als het zelfmoord was! Toen was het de beurt aan Georg Ochsner. Hij had de bom in handen totdat de zoon van Rudolph Tobler achter het bestaan van de rekening kwam. Maar juist toen hij de bom zou doorgeven, stierf ook hij. En nu had Rudi de rekening. De bom tikte, hard. En Alex stond er vlak naast.

Nadat ze de douane was gepasseerd, ging Alex regelrecht naar de aankomsthal, op zoek naar de man met wie Rudi een afspraak voor haar had geregeld. 'Geloof me nou maar. Je komt niet ver in Hongarije zonder iemand om je te helpen,' had hij gezegd. 'Ik zal Sándor opbellen en alles regelen. Hij zal goed voor je zorgen. Hij is een oude vriend van me.'

Oud was hij inderdaad. Sándor moest rond de zeventig zijn. Alex zag hem onder het bord TALÁLKOZÓHELY – MEETING POINT. Hij zwaaide opgewonden naar haar. Hoewel het een warme septemberavond was, droeg Sándor een lange, loshangende overjas.

Hij had een donkere huid en heldere, stralende ogen. Iedereen om hem heen duwde en schreeuwde in het Hongaars. De taal klonk vreemd, als een code. Het leek op geen enkele taal die Alex eerder had gehoord.

Sándor baande zich een weg door de menigte. Hij had een rode roos in zijn hand. 'U moet Rudolphs vriendin zijn.' Zijn stem was diep, melodieus. Hij sprak met een rollende 'r'. 'Alstublieft, ik heb een bloem voor u gekocht. Hij was heel duur. Ik hoop dat u het waardeert.'

Hij overhandigde haar de roos en maakte een lichte buiging. 'Welkom in Boedapest.'

'Dank u, professor Antal. Ik...'

'Zegt u maar Sándor.' Hij sprak zijn naam uit als Shándor.

Met een zwierig gebaar nam hij haar hand en drukte er een kus op. 'U bent nog mooier dan Rudi vertelde.' Hij staarde haar verscheidene seconden aan. Zijn ogen waren opaak, groen-grijs met een lichte film erover, alsof ze van glas waren.

Hij pakte haar arm en begon te lopen. 'Ik zal u nu naar uw hotel brengen. Daarna kunnen we samen eten.'

Alex volgde hem naar de drukke uitgang, met haar schoudertas, handtas en rolkoffer in haar kielzog. 'Fijn dat u me wilt ontmoeten, professor Antal. Ik heb een heleboel vragen te...'

'Daar is alle tijd voor als we in de stad zijn. Ik heb een kamer voor u geboekt in het Gellért, een van de oudste hotels van Boedapest. Ik hoop dat het naar uw zin is. Het staat pal op de oever van de Donau.'

Hij leidde haar naar buiten. 'We nemen een taxi, goed? Zo doen we dat hier.'

'Zoals u wilt.'

Iets aan Sándors stem kwam haar bekend voor. Alex kon het niet plaatsen, maar ze wist zeker dat ze hem eerder had gehoord. Terwijl ze de terminal verlieten, werden ze aangeschoten door een man. Alex deinsde instinctief terug en hield zich stevig vast aan Sándors arm. Sándor duwde hem met kracht weg. 'Wees niet bang.' Hij keek Alex aan en glimlachte. 'We hebben hier enkele gewoonten die u misschien vreemd voorkomen, maar maak u geen zorgen, oké?' Ineens herkende ze de stem: Dracula.

Sándor leidde haar naar een rij taxi's die voor de terminal stonden te wachten en stapte in de eerste, een witte Opel. Alex moest haar bagage zelf in de kofferbak zetten.

Terwijl de wagen snel wegreed, draaide ze het raampje open en liet de frisse lucht naar binnen waaien. Het rook naar versgemaaid hooi.

'Dat is Boedapest.' Sándor wees met een lange, dunne vinger naar het zuiden. Honderden koepels, torens en gotische daken vulden de skyline. 'Mooi, nietwaar?'

'Jazeker.'

'Ooit stak Boedapest Wenen naar de kroon, weet u. Het was ooit de mooiste stad van Europa.' Hij wees naar de verwaarloosde oude gebouwen die voorbijschoten. 'Het stak zelfs Parijs en Berlijn naar de kroon. We zijn altijd het kruispunt tussen Oost en West geweest, weet u, bevolkt door vele rassen.'

Ze kwamen tot stilstand bij een drukke kruising. Een stroom mensen stak de weg over. 'Kijk in hun ogen,' zei Sándor. 'Ziet u dat sommige donker zijn en sommige licht?'

De mensen hier hadden inderdaad prachtige ogen, zag Alex. Intens, levend, doordringend. Ze dacht aan Marco's ogen. Waar was hij nu? Zou hij al in Parijs zijn? Wachtend tot het weekend werd? Wachtend tot ze zich bij hem voegde?

Ze besefte plotseling dat ze Marco pas de vorige dag in Amsterdam had achtergelaten. In een paar dagen tijd was ze in drie landen geweest.

Ze zag dat Sándor naar haar benen staarde. Zo natuurlijk mogelijk trok ze haar rok omlaag. 'Woont u al lang in Boedapest?' vroeg ze.

'Mijn hele leven. Afgezien van een korte sabbatical aan de universiteit van Zürich. Toen heb ik Rudolph leren kennen.' De taxi minderde vaart. 'Ziet u dat daar?' Hij wees naar een gebouw met een gouden koepel. 'Toen het werd gebouwd, was het de grootste synagoge ter wereld. Er woonden hier veel joden voor de Tweede Wereldoorlog, meer dan twintig procent van de bevolking.'

'En nu?'

'Kijk daar.' Hij wees naar een grote hangbrug verderop. 'Dat is de Donau. Een van de vier grote rivieren van de wereld.'

Terwijl ze de brede brug overstaken, kwam er een krachtige windvlaag de wagen in. Hij voelde heet aan, alsof hij van de woestijn kwam. Alex keek naar het groenig bruine water dat beneden hen stroomde.

'Het is niet blauw,' mompelde ze.

'Dat is het nooit geweest.' Sándor glimlachte. 'Misschien dacht Johann Strauss dat "Die Braune Donau" minder goed zou verkopen. Een vroeg voorbeeld van misleidende reclame.'

De taxi kwam plotseling tot stilstand. 'We zijn er.' Sándor wees naar een groot bouwwerk. Boven de massieve deuren stond GELLÉRT HOTEL. Het gebouw leek meer op een bruidstaart dan op een hotel.

'Ik heb de vrijheid genomen een tafel voor ons te reserveren in het Kárpátia, aan de overkant van de Donau.' Sándor stak zijn hand uit om afscheid te nemen. 'Dat is een must voor alle bezoekers. Ik zie u daar om tien uur. Goed?'

Het eerste wat Alex deed toen ze op haar kamer was, was het telefoonboek van Boedapest raadplegen. Ze vond drie Kohlbergs, één Kohnovitz en diverse Kohlers. Maar niet één Kohen. Ze besloot Eric op te bellen. Hij was niet in hun hotel. Ze probeerde het op zijn gsm. 'Hallo?' Er was een heleboel lawaai op de achtergrond, voornamelijk stemmen. Het klonk alsof hij weer in een bar was.

'Hoi, met mij. Kun je praten?'

'Ja, hoor. Waar zit je?'

'Dat kan ik nu niet zeggen. Ik wilde je even laten weten dat ik morgen niet naar kantoor kom. In feite zal ik waarschijnlijk een paar dagen wegblijven.'

'Wat is er gaande, Alex? Je kunt niet zomaar zonder overleg snipperdagen...'

'Ik bel je morgen om het uit te leggen.'

'Crissier vroeg waar je uithing. Ik heb gezegd dat je ziek was.'

'Dat klopt. Ik heb griep. Zeg maar dat ik over een paar dagen weer aan de slag ga.'

'Oké, maar... waar ben je? Mijn mobieltje toont geen nummer. Je zit helemaal niet in Zwitserland, hè?'

'Ik kan het nu niet uitleggen.' Alex hoorde een geluid en keek om. Er werd een lange, witte envelop onder haar deur door geschoven. 'Ik moet ophangen. Sorry. Ik bel je morgen.'

'Maar waarom kun je me niet vertellen wat er aan de hand is?'

'Ik moet ophangen. Bye.'

Ze liep naar de deur en opende de envelop. Het was een fax, van Rudi. Het document was met de hand geschreven.

Beste Alex,
Veel succes met het zoeken naar de
Kohens.
Ik hoop dat je het niet erg vindt dat ik
mijn toevlucht neem tot dit primitieve
communicatiemiddel. Geloof het of niet,
ik e-mail nooit.
Ik ben nog eens bij die juriste van de
bank geweest, gewoon om te vragen wat we
precies nodig hebben om weer bij de
rekening te kunnen. Ze zei dat iemand
van de familie persoonlijk moet
verschijnen. Maar ze kunnen ook een
brief sturen – of ons machtigen tot de
rekening – zolang hun handtekening en
identiteit zijn gecertificeerd in
Boedapest, zo mogelijk door het Zwitserse
consulaat.
Als Aladár en zijn vrouw dood zijn, moet
je kinderen – of kleinkinderen – zien te
vinden. En van hen heb je dezelfde
documentatie nodig.
Maar in dat geval moet je de bank ook
overlijdensakten van de ouders
overleggen. Ook zei ze dat we een
'bewijs van parenté' nodig hebben, wat
dat ook mag inhouden, om te bewijzen dat
de persoon die je hebt gevonden echt hun
kind of kleinkind is. Ik vermoed dat het
zoiets is als een geboorteakte – iets
wat zegt wie de ouders waren.
Ik hoop dat dit allemaal duidelijk is.
Ik wou dat ik bij je kon zijn om je te
helpen. Ik ben morgen de hele dag in

Het gewelfde plafond van het Kárpátia was bedekt met fresco's
– ingewikkelde patronen van druiven, wijnranken en vogels. Het
restaurant had veel weg van een oud Transsylvaans kasteel. Het
enige wat ontbrak, was een vampier.

Maar daar was hij, aan een hoektafel aan het andere eind van
de zaal. Hij had zijn lange, loshangende overjas nog aan. Sándor
stond op om haar te begroeten. 'Goedenavond.'

Hij kuste haar hand. 'Ik heb al een aperitief voor je besteld, een
glas tokayer. Je zult het heerlijk vinden.'

Alex ging tegenover hem zitten. 'Ik weet niet of ik vandaag nog
meer wijn moet drinken.'

'Maar zo doen wij de dingen hier, Alex.' Sándor glimlachte terwijl de ober hen serveerde vanaf een kleine dienwagen. 'Welkom in Boedapest.' Hij hief zijn glas. 'Veel succes.'

Alex nam een klein slokje van de wijn. Hij was droog maar toch
zoet.

'Waar ben je precies naar op zoek?' vroeg Sándor.

Voordat Alex kon antwoorden, kwam er een groepje violisten
naar hun tafel en begon te spelen.

'Zigeuners,' legde Sándor uit, 'een belangrijke traditie hier.' Hij
leunde naar achter om te luisteren. *Hoeveel kan ik hem vertel-*
len? vroeg Alex zich af. *Hij is een vriend van Rudi, maar in hoe-*

verre kan ik hem vertrouwen? In hoeverre kan ik dezer dagen eigenlijk iemand vertrouwen?

'Léhar – een van mijn favorieten.' Sándors hoofd deinde zachtjes mee op de muziek. 'Dat waren nog eens tijden, nietwaar?' Toen het stuk was afgelopen, keek hij Alex aan en zei: 'Rudi vertelde me dat je op zoek bent naar ene Aladár Kohen of iemand van zijn familie.'

'Dat klopt.' Alex nam nog een slokje wijn. 'Weet u hoe...'

'Hij zei dat je hen zo snel mogelijk wilt vinden.'

'Dat is zo. Weet u een manier...'

Sándor stak autoritair zijn vinger op toen de ober arriveerde. Hij bestelde voor hen beiden in het Hongaars. 'Ik heb de specialiteit van het huis voor je besteld,' vertelde hij toen de ober was vertrokken. 'Goulashsoep en gebraden eend. Ik weet zeker dat het naar je zin zal zijn.'

'Hebt u enig idee hoe ik de Kohens zou kunnen vinden?' vroeg Alex. 'We hebben het geprobeerd door vanuit Zürich Inlichtingen te bellen. En ik heb in het telefoonboek in het hotel gekeken, maar er is kennelijk niet één Kohen in Boedapest.'

'In het hele land, in feite. Ik heb het ook nagekeken.'

'Waarom niet? Ik bedoel, Kohen is toch een heel gewone naam?'

'Niet echt. Niet met die spelling.' Sándor nam nog een slok en leunde naar achter. 'Ooit zijn er waarschijnlijk wel Kohens geweest. Maar nu niet meer.'

'Waarom niet?'

'De trieste waarheid is dat er niet zo veel joden meer over zijn in Hongarije. En de meesten van hen hebben geen Joodse namen. Die veranderden ze aan het begin van de eeuw, de twintigste eeuw. Dat maakte het gemakkelijker om de maatschappelijke en economische ladder te beklimmen, zie je.' De voorgerechten arriveerden en Sándor tastte onmiddellijk toe. 'Na de revolutie,' vervolgde hij terwijl hij at, 'de opstand van 1956 bedoel ik, zijn veel mensen uit Hongarije vertrokken. Vooral de intelligentsia – of mensen die het geld of de connecties hadden om weg te komen.'

Hij begon een dikke laag beenmerg op een stuk toast te smeren. 'Zoals George Soros. Hij was een Hongaar, weet je. En Joods.

Uit Boedapest, om precies te zijn.' Sándor schoof de toast in één keer in zijn mond. 'Hij en zijn familie overleefden de oorlog door onder te duiken op het platteland. Hij kwam uiteindelijk in Amerika terecht en maakte fortuin met valutaspeculatie. En dan hebben we nog Andrew Grove. Hij heeft Intel opgericht, weet je. De computerfabrikant.'

'Dat weet ik, Sándor. Ik werk met computers.'

'Maar wist je dat zijn familie oorspronkelijk Graf heette? Ze veranderden het in Grove toen ze naar de Verenigde Staten verhuisden. Wist je dat?' Sándor sprak met een mond vol toast en merg. 'En dan hebben we nog Harry Houdini. Ook hij was Hongaar.'

'Meneer Antal – Sándor.' Alex haalde diep adem. 'Dit is allemaal heel interessant, maar ik ben hier om iemand te vinden die...'

'Ga maar naar een advocaat.' Hij keek beledigd, alsof Alex een onuitgesproken regel had geschonden: onderbreek Sándor niet terwijl hij aan het oreren is. Hij keek zoekend om zich heen naar de ober. 'Ik ga nog een fles wijn bestellen,' kondigde hij aan. 'Dat wil zeggen, als je er geen bezwaar tegen hebt.'

'Het spijt me.' Alex deed haar best om kalm te spreken. 'Het was niet mijn bedoeling om...'

'Ik kan zelfs een heel goede aanbevelen. Szabó Antónia. Ze is een vriendin van mijn neef.' Hij wendde zich af om naar de zigeunermuzikanten te luisteren.

Wacht nou maar rustig tot hij bereid is te praten, zei Alex tegen zichzelf. *Uiteindelijk zal hij je wel vertellen wat je wilt weten. Alles op zijn tijd.*

Toen het hoofdgerecht arriveerde, zag ze hem een hele kalfstong met grote slokken wijn naar binnen werken. Toen, halverwege de maaltijd, begon hij Alex een stroom van adviezen te geven, alsof er niets was gebeurd.

'Het eerste wat je moet doen is naar overlijdensakten zoeken,' zei hij tussen twee happen door. 'Aan de hand daarvan kun je uitzoeken waar hij woonde en wie zijn ouders waren. Maar elke wijk van Boedapest geeft zijn eigen overlijdensakten uit. En er zijn meer dan twintig wijken.'

'Maar ik ben op zoek naar een lévend familielid.'

Hij keek haar verstoord aan. 'Maar natuurlijk, Alex.'

Kalm aan, hield ze zichzelf voor. *Laat hem praten.*

'Misschien moet je in de oude telefoonboeken kijken.' Hij nam nog een hap van zijn kalfstong. 'In elk geval kan de advocaat die ik je aanbeval je helpen.'

De zigeuners begonnen iets klassieks te spelen voor een Franssprekend gezin aan een tafel naast Alex en Sándor. Ze leken het perfecte gezinnetje. De ouders zaten tegenover hun twee goedgeklede tienerdochters en iedereen nipte natuurlijk beleefd aan zijn wijn. De oudste dochter had een prachtige gouden halsketting om waaraan één enkele hanger met een edelsteen hing.

Alex keek naar Sándor en zag dat hij naar de jongste dochter zat te staren. Toen de rekening werd gebracht, negeerde hij die en praatte gewoon door – alle wijken van Boedapest hadden een eigen archief en het kon zijn dat je ze allemaal langs moest gaan als je bepaalde informatie zocht.

Alex haalde bedaard haar portemonnee uit haar tas en betaalde met het geld dat ze had opgenomen van haar nu sterk gegroeide rekening. Voor haar vertrek uit Zürich had ze uit de geldautomaat van HBZ het equivalent van vijfduizend dollar in euro's en Zwitserse franken opgenomen – meer geld dan ze ooit in handen had gehad.

Bij de garderobe schreef Sándor naam en adres van de advocate op een stukje papier. 'Hopelijk kom je hier verder mee.'

Alex las het aandachtig terwijl ze naar buiten liepen. *Dr. Szabó Antónia, Szentkiralyi Utca 92-94.*

'Spreekt dr. Antónia Engels?' vroeg Alex.

'In feite is Antónia niet haar familienaam, maar haar doopnaam.' Sándor glimlachte. 'Szabó is haar familienaam. In het Hongaars worden de namen in de omgekeerde volgorde geschreven.'

'Waarom is dat?'

Hij glimlachte. 'Omdat wij de dingen hier zo doen, Alex.'

Terug op haar kamer sloot Alex haar laptop aan op de hoteltelefoon en ging online om elke zoekmachine te proberen die ze bedenken kon. Net als in Zürich vond ze honderdduizenden pagina's met de naam Kohen, verspreid over de hele wereld, en duizenden met de naam Aladár. Maar wanneer ze beide namen combineerde, bleef het resultaat nul komma nul.

Ze leunde naar achter en rekte zich uit. Haar hele lijf deed pijn. Ze besefte dat ze urenlang achter de computer had gezeten zonder iets te vinden.

Niet wanhopen, zei ze tegen zichzelf. *Het zal tijd en moeite kosten om een familie te vinden waarvan niemand sinds de Tweede Wereldoorlog heeft gehoord. Zorg dat je wat slaap krijgt. Sta gewoon vroeg op en begin opnieuw.*

Vlak voordat ze uitlogde, besloot ze haar e-mails te checken. Tussen een lading e-mails van Thompson & Co vond ze een bericht van Marco. Het stond er al een dag. Alex voelde het bloed door haar lijf bruisen terwijl ze het opende. 'Ik sta op het punt naar Parijs te vertrekken, de volgende etappe van mijn rondreis. Bel me maar,' schreef hij. Hij gaf haar het nummer in Parijs en sloot af met: 'Ik mis je.' Ze keek naar de telefoon, toen naar de klok. Het was bijna drie uur in de ochtend. Ze besloot hem een e-mail te sturen. 'Marco, ik mis jou ook. Liefs, Alex.' Een paar seconden nadat ze Verzenden had aangeklikt, verscheen er een antwoord.

Alex klikte op de kleine mailbox. Het bericht was van Marco. 'Kun je me je telefoonnummer sturen? Dan bel ik je.'

Alex stelde zich Marco's verbazing voor als hij zag dat haar telefoonnummer het kengetal had van Boedapest, Hongarije. 'Kunnen we niet gewoon online praten?' schreef ze terug.

'Natuurlijk.' Hij gaf haar het adres van een chatsite op internet. 'Je vindt me onder de naam Frank. Waarom log jij niet in als Anne?'

Binnen enkele seconden waren ze in hun eigen chatroom.

Frank: Hoe is het met je?
Anne: Goed.
Frank: Gewoon goed?
Anne: Je moest eens weten wat ik heb meegemaakt sinds Amsterdam! Heb ik gisteren pas afscheid van je genomen?

Frank: Het lijkt veel langer, hè? Ik heb je gemist.

Anne: Ik jou ook.

Frank: Ik denk steeds aan de nacht die we samen doorbrachten.

Anne: Ik ook.

Frank: Dat ik je in mijn armen had. Het vrijen tot de zon opkwam...

Anne: Marco, mag ik je om een gunst vragen? Zullen we andere namen kiezen? Ik vind het wat ongepast om de naam Anne Frank te zien bij een gesprek als dit.

Frank: Je hebt gelijk. Het is geen probleem. Je hoeft alleen maar te klikken op Verander naam onder aan de pagina. Kijk, zo!

Marco: Zie je?

Alex: Wauw! Dat is beter.

Marco: We kunnen ook praten, weet je. Waarom kan ik je niet bellen?

Alex: Ik ben niet in mijn appartement. Ik ben niet in Zürich.

Marco: Waar zit je dan?

Alex: Dat kan ik niet zeggen. Ik ben aan een project bezig. Een onverwachte haastklus.

Marco: Klinkt mysterieus.

Alex: Dat is het ook. Ik probeer iemand te vinden die niet lijkt te bestaan.

Marco: Misschien kan ik je komen helpen. Wie zoek je?

Alex: Een man die waarschijnlijk lang geleden is gestorven.

Marco: Waar ga je hem zoeken? Op het kerkhof?

Alex: Dat is niet eens zo'n slecht idee, maar het is wat laat om er nu naartoe te gaan, zo midden in de nacht.

Marco: Misschien moet ik je maar komen helpen. Kan ik je lijfwacht zijn. Ik heb per slot de zwarte band.

Alex: Weet ik. Je hebt me een paar goede grepen laten zien in Amsterdam.

Marco: Waar? Op straat of in mijn kamer?

Alex: Allebei.

Marco: Goh, ik wou dat ik bij je was.

Alex: Ik ook.

Marco: In Brazilië hebben we een woord voor wat ik voel. *Saudade*.

Alex: Klinkt prachtig. Wat betekent het?

Marco: Het is onvertaalbaar. Het betekent zoiets als verlangen. Zoals ik op dit moment naar jou verlang.

Alex: Ik mis jou ook.

Marco: Ik zou dolgraag bij je zijn. In je prachtige ogen kijken. Je lange, donkere haar aanraken. Je in mijn armen houden.

Alex: Klinkt goed.

Marco: Weet je, je probeert sterk over te komen, maar wat ik daaronder zie is een tedere, kwetsbare jonge vrouw.

Alex: Heus?

Marco: Goh, ik wou dat ik bij je was. Ik zou je in mijn armen nemen en je strelen...

Alex: Waar?

Marco: Ik zou beginnen met je gezicht, dan je wangen, dan je oren, je lippen. Vervolgens zou ik afdalen naar je lange, prachtige benen. Dan langzaam terug naar je buik, je borsten. Ik vind het geweldig dat ze klein zijn. Zo zien we ze graag in Brazilië.

Alex: Echt waar?

Marco: Echt waar. Wist je dat plastisch chirurgen in Brazilië het meest verdienen aan borstverkleiningen?

Alex: Nee, dat wist ik niet.

Marco: En de jouwe zijn zo van nature, toch?

Alex: Natuurlijk.

Marco: Ik raak opgewonden, alleen al bij de gedachte aan... aan jou. Waar ben je nu?

Alex: Ik zit op mijn bed.

Marco: Hoe?

Alex: In kleermakerszit. Met mijn laptop op mijn knieën.

Marco: Ik zou er heel wat voor geven om daar te zijn. Wat heb je aan?

Alex: Wil je dat echt weten?

Marco: Ik wil alles van je weten.

Alex: Alleen mijn Yale-sweatshirt.

Marco: Verder niets?

Alex: Waarom vraag je dat?

Marco: Ik ben nieuwsgierig.

Alex: Ik hou niet van cyberseks, als je daarop aanstuurt.
Marco: Laten we dan met elkaar bellen.

Alex wierp een blik op de ouderwetse telefoon naast haar bed.

Alex: Ik gebruik de hoteltelefoon liever niet. Heb je VoiP?
Marco: Wat is dat?
Alex: Telefoon via internet. Heb je dat niet?
Marco: Nee, maar waarom mag ik je niet opbellen? Waar ben je?
Alex: Dat kan ik niet zeggen.
Marco: Waarom niet?
Alex: Het kan gewoon niet. Het spijt me.

17

Boedapest
Dinsdagochtend

Alex werd wakker van gebons op haar deur.
Het was Sándor, in vol ornaat: een nieuwe, knalrode pochet in
het vestzakje van zijn pak, een ruitjeshemd en een das met pais-
leymotief. Een zware paraplu met een houten handgreep bun-
gelde aan zijn arm.
'O, heb ik je wakker gemaakt?' vroeg hij onschuldig.
'Eerlijk gezegd wel, ja.' Alex trok de badstof badjas dichter om
zich heen. 'Het is halfnegen in de ochtend.'
'Precies.'
'Ik ben tot laat in de nacht op internet bezig geweest – ik had
wat werk te doen.'
'Nou, wij hebben ook werk te doen.' Hij knikte energiek.
'Nu?'
'Ja, nu.' Zijn groene ogen scanden haar lichaam. 'We moeten
opschieten. Ik heb niet de hele dag. Hup, ga je aankleden.' Hij
probeerde naar binnen te komen.

'Ik had de indruk dat u me niet ging helpen.' Alex hield de deur stevig vast.

'Natuurlijk wel. Ik heb al contact gehad met het archief van het Zesde Arrondissement. De Kohens woonden toch op Andrássy út, zoals Rudi zei?'

'Ja, maar...'

'Helaas hebben ze daar geen stukken met betrekking tot het overlijden van Aladár Kohen. Van andere Kohens evenmin, trouwens. Maar ik kreeg een idee.' Hij glimlachte sluw. 'Helaas moet je daarvoor aangekleed zijn. We moeten naar het Zevende Arrondissement. Wil je dat ik hierbinnen wacht?' Hij wilde binnenkomen.

'Kunt u beneden op me wachten? Ik ben in een paar minuten klaar.'

'Goed. Ik zie je in de ontbijtzaal. Maar haast je. Ik moet later op de dag college geven.'

Toen Alex de deur sloot, zag ze nog een envelop op de grond liggen. Ze trok hem open. Weer een fax van Rudi. Er zaten verschillende geprinte pagina's aan vastgeniet.

Beste Alex,

Ik ben teruggegaan naar dat internetcafé. Daar hebben ze me die zoekmachine gedemonstreerd die je me liet zien. Raad eens wat ik heb ontdekt? Dat Cyprus al jaren een belangrijk witwascentrum is – vooral voor de Russische maffia. Kennelijk zijn er meer dan twintigduizend offshorebedrijven op Cyprus die banden hebben met de Russen. Maar zij zijn niet de enigen. Iedereen zit er. Dictators, terroristen, de maffia... de lijst is eindeloos. Ik las zelfs dat Slobodan Milosevic, de Joegoslavische dictator, meer dan vier miljard dollar schijnt te hebben witgewassen via

banken en offshore bedrijven op Cyprus.
Het is van het grootste belang dat je
die familie onmiddellijk vindt. We moeten
zorgen dat het geld volgens plan van
mijn rekening wordt overgemaakt. Pas dan
kunnen we achteroverleunen.
Ik ben vanmiddag naar de begrafenis van
Georg Ochsner. Bel me op mijn mobiel als
je me nodig hebt.

Rudi

Alex keek de kopieën door die Rudi van internet had gedownload. Ze waren allemaal afkomstig van betrouwbare bronnen: CNN, het Amerikaanse ministerie van Buitenlandse Zaken, het OECD, de *New York Times*. Ze bevestigden wat hij schreef. Cyprus was een broeinest van illegale activiteiten.
Misschien heeft hij gelijk, fluisterde ze tegen zichzelf terwijl ze de badkamer in liep. *Misschien heeft hij aldoor gelijk gehad.*
De telefoon rinkelde op hetzelfde moment dat ze uit de douche stapte. Het was Sándor. 'Waar blijf je? Ik zit beneden op je te wachten in het restaurant.'
'Ik ben over een paar minuten beneden.'
'Haast je. We moeten op pad.'
Maar eerst moest Alex aanzien hoe Sándor vrijwel alles wat het uitgebreide buffet te bieden had naar binnen werkte: kazen, koud vlees, roerei, rode en groene pepers, koolsla, komkommer – zelfs gemarineerde vis.
Het enige wat ze zelf aankon, was een croissant en een kop koffie.
'Het zit zo.' Sándor sprak met zijn mond halfvol, net als de avond tevoren. 'Kohen Aladár is waarschijnlijk dood, zelfs als hij de oorlog heeft overleefd – wat mogelijk is. Veel Joden in Boedapest hebben het overleefd, weet je. De Duitsers vielen Hongarije pas op het eind van de oorlog binnen, toen de sovjets eraan kwamen. Voor die tijd dachten ze dat we hun bondgenoten waren, dat we het Joodse probleem zelf zouden oplossen.'

Hij schoof nog meer eten in zijn mond. 'Maar zelfs als hij de oorlog heeft overleefd, is hij nu waarschijnlijk dood. Aangenomen dat hij veertig was in 1938 toen hij dat document tekende, zou hij nu... laat eens kijken...'
'Over de honderd zijn.'
'Precies.' Sándor knikte. 'Wat betekent dat de beste manier om navraag naar hem te doen, is uit te zoeken wanneer en waar hij is overleden, met andere woorden: dat we zijn overlijdensakte gaan zoeken.' Hij nam nog een hap toast met leverpastei. 'Het probleem is dat in Boedapest overlijdensakten worden uitgegeven in het arrondissement waar je overlijdt. Er is geen centraal register.'
Hij nam nog een slok koffie. 'Ik vermoed dat een bemiddeld iemand als Kohen Aladár, als hij in een ziekenhuis is gestorven, naar een particulier ziekenhuis zou zijn gebracht. En het chicste particuliere ziekenhuis was toen het Fasor Szanitórium, wat betekent dat we naar het archief moeten van de wijk waar het Fasor was gevestigd.'
Alex pakte haar handtas. 'Goed, laten we gaan.'
'Prima. Nog even deze viseieren opeten.' Buiten het hotel stond een taxi klaar. Binnen een paar minuten waren ze bij het archief van het Zevende Arrondissement.
Eenmaal binnen liep Sándor naar een van de loketachtige ramen op de binnenplaats en begon in het Hongaars te spreken tegen een donkerharige vrouw die half schuilging achter een dichte varen. Terwijl Sándor sprak, schudde ze haar hoofd. Alex hoorde haar herhaaldelijk *nem* zeggen.
Sándor draaide zich om naar Alex en haalde zijn schouders op. 'Wat betekent *nem*?' vroeg ze.
'Het betekent nee. Ze zegt dat ze *kivonats* – geboorte- en overlijdensakten – alleen op maandag en donderdag verstrekken, en vandaag is het dinsdag.'
Sándor draaide zich terug naar de vrouw en sprak verscheidene minuten met haar. Alex zag de vrouw knikken. Ze zei verscheidene malen *igen* en pakte de telefoon. Terwijl ze sprak, draaide Sándor zich om naar Alex. '*Igen* betekent ja.'
'Dat vermoedde ik al.'

'Ik heb iets slims gedaan. Ik vertelde haar dat je helemaal uit de Verenigde Staten bent gekomen, en dat je vanavond weer terugvliegt, zodat je de overlijdensakte vandaag nodig hebt.' Hij glimlachte.

'Haar zuster werkt boven in het overlijdensarchief.' Hij wees naar een smalle stenen trap bij de ingang. 'Ze gaan een uitzondering voor me maken.'

De vrouw die boven aan de deur verscheen leek als twee druppels water op de vrouw beneden, alleen had zij blond haar – met duidelijk zichtbare zwarte uitgroei.

Alex keek naar binnen en zag een aantal vrouwen rond een houten tafel zitten. Ze waren aan het kaarten. De vrouw bij de deur luisterde naar wat Sándor te zeggen had. Ze bleef knikken en zei verschillende keren *nem* en *igen*. Toen wees ze naar een bank op de gang en sloot de deur.

Sándor liep naar de bank en ging zitten. 'Ze zei dat ze gaat zoeken vanaf het begin van de oorlog, in 1939. Maar als hij tijdens de oorlog is gestorven, zal het op zijn vroegst in 1944 zijn geweest. Toen kwamen de Duitsers Hongarije binnenmarcheren.'

'Vreemd. De geallieerden waren in 1944 al in Zuid-Nederland.'

'De geallieerden arriveerden hier ook in 1944. Het enige probleem is dat het de Russen waren, niet de Britten of de Amerikanen.' Hij slaakte een diepe zucht. 'In feite kwamen de Duitsers pas toen de Russen aan onze grens stonden. Toen is het allemaal gebeurd. In de winter van '44-'45. Het trieste is dat de Hongaarse fascisten net zo erg waren als de nazi's. Erger zelfs. Toen de Hongaarse regering viel, sloegen ze volledig los. Ze wachtten zelfs niet tot de treinen kwamen om de Joden naar de nazikampen te brengen. Ze begonnen hen hier in Boedapest uit te moorden. Ik heb van veel kanten gehoord dat Joden midden in de nacht van hun bed werden gelicht, waarna ze als vee naar de rivieroevers werden gedreven om doodgeschoten te worden. Ze duwden de lichamen in het ijskoude water. Velen zelfs levend.'

De deur ging open en de vrouw kwam half naar buiten om Sándor een klein groen, dubbelgevouwen papiertje te overhandigen. Het had een zegel aan de voorkant.

'*Köszönöm szépen!*' Sándor boog herhaaldelijk, alsof hij een Japanse zakenman was. De vrouw glimlachte en maakte ook verschillende buigingen. Toen ging ze weer naar binnen en trok de deur met een klap dicht.

Sándor bekeek het document en hield het toen triomfantelijk omhoog. 'Het is de *kivonat*. De overlijdensakte van Aladár Kohen.' Hij vouwde het papier open en begon te vertalen. 'Hier staat dat hij in 1945 in dit arrondissement is overleden. Op 22 januari. Er staat ook dat hij zesenveertig jaar oud was toen hij stierf.'

Hij keek Alex doordringend aan. 'Waarschijnlijk is hij na de aanvallen van de fascisten hier naar het ziekenhuis gebracht. Januari 1945 was het hoogtepunt van de wreedheden.' Hij overhandigde Alex het document. 'Dus nu weten we het.' Hij draaide zich om en begon de trap af te lopen.

'Wacht even.' Ze liet haar blik over de overlijdensakte gaan. Ze begreep er geen woord van. Alleen *Kohen Aladár* en de datum. 'Hoe kom ik erachter of er erfgenamen zijn?' vroeg ze.

Sándor was al in het trapgat verdwenen. Ze rende hem na. 'Ik dacht dat er meer informatie op zou staan.' Ze gaf hem de overlijdensakte weer aan. 'Staat er niets over nabestaanden? Zijn vrouw? Kinderen?'

'Nee. Alleen dat hij in 1945 is overleden. Toen hij zesenveertig jaar oud was.' De meester had gesproken. Sándor duwde de deur naar de straat open. Een golf van verkeerslawaai overspoelde de binnenplaats. 'Ik moet nu gaan.'

'Het spijt me. Dr. Szabó kan u pas volgende week spreken. Ze heeft geen tijd… voor nieuwe cliënt.'

Alex had moeite om het goed te verstaan met al het straatlawaai. 'Maar ik moet iemand spreken. Het is dringend.'

'Belt u volgende week terug, alstublieft.'

'Ik kan niet wachten tot volgende week. Is er niemand die me kan ontvangen?' Alex deed haar oorbel uit en drukte de telefoon dicht tegen haar oor. 'Ik moet uitzoeken of een bepaalde persoon uit Boedapest erfgenamen heeft. Ik heb de overlijdensakte, maar dat is alles.'

'Wanneer is hij overleden?'

'In 1945.'

'Het spijt me.'

'Maar kunt u me niet helpen? Ik kom op aanbeveling van professor Sándor Antal. Kent u hem?'

'*Nem.*'

Alex haalde diep adem. 'Hij schijnt bevriend te zijn met dr. Szabó. En ik kom helemaal uit de States. Ik moet vanavond terugvliegen.'

'Het spijt me. U zult volgende week moeten terugkomen. Ja?'

Alex voelde zich verloren, kwaad en verward. Waarom ging alles hier zo moeizaam?

Ze haalde diep adem en probeerde het opnieuw. 'Luister, ik ben net in Boedapest aangekomen. Ik spreek geen woord Hongaars. Ik heb alleen iemand nodig die me kan helpen om wat informatie in te winnen. Kunt u me misschien helpen? Ik wil u er desnoods voor betalen.'

'Ik ben maar juridisch medewerker. Ik ben net klaar met mijn opleiding.'

'Dat geeft niet. Ik heb niet per se een advocaat nodig. Ik heb gewoon iemand nodig die me helpt om een familie te vinden die ooit in Boedapest woonde. Ze hadden een geheime bankrekening in Zwitserland.'

Stilte. In elk geval was de vrouw opgehouden met nee zeggen.

'Als we familie van Aladár Kohen vinden,' vervolgde Alex, 'ligt er in Zürich een miljoenenrekening op hen te wachten.'

De vrouw wachtte een paar seconden alvorens antwoord te geven. 'Misschien kunt u toch langskomen.'

'Dank u!'

'Maar vraagt u wel naar mij. Mijn naam is Sára.'

Onderweg naar het advocatenkantoor reed de taxi over een lange, brede avenue met links en rechts vervallen statige gebouwen. De naam, zag Alex, was Andrássy út – de boulevard waar de Kohens voor de oorlog hadden gewoond. Ze keek op de kopie die Rudi van het beheercontract had gemaakt. Ze had gelijk.

Ze vroeg de chauffeur even te stoppen voor huisnummer 6.

Het was een enorm neoklassiek appartementengebouw recht tegenover de opera. Er waren zevenentwintig deurbellen. Niet een ervan droeg de naam Kohen.

Ze probeerde er een paar. Telkens vroeg ze: 'Kent u een familie met de naam Kohen? Aladár Kohen?'

'*Nem*. Geen Kohen.'

Ze liet het de taxichauffeur in het Hongaars vragen. Het antwoord bleef gelijk: '*Nem*.'

Bij de deur van het advocatenkantoor stuitte Alex opnieuw op een hindernis. Alles op de goudpleet plaquette naast de deur was in het Hongaars gesteld. Ze drukte lukraak op knoppen, maar het haalde niets uit. Na een paar minuten liep er een zwangere vrouw naar de deur, toetste een code in en liep snel naar binnen. Alex greep de deur vlak voor hij dichtviel.

De jonge vrouw keek om en glimlachte haar toe. 'Bent u degene die ik aan de telefoon had?'

'Ja, ik ben Alex. Ben jij Sára?' vroeg Alex.

'*Igen*.' Ze stak haar hand uit. 'Sorry dat ik zo laat ben. Ik moest boodschap doen. Mijn baby komt spoedig en ik moet voor die tijd nog van alles regelen.'

'Gefeliciteerd. Je bent vast heel blij.'

'*Igen*.' Ze glimlachte. 'Ja.' Ze leidde Alex door een donkere gang en toen een lange trap op naar een brede houten deur. Binnen had het appartement meer weg van een woning dan van een kantoor. De kamer stond vol armstoelen en boekenschappen.

Sára wees Alex een gestoffeerde fauteuil in de hoek en sprak met een vrouw aan een groot houten bureau naast een raam dat uitkeek op de straat.

Alex staarde naar de overlijdensakte. Ze dacht aan Sándors verhaal over fascisten die gewonde Joden in de rivier dreven. Was dat Aladár Kohen ook overkomen? Was hij zo gestorven? Was hij op die manier aan zijn eind gekomen, ver van zijn huis?

Sára kwam naast haar zitten. 'Wat wilt u precies weten?'

Alex overhandigde haar de overlijdensakte. 'Zoals ik aan de telefoon al zei, heeft de familie Aladár Kohen een bankrekening in Zwitserland. Ze hoeven alleen persoonlijk te komen om hem op te eisen.' Alex zag dat de vrouw aan het bureau even opkeek toen ze de woorden 'bankrekening' en 'Zwitserland' uitsprak. Uiteindelijk stond ze op en kwam naar Alex toe. Ze ging naast Sára zitten en stak haar hand uit. 'Misschien kan ik helpen. Mijn naam is Szabó Antónia.'

Alex begon het verhaal opnieuw te vertellen, maar Antónia onderbrak haar vrijwel onmiddellijk. 'Nu je een overlijdensakte hebt, is het duidelijk wat je te doen staat. Je moet de geboorteakte opvragen.' Ze had duidelijk al die tijd meegeluisterd. 'Zo kun je meer te weten komen over zijn familie. Aangezien je de namen van zijn vrouw of zijn kinderen niet kent, is dat de enige manier.' Het viel Alex op dat haar Engels veel beter was dan dat van Sára.

Antónia vroeg om de overlijdensakte en las hem zorgvuldig door. 'Juist.' Ze keek op en glimlachte. Haar tanden waren geel, net als die van Ochsner. 'Dit vertelt ons natuurlijk niet wanneer hij geboren is, maar dat kun je eenvoudig uitrekenen. Zie je dat er staat dat hij zesenveertig jaar oud was toen hij in 1945 stierf?'

Alex knikte.

'Door zijn leeftijd van zijn sterfjaar af te trekken kun je zijn geboortejaar vinden.'

'En?' vroeg Alex.

'Ga met die informatie naar het Joods Centrum. Daar bewaren ze alle gegevens over Joodse staatsburgers van voor het communistische tijdperk.' Ze overhandigde Alex de kivonat. 'Vraag om de geboorteakte.'

'En als ik de geboorteakte heb?' vroeg Alex. 'Wat doe ik dan?'

'Aan de hand van het geboorteregister kan dan worden uitgezocht waar de familie woonde, wat hun beroep was, zelfs hoeveel kinderen ze hadden. Maar je moet eerst Kohen Aladárs geboorteaangifte vinden. Het zal niet gemakkelijk zijn.' Ze glimlachte meewarig. 'Het systeem van het Joods Centrum is – hoe zeg je dat? – ietwat verouderd.' Ze stond op. 'Maar gelukkig heb je Sára hier om je te helpen. Zij weet de weg in het Joods Centrum.' Ze stak haar hand uit om afscheid te nemen. 'Ik moet nu gaan. Ik word verwacht op de rechtbank.'

Alex schudde haar de hand. Hij was hard en vereelt.

'Geef het niet te snel op,' drukte Antónia haar op het hart. 'Als

je de gegevens die je zoekt niet in het Joods Centrum vindt, vind
je ze nergens. De stadsarchieven hebben geen informatie over
Joodse staatsburgers, in elk geval niet van voor de socialistische
tijd.'
'Waarom niet?' vroeg Alex.
'Omdat ze dat hier zo deden – voor de oorlog dan.'

'We hebben geluk. Ik ken de rabbi hier.' Sára leidde Alex naar
de ingang van het Joods Centrum. 'Daardoor kon ik zo snel een
afspraak regelen. Hij heeft mij in maart met mijn huwelijk geholpen.'
'Dus je bent Joods?' vroeg Alex.
'Ja.' Sára wees naar de grote synagoge aan hun rechterhand.
'Daarom besloot ik je te helpen. Toen je de naam Kohen noemde, wist ik dat het om een Joodse familie moest gaan.' Ze leidde Alex naar een metaaldetector bij de hoofdingang. De bewakers vroegen Alex alles wat ze bij zich had door de machine te
voeren, inclusief haar schoenen.
'Helaas is dit nu altijd nodig. Sinds 11 september. Een kenmerk
van de tijd waarin we leven.'
Alex keek rond op de binnenplaats en zag dat de davidsster was
gebruikt voor elk decoratief detail, inclusief het ontwerp op het
plafond van de neogotische arcade. Er lag een kleine stapel kei-
en in het midden van de binnenplaats.
'Dat is om de doden te gedenken,' legde Sára uit.
'En dit,' ze wees naar een verweerde bronzen plaquette links van
hen, 'is gedenkplaquette.' Ze streek met haar vingers over de
woorden: E HÁZ MÁRTÍRJAI – 1941-1945, emlékezzünk.
'Zie je?' Sára beroerde de letters EMLÉK. 'Dat betekent gedenken.' Ze wisselde een blik met Alex. Haar ogen stonden triest.
'Er staat dat dit gedenkteken is opgericht ter nagedachtenis aan
de martelaren van dit huis.'
Sára wees naar de lijst met namen op de onderste helft van de
plaquette. 'Het zegt dat we nooit mogen vergeten.'
Alex liet haar blik over de lijst met namen glijden: Grün János,
Horowitz Ferenc, Malesch Simon. Niet één Kohen.
Ze kregen toestemming om naar binnen te gaan, en Sára leidde

Alex via een lange trap naar een grote gelambriseerde ruimte die uitzag op een binnenplaats. Ze zei Alex te wachten bij een bureau bij de ingang en liep weg om hun 'geval' voor te leggen aan een man die aan een tafel naast het raam zat. Hij moest rond de tachtig zijn, en hij droeg een verbleekt blauw gebreid vest. Op zijn das, zag Alex, stond een reeks vreemde symbolen: een driehoek met bovenaan de letter H en onderaan twee E's. De driehoek leek op de piramide op een dollarbiljet en bevatte zelfs een menselijk oog bovenin.

Alex bleef geduldig staan terwijl Sára verscheidene minuten met de man sprak. Het licht dat door het raam achter de man naar binnen viel, verlichtte hun gezichten. Sára praatte langzaam en sprak de namen Kohen en Aladár verscheidene malen duidelijk uit.

Alex herinnerde zich Antónia's woorden: 'Als je de gegevens niet in het Joods Centrum vindt, vind je ze nergens.'

De man begon in de berg papieren op zijn bureau te zoeken. Na enkele minuten kwam Sára naar Alex toe om uit te leggen wat er gaande was. 'Hij vertelde me dat hij een uitzondering voor me zou maken en de informatie vandaag zal proberen te vinden. Maar hij werkt maar tot de lunchpauze. Daarna stoppen ze. En morgen is het kantoor gesloten.' Alex keek op haar horloge. Het was al elf uur.

Sára pakte de overlijdensakte en keerde terug naar het bureau van de oude man. Deze bekeek het document met grote zorg, alsof het de eerste keer was dat hij er een onder ogen kreeg. Na verscheidene minuten nam hij een in leer gebonden boek van een houten schap naast het raam en begon op de trefwoorden te studeren. Een voor een. Sára boog zich over zijn schouder en hielp hem om de handgeschreven tekst door te nemen.

Een oudere vrouw met dikke brillenglazen en een lange zwarte jurk kwam aanlopen, legde verscheidene mappen op de tafel en keerde terug naar haar bureau. Het klikken van haar harde schoenzolen op de houten vloer was het enige geluid in de ruimte.

Het systeem dat ze gebruikten, zag Alex, was sinds de negentiende eeuw niet meer veranderd. Geen computer, geen database, geen centrale lijst, geen kruisverwijzingen, zelfs geen register. Alleen een buitenmaats, handgeschreven boek met chronologische inschrijvingen – één boek voor elk jaar en een afzonderlijk hoofdstuk voor elke letter van het alfabet.

Alex keek nerveus wachtend toe hoe de oude man elke pagina persoonlijk doorvlooide. Nu en dan keek hij op en verloor hij zijn concentratie. Sára moest hem dan vriendelijk verwijzen naar het punt waar hij gebleven was.

Na ongeveer een uur te hebben gewerkt, liep Sára terug naar Alex en haalde haar schouders op. 'We zijn tot april gekomen. Helaas duurt het lang, omdat we niet weten in welke maand meneer Kohen geboren is. Het ziet ernaar uit dat er in het jaar 1899 veel kinderen zijn geboren in de Joodse gemeenschap van Boedapest.'

'Waarom kijken jullie in het boek van 1899?' vroeg Alex.

Sára keek verbaasd. 'Omdat op de overlijdensakte staat dat hij zesenveertig jaar was toen hij in 1945 stierf.' Ze kreeg een peinzende uitdrukking. '1945 min zesenveertig is 1899. Ja?'

'Nee. Niet per se.' Alex schudde heftig haar hoofd. 'Aladár Kohen stierf in januari. De *kivonat* zegt dat hij zesenveertig jaar oud was toen hij stierf, maar de kans dat hij in 1899 is geboren, is maar heel klein – tenzij hij vóór 22 januari is geboren. En je hebt de geboorteaangiften voor januari al nagelopen.'

Sára knikte aarzelend.

'Luister.' Alex stond op. 'Als hij na 22 januari is geboren, was hij bij zijn dood nog niet jarig geweest. Ja? Maar als hij was blijven leven, zou hij dat jaar zevenenveertig zijn geworden. Hij zou in 1945 zevenenveertig jaar zijn geworden, niet zesenveertig. En 1945 min zevenenveertig is 1898.' Alex wees naar de oude man, die over het geboorteregister van 1899 zat gebogen. 'Hij zit in het verkeerde boek te kijken!' Alex besefte dat ze bijna schreeuwde.

Ze keek op en zag dat de oude man en zijn assistente haar geschokt aanstaarden. Ze had kennelijk nóg een onuitgesproken regel geschonden: lever geen kritiek op het systeem. Hadden ze haar eigenlijk wel begrepen? Ze herhaalde haar uitleg. Ze staarden alleen maar. Ze wist dat ze gelijk had. Cijfers logen niet.

Alex stond op. Met stilzitten en geduldig afwachten zou ze niets opschieten.

Ze liep naar een kalender die aan de muur naast het bureau van de oude man hing. Hij staarde haar ongelovig aan.

Onder een foto van een menora stond een regel met alle maanden van het jaar – met de namen ervan in het Hongaars. Alex wees naar de eerste, *Január*. 'Dit is de maand waarin hij stierf. Ja?'

Hij gaf geen antwoord.

Toen wees ze naar de andere maanden. 'Het is zeker dat Aladár Kohen in een van deze maanden is geboren. Wat betekent dat hij niet in dat boek staat.' Ze wees naar het boek dat de oude man in handen had. 'Als u me toestaat...' Ze liep naar het boekenschap en pakte de band van het jaar 1898.

Ze bracht het naar de man en legde het voor hem neer. 'Hierin moet u kijken.'

Hij verroerde zich niet.

'Vindt u het goed als ik even kijk?'

Alex opende het boek en begon de lijsten door te nemen, langzaam en systematisch. Alle ingangen waren met de hand geschreven, zag Alex, met een ganzenveer zo te zien.

Haar oog viel op verscheidene namen: Kohnowitz, Kravitz, Kronenberg – maar er was niet één Kohen bij.

Sára bood Alex aan te helpen zoeken. Toen ze op pakweg een derde van het boek waren, zei Sára: *'Itt van!'* Ze wees naar een naam onder aan de pagina. Alex boog zich over de tekst en zag de naam, in zwarte inkt: *Kohen Aladár*.

Haar hart sprong op. Het trefwoord werd gevolgd door verscheidene handgeschreven woorden in het Hongaars en twee kleine davidssterren. Naast elke ster stond een nummer. 'En wat staat er?' vroeg ze aan Sára.

'Dat zijn vader professor was en Rihárd heette. De moeder heette Patricia.'

'En waar dienen die twee sterretjes voor?' vroeg Alex.

'Dat weet ik niet.'

Sára nam het boek mee naar de oude man en bracht verscheidene kostbare minuten door met het sussen van zijn gekwetste ego. Uiteindelijk ging hij weer achter zijn bureau zitten om de geboorteaangifte te lezen. Na een aantal seconden mompelde hij iets tegen Sára.

Ze richtte zich tot Alex om het te vertalen. 'De eerste ster betekent dat zijn moeder Joods was. Dat is belangrijk, want het is de moeder die bepaalt of je als Joods wordt beschouwd.'

'En de tweede ster? Is die voor zijn vader?'

'Nee. De godsdienst van de vader is niet zo belangrijk. Er staat dat Kohen Aladár met een Joodse vrouw is getrouwd. Dat is belangrijk omdat de kinderen dan als Joods worden beschouwd.'

'Dus hij had kinderen?'

'Dat weet ik niet. Ik zal het vragen.' Sára bracht Alex' vraag over aan de oude man. 'Hij zegt dat de enige manier om uit te vinden of er kinderen waren, zou zijn door de geboorteregisters een voor een door te kijken. Maar omdat we niet weten in welke jaren ze geboren zijn, zou dat dagen duren. Hij zei dat ze op het eind van elke maand alle namen opzoeken waarnaar mensen hebben gevraagd. Dus als je de familienamen geeft waarnaar je op zoek bent...'

'Maar ik kan niet wachten tot het eind van de maand. Kun je hem niet vragen om een uitzondering te maken en vandaag te zoeken?' Alex wierp een blik op de schappen vol banden met geboorteregisters. Het moesten er honderden zijn. 'Of misschien zou ik ze door kunnen nemen. Als het moet, blijf ik de hele middag zoeken.'

Sára bracht Alex' verzoek over aan de oude man, keerde toen terug naar Alex en zei: 'Hij zegt dat hij niemand in de boeken laat snuffelen.'

'Kun je hem niet vragen om een uitzondering te maken? Hem zeggen dat ik helemaal uit de Verenigde Staten kom? Dat ik morgen terug moet? Dat ik hem ervoor wil betalen, maakt niet uit hoeveel?'

'Ik betwijfel of het zal werken, maar ik zal het proberen.'

Alex wachtte terwijl Sára verscheidene minuten met de oude man overlegde. Ze hoorde het woord *nem* veel te vaak vallen om een gunstige afloop te verwachten. Terwijl ze wachtte, las Alex de geboorteaangifte verscheidene malen door. Het nummer naast de sterretjes intrigeerde haar.

'Wat betekent dit?' vroeg ze Sára toen zij terugkwam. De oude man was zijn vest al aan het aantrekken en zich aan het opmaken om te vertrekken.

'Ik zal het vragen,' antwoordde Sára.

Ze liep naar de assistente. Na de vraag te hebben gehoord, stond ze op en haalde het geboorteregister voor 1903 tevoorschijn.

'Wat doet ze?' vroeg Alex aan Sára.

'Kennelijk zegt het nummer naast de tweede ster, de ster die aangeeft dat zijn vrouw Joods was, waar haar geboorteaangifte te vinden is.'

De assistente bladerde snel naar een bladzijde achter in het boek. Ze liet haar wijsvinger langzaam over de pagina glijden, stopte toen bij een vermelding bijna onderaan. Ze begon in het Hongaars tegen Sára te praten.

Alex kwam erbij staan en keek naar de vermelding: Blauer Katalin. 18.I.1903. Achter de naam stonden verscheidene regels tekst.

Sára vertaalde ze voor haar. 'Hier staat dat Blauer Katalin is geboren op 18 januari 1903 en dat haar ouders Blauer Jacob en Strauss Júlia waren. Er staan twee adressen bij. Een ervan is hun huisadres op Andrássy út 6.'

'Daar woonden de Kohens in 1938!'

Sára richtte zich tot de assistente en sprak verscheidene minuten. Alex luisterde naar de klokken die buiten sloegen. Ze klonken als die bij het Anne Frank Huis. Ze hoorde ze twaalf keer slaan.

Sára kwam naar Alex toe en tikte haar op de schouder. 'Ze denkt dat de Kohens de flat moeten hebben geërfd na de dood van de ouders. Ze zei dat ze op het eind van de maand zou kunnen nagaan wanneer de ouders van Katalin overleden zijn.'

'Ik heb geen informatie nodig over overleden mensen,' antwoordde Alex. 'Ik zoek mensen die nog leven.'

'Waarom proberen we dan het telefoonboek niet?' zei Sára. 'Misschien is er nog iemand in leven van de familie Blauer.'

'Geweldig idee!' Alex zag een telefoonboek op het bureau van de oude man en liep ernaartoe. Sára hielp haar om de vermeldingen door te kijken.

'Het spijt me,' zei Sára na een paar minuten. 'Geen enkele Blauer.' Ze legde haar hand op Alex' arm. 'Maar we hebben het in elk geval geprobeerd.'

Alex keek op en zag dat de assistente het geboorteregister van 1903 terugzette op het schap. 'Wacht even!' Ze draaide zich om naar Sára. 'Zei je niet dat er twee adressen in stonden?'

'Je hebt gelijk.' Sára vroeg de assistente het boek te pakken. Ze sloeg het open bij de geboorteaangifte voor Katalin Blauer. Sára las de tekst zorgvuldig. 'Het is een fabriek.' Ze keek op naar Alex en haalde haar schouders op. 'Een lederfabriek.'

'En waar is het?'

'In Újpest. Een paar kilometer stroomopwaarts langs de Donau.'

De weg zat vol kuilen en de taxi schudde en rammelde. Alex zag Sára bij elke hobbel grimassen. 'Alles goed met je?' vroeg ze. 'Moeten we hem vragen rustiger te rijden?'

'Niet nodig.' Sára glimlachte. 'We zijn zo in Újpest. Het is niet ver.'

'Wanneer verwacht je je baby?' vroeg Alex.

'Over een paar weken.' Sára leunde naar achter en sloot haar ogen. 'Ze zeggen dat het een jongetje wordt.'

Alex herinnerde zich hoe ze Jannik in Amsterdam op de arm had gehad. Ze herinnerde zich zijn glimlach, zijn warmte, zijn geur – amandelen en babyolie.

Het landschap ging van negentiende-eeuwse vergane glorie geleidelijk over in vervallen woonkazernes in Oostblokstijl en velden met puin.

Plotseling reed de chauffeur het open veld in en zette de motor af. Hij mompelde iets in het Hongaars, stapte uit en stak een sigaret op.

'Hij zei dat dit het adres is.' Sára wees uit het raampje. 'Maar er is hier niets.'

Alex stapte uit en speurde de lege horizon af. Het enige wat ze ontwaarde, was een groot winkelcentrum in de verte en het woord 'Duna' in grote rode letters.

'Weet je zeker dat het hier is?' Alex klom weer naar binnen naast Sára. 'Kun je het hem nog een keer vragen? Voor de zekerheid?'

Sára sprak een paar minuten met de chauffeur, draaide zich toen om naar Alex. 'Hij zegt dat de fabriek misschien is verwoest in de oorlog.'
'Is er niet iemand aan wie we het kunnen vragen?' vroeg Alex.
'Niet dat ik weet.' Sára keek Alex spijtig aan. 'Sorry.'

Alex dwaalde door het centrum van Boedapest. Ze voelde zich compleet gefrustreerd. Na alles wat ze had weten te volbrengen, was ze nog geen stap dichter bij haar doel dan toen ze aankwam. Ze zag een internetcafé en ging naar binnen. Ze probeerde elke zoekmachine die ze kende, inclusief alle holocaustsites. Er waren honderden Kohens, tal van Blauers, duizenden Aladárs en Katalins, maar niet één Aladár Kohen, Katalin Kohen of Katalin Blauer. Wat was er met hen gebeurd? Waren ze allemaal in rook opgegaan?
Alex liep daas naar buiten. Ze liep langzaam door de smalle voetgangersstraten van Vaci Utca, zich afvragend wat ze nu moest doen. Teruggaan naar Zürich? Wat moest ze tegen Rudi zeggen?
Ze hoorde een oud disconummer, 'I Will Survive', uit een smal steegje komen. Ze volgde de muziek naar een kleine pub die The Amstel River Café heette. Ze ging naar binnen.
Het was er druk en lawaaierig. Ze ging aan de bar zitten. De Hollandse bierposters aan de muren herinnerden haar aan Holland en aan Nan en Susan en Marco.
Achter de bar zag ze verschillende rijen vreemd uitziende flessen likeur genaamd Unicum. Ze besloot een glas te bestellen. Of twee of drie. Waarom niet?
Kun je niet net zo goed de hele middag hier blijven en je bezatten? vroeg ze zichzelf. *Waarom zou je eigenlijk nog naar Zürich teruggaan? Waarom ga je er niet vandoor met Rudi's honderdduizend dollar en laat je de boel de boel?* Ze keek toe hoe de barman de stroperige vloeistof in een borrelglaasje schonk en het op de bar voor haar neerzette. Alex pakte het beet.
Proost!
'Doe het niet.' De stem klonk Amerikaans. 'Je zult het vreselijk vinden.'

Ze draaide zich om en zag een jonge man met donker stekelhaar naast haar aan de bar staan. Hij had een flesje Amstel in zijn hand.

'Waarom niet?' vroeg Alex. 'Het is een plaatselijke specialiteit. Zo erg kan het toch niet zijn?'

'Probeer het maar.'

Ze nam een slokje. Ze spuugde het bijna uit. Het was erger dan hoestdrank. Ze schoof het glas terug naar de barman.

'Zeg niet dat ik je niet gewaarschuwd heb.' De jonge man glimlachte en stak zijn hand uit. 'Mijn naam is Panos trouwens.'

'Aangenaam.' Alex bestelde een Amstel.

'Kom je uit de States?' vroeg hij. 'Ik heb er gestudeerd.'

'Waar?'

'Aan Brown. In Rhode Island.'

'Ik weet waar het is. Ik heb aan Yale gestudeerd.'

'Wauw!' Hij ging naast haar zitten. 'Twee topuniversiteiten. Wat een toeval.'

Haar bier arriveerde. Panos toostte met het zijne. 'Welkom in Hongarije.' Hij glimlachte. 'Hoewel ik geen Hongaar ben, voor het geval je het aan mijn accent hoorde. Ik ben Griek.'

'Wat doe je dan in Boedapest?' vroeg Alex.

'Ik studeer hier medicijnen. Mijn kandidaats heb ik op Brown gehaald. Ik had de hele studie graag in de States gedaan, maar het was te duur. En als buitenlander kon ik geen studielening krijgen. Dus doe ik het maar met Hongarije. Het is beter dan in Griekenland en ook goedkoper. Gelukkig worden de colleges in het Engels gegeven.'

'Hongaars is een ongelooflijk moeilijke taal, hè?'

Panos knikte. 'Ontzettend moeilijk.'

'Ik had vandaag zelfs hulp nodig om het telefoonboek te raadplegen.'

'Wat zocht je dan in het telefoonboek?'

Alex nam een slok van haar bier. Het was ijskoud. 'Niet iets. Iemand.'

'Wie dan?'

'Een familie die hier ooit woonde.' Alex nam nog een slok. 'Helaas lijken ze van de aardbodem verdwenen.'

Moet ik hem dit allemaal wel aan zijn neus hangen? vroeg Alex
zich af.

'Heb je oude telefoonboeken geprobeerd?' vroeg Panos.

'Wat zou ik daarmee opschieten?'

'Hé, dit is vijftig jaar lang een communistisch land geweest. Je
leert alles waarderen wat niet gecensureerd is. Je zou opkijken
wat je ervan kunt opsteken.' Panos nam nog een slok van zijn
bier. 'In de bibliotheek snuffel ik soms in oude telefoonboeken
en kranten, gewoon voor de lol. Vooral die van vóór de komst
van de Russen. Je moet het verleden nooit negeren, zoals Mnemosyne zou zeggen.'

'Wie?'

'Mnemosyne, de Griekse godin van het geheugen.'

Hij trok zijn kruk dichterbij. 'Mnemosynes taak was de sterve-
lingen eraan te herinneren dat ze niet mochten vergeten. Er is
zelfs een hele wetenschap naar haar genoemd. De geheugenleer.
Mnemoniek.'

'O, maar daar ben ik wel bekend mee. In de computerwereld
maken we heel veel gebruik van mnemoniek. Bijvoorbeeld om
wachtwoorden te onthouden, of lange codereeksen. Gelukkig
heb ik weinig moeite om cijfers te onthouden.'

'Werkelijk?' Panos trok zijn kruk nog wat dichterbij. 'Ik had
ooit een vriendin op Brown die nooit iets kon onthouden. Haar
geheugen was net een zeef. Ze was getrouwd met een van mijn
jaargenoten. Thalia, heette ze. Ze was een heel mooie vrouw.
Net als jij.' Hij glimlachte haar toe.

Alex vroeg zich af waarom ze plotseling overal slimme, knappe
jonge mannen tegen het lijf liep.

Haar nacht met Marco in Amsterdam schoot door haar hoofd
– gevolgd door de marathonsessie op internet van de vorige
nacht.

'Het was zo erg,' vervolgde Panos, 'dat Thalia nooit een verhaal
kon vertellen zonder haar man te vragen: "Schat, hoe heette die
man ook weer?" of: "Wanneer waren we daar ook alweer?"'
Hij glimlachte. 'Je kent dat wel.'

Alex knikte.

'Maar toen gingen ze uit elkaar. En mijn vriendin besefte dat ze zich weinig of niets meer herinnerde. Het was alsof ze al die jaren niet had geleefd. Het leek allemaal weg.' Hij maakte zijn flesje leeg en bestelde er nog een. 'Dus wat deed ze? Ze ging naar Cape Cod, huurde er een huis en is een volle week gaan schrijven over wat ze met haar man had meegemaakt. Gewoon om haar geheugen terug te krijgen.'

'Hielp het?' vroeg Alex. De barman verving hun lege flesjes door volle.

'Ze is nu een heel ander mens.' Panos glimlachte. 'Ze herinnert zich alles. Zelfs haar oude telefoonnummers. Alsof iemand dat zou willen!'

'Goed punt.' Alex herinnerde zich plotseling Sándors opmerking over oude telefoonboeken. Toen viel het kwartje. Oude telefoonnummers waren net als oude bankrekeningen: ze kunnen in de loop der jaren langer worden, maar vaak blijven de kerncijfers gelijk.

Toen herinnerde ze zich dat Eric haar hetzelfde had verteld: aan zijn nummer in Kopenhagen waren steeds cijfers en letters toegevoegd, maar het oorspronkelijke nummer zat er nog steeds ergens in verborgen.

Net als op de bank. De rekening van Kohen bij HBZ was in 1938 begonnen als een vijfcijferig nummer. Ze herinnerde het zich nog precies van de brief die door Kohen en Tobler was ondertekend: 24958. Maar in de loop der tijd was het geleidelijk uitgegroeid tot een twaalfcijferig monster: 230-SB2495.880-01L. Het huidige nummer zag er op het eerste gezicht heel anders uit, maar het oorspronkelijke nummer zat er nog steeds in – wachtend tot iemand het zou ontdekken.

'Waar zei je dat ik de oude telefoonboeken kon vinden?' Ze trok haar portemonnee om te betalen.

'Ze hebben ze in de bibliotheek waar ik altijd kom – de Nationale Bibliotheek. Op de Burchtheuvel, in Boeda.' Zijn blik werd helderder. 'Maar het hoofdgebouw van de telefoonmaatschappij is vlakbij.' Hij leegde zijn flesje. 'Ik wed dat ze ze daar ook hebben. Wil je dat ik meega om het je te laten zien?'

'Sorry, Panos. Maar dit is iets wat ik zelf moet doen.'

Het was vlak om de hoek: een saai betonnen gebouw met het woord TELEFONY in felgroene letters boven de ingang. Alex duwde de dikke glazen deuren open en liep naar een bureau met het bordje INFORMÁCIÓ.

'Hebt u hier oude telefoonboeken?' vroeg ze.

De vrouw aan het bureau staarde haar verscheidene seconden aan. Ze moest de vraag hebben begrepen, want ze wees langzaam naar een lange trap aan het eind van de hal en mompelde iets in het Hongaars. Alex herkende een van de woorden: *igen.*

Terwijl ze de trap op klom, zag Alex dat een wand naast de brede wenteltrap was bedekt met een grote plexiglas kaart van Boedapest waarop de verschillende wijken met grote Romeinse cijfers waren aangegeven. Precies zoals Sándor had gezegd, had elk stadsdeel een naam: Erzsébet, Teréz, Ferenc József.

Toen Alex boven aan de trap kwam, maakte haar hart een vreugdesprongetje. De lange zaal wemelde van de computers. Ze liep naar een jonge man die bij de receptie zat. Met zijn witte kraagloze overhemd zag hij eruit als een ziekenbroeder.

'Spreekt u Engels?' vroeg Alex.

'Een beetje.'

'Zijn deze computers verbonden met de database van de telefoonmaatschappij?' vroeg Alex. 'Ik ben op zoek naar het nummer van een fabriek in Újpest die eigendom is geweest van een familie Kohen.' Ze schreef de naam op een papiertje en overhandigde het aan de man. 'En daarna wil ik zoeken naar dezelfde cijferreeks in nummers van alle bedrijven die...'

'Die zijn voor internet.' De man haalde zijn schouders op. 'Om te surfen.'

'Prachtig. Maar ik moet eerst een oud nummer vinden van een fabriek, de Blauer lederfabriek, en daarna wil ik alle nummers nalopen die diezelfde reeks bevatten.'

'Oude nummers staan daar.' De jonge man wees naar een lage metalen archiefkast aan de andere kant van de zaal. 'Daar staan oude telefoonboeken. U kunt zelf kijken.'

'Dank u wel.' Alex liep erheen, knielde neer bij de eerste kast en schoof de deur open.

De smalle schappen lagen vol oude telefoonboeken, lukraak opgestapeld. Ze trok er een tussenuit. De titel was abracadabra voor haar – *Távbeszélő, Betűrendes és Szaknévsora* – maar het jaartal was duidelijk leesbaar: 1936.

Ze sloeg de gids open bij de K en voelde een scheut adrenaline toen ze de naam in druk zag: Kohen, Aladár. En het adres klopte ook.

Ze ging terug naar de balie en vroeg de jonge man of er bedrijvengidsen uit die tijd waren. 'Geen bedrijvengidsen – niet van vóór de Tweede Wereldoorlog.' Hij wees naar het *Távbeszélő*-boek dat ze nog steeds in haar hand had. 'Bedrijven staan daarin. Samen met namen van mensen.'

Ze bladerde naar de B en vond een vermelding voor Blauer.

'Is dit een bedrijf of een familie?' vroeg ze.

De man boog zich over het boek. 'Is bedrijf. Lederfabriek. In Újpest.' Het had dezelfde namen die Sára in het Joods Centrum had opgeschreven. Alex wees naar 43632, het nummer achter het adres. 'Bestaat dit nummer nog?' vroeg ze. 'Ik weet dat de familie en de fabriek misschien niet meer bestaan, maar als dit nummer nog steeds bestaat – in welke vorm dan ook – is het misschien mogelijk om iemand te vinden die weet wat er met hen is gebeurd. De huidige eigenaar van het nummer kan me dat misschien vertellen.'

'*Nem.* Nummer niet meer in gebruik.'

'Dat weet ik,' hield Alex aan, 'maar misschien zijn er andere cijfers aan toegevoegd, zoals een nieuw kengetal.' Ze wees naar de computer op het bureau. 'Kunt u het nummer niet in de computer invoeren om dat na te gaan? U hoeft alleen maar een regressieanalyse uit te voeren, ik weet zeker dat het een...'

De medewerker begon zijn hoofd te schudden voordat Alex was uitgesproken.

'Maar als u dit nummer op jullie database loslaat, kunt u het vergelijken met de lijst van bedrijven die met leer werken. Bedrijven die nu misschien nog bestaan.'

'*Nem.*' Hij schudde zijn hoofd.

'Nee, dat kan u niet? Of nee, dat wilt u niet doen?'

Hij staarde Alex aan en haalde zijn schouders op.

Ze haalde diep adem. 'Luister, ik vraag alleen of u wilt nagaan...'
Hij begon zijn hoofd weer te schudden voordat ze de kans had
gehad om haar zin af te maken. Hij draaide haar de rug toe en
begon te rommelen in paperassen op een schap achter hem. Het
was overduidelijk dat hij geen vinger zou uitsteken om haar te
helpen.

'Laat mij het dan doen.' Alex klopte op de monitor. 'In vijf minuten heb ik het voor elkaar.'

'Nee.' Hij keek niet eens op.

'Verkoop me dan de cd-rom van de gids. Ik neem hem wel mee
daarheen.' Ze wees naar de internetterminals. 'Dan kan ik de
regressieanalyse zelf uitvoeren.'

'*Nem* cd-rom.' Hij keek op en haalde zijn schouders op.

'Hebben jullie geen gedigitaliseerde gids?' Alex' stem schoot omhoog. 'We leven verdomme in de eenentwintigste eeuw.' Ze pakte de monitor en draaide hem ietwat bij. Ze herkende het soft-
wareprogramma onmiddellijk. Het was hetzelfde programma
dat ze tijdens haar studie had gebruikt.

'Een makkie.' Ze draaide de monitor naar zich toe. 'Geef me gewoon vijf minuten om...'

'*Nem!*' Een hand daalde neer en greep haar pols. Een oudere
man in driedelig grijs was uit de achterkamer opgedoken, waarschijnlijk gealarmeerd door Alex' geschreeuw. Hij hield Alex'
pols strak vast en zei iets in het Hongaars. Zijn greep deed pijn.
Alex rukte zich los. 'Blijf van me af!'

'U hebt het recht niet onze computers aan te raken,' riep hij. Hij
rook net als Crissier, een mengeling van zweet en oude knoflook.

'Ik wil alleen nagaan of er nog nummers in gebruik zijn die deze reeks cijfers bevatten.' Alex wees naar de ingang Blauer in de
gids. 'Kunt u me alstublieft helpen? Ik wil alleen...'

'Dit is het enige wat ik u kan geven.' Hij overhandigde haar een
telefoongids. 'Ik mag u geen toegang geven tot onze computer-
bestanden.'

'Waarom niet?'

'Om veiligheidsredenen.'

'En u hebt geen cd-rom? Niets op het web met een database?'

'Dit is het enige wat aan het publiek ter beschikking is gesteld.'
Hij wees naar het dikke boek.

'Maar hoe kom ik hier verder mee?' Alex sloeg de eerste pagina met nummers op. 'Dit gaat eeuwen duren.' Ze liep met haar wijsvinger razendsnel de eerste kolom langs. Er zat niet één nummer bij dat de reeks 43632 bevatte, in geen van de drie kolommen. Ze was juist aan de tweede pagina begonnen, toen ze zijn hand op haar schouder voelde.

'Meent u dat nou?' vroeg hij, aanzienlijk rustiger nu. 'Gaat u echt het hele boek doornemen?'

'Desnoods.' Alex keek op. 'Ik ga geen moeite uit de weg.'

Hij ging naast haar zitten. 'Waar bent u precies naar op zoek?'

'Ik wil zien of dit nummer nog steeds bestaat.' Ze schreef de vijfcijferige reeks op een stuk papier dat op het bureau lag. 'Het zou kunnen dat degene die het nu heeft op een of andere manier banden heeft met de familie die het nummer in de jaren dertig had.'

'Maar als mensen een nieuw nummer krijgen, houdt het geen verband met het vorige.'

'Maar wel als het om een bedrijf gaat.' Alex probeerde kalm te praten. 'Als een bedrijf van naam of van eigenaar verandert, of verhuist, houdt het toch gewoon het oude nummer? Voor de continuïteit, zodat de klanten het bedrijf kunnen vinden?'

'Dat is mogelijk, ja.' De man knikte.

Alex ging terug naar de lijst. 'Dus zelfs als er in de loop der jaren cijfers aan zijn toegevoegd, zou het oorspronkelijke nummer er nog in schuil moeten gaan.' Ze liep met haar vinger de derde kolom langs. 'Het moet hier ergens zijn.'

'Maar dat is de personengids.' De man reikte om de hoek en diepte de bedrijvengids op.

'U hebt deze nodig.' Hij sloeg de gids open bij de index. 'Wat voor soort bedrijf zei u dat het was?'

'Een lederfabriek.' Ze toonde hem het papier waarop Sára in het Joodse Centrum had geschreven. 'De naam was oorspronkelijk Blauer, maar de eigenaars waren een familie met de naam Kohen.'

'Laat eens kijken.' Hij liep de lijst met categorieën na. 'Hier.'

Hij bladerde door naar een pagina in het midden van het boek en liet hem aan Alex zien. 'Dit zijn alle bedrijven die iets met leer doen. Maar er zijn er geen bij die Blauer of Kohen heten.' Alex keek de lijst snel door, pakweg dertig vermeldingen. Niet een van de nummers bevatte de vijfcijferige reeks waar ze naar zocht. Ze draaide zich om om het boek aan de man terug te geven, maar hij was verdwenen.

De jonge man aan het bureau wees naar de archiefkasten met de oude boeken. 'Hij is daar.'

Alex liep naar hem toe. Hij zat op de vloer een stoffige oude band te doorzoeken. Opnieuw was het jaartal het enige wat Alex op het omslag kon ontcijferen: 1947.

'Ook hier geen vermelding van de lederfabriek.' Hij keek niet op. 'Het had er wel in moeten staan. Er waren toen geen bedrijvengidsen.' Hij bladerde snel naar de K. 'Hier kom ik ze ook niet tegen. Met een naam als Kohen is het niet vreemd dat ze het niet overleefden.'

'Aladár Kohen stierf in januari 1945.'

Hij keek naar haar op. 'Naar wat ik heb gehoord, was het toen een grote chaos. Wat de nazi's niet opbliezen, bliezen de sovjets op. Ik geloof niet dat ze zelfs telefoonboeken uitgaven in die...' Hij zweeg abrupt.

'Wat is er?' vroeg Alex.

'Als ik me goed herinner...' Hij boog zich naar voren en inspecteerde de boeken uit de oorlogsjaren zorgvuldig. 'Ja, dat is het. Ze eindigen bij 1943 en beginnen pas weer in 1947. Dit moet u hebben.' Hij trok een dik, in papier gebonden pamflet tevoorschijn. Op de titelpagina stond: *Pótfüzet – Magyar Postavezérigazgatosag – 1945*. Het was met de hand geschreven.

'Is dat het telefoonboek van 1945?' vroeg Alex.

'Niet echt... Het is het wijzigingenboek.' Hij bladerde snel door de flinterdunne pagina's. 'Omdat er in 1945 geen telefoonboek uitkwam, verscheen er alleen een lijst met wijzigingen ten opzichte van de laatste uitgave. Zodoende hoefden ze geen compleet nieuwe gids te drukken. De mensen hoefden alleen hierin te kijken om te zien of iemand een nieuw nummer had.' Hij bladerde door de B en de K. 'Hier staan ze evenmin... Maar als ik me goed herinner...' Hij bladerde door naar een handgeschreven lijst achterin. 'Deze nummers zijn later toegevoegd. Nadat het boek was uitgegeven. Het dateert uit de periode helemaal aan het eind van de oorlog, toen de nazi's binnen kwamen marcheren.'

'Dus als een bedrijf door de nazi's was geconfisqueerd,' vroeg Alex. 'Als ze ontdekten dat de eigenaars van een fabriek Joods waren...'

'Precies.' De man liep met zijn vinger langs de twee kolommen waaruit de lijst bestond. 'Als de fabriek in beslag was genomen – of was verkocht aan een Arische familie.'

Alex boog zich over zijn schouder om mee te lezen. De hele lijst was met de hand geschreven, maar de nummers waren leesbaar. Halverwege de pagina zag ze het: 43632. Het nummer van de oude Blauer-fabriek was amper leesbaar, maar het stond er. Het werd gevolgd door verscheidene woorden in het Hongaars.

'Wat staat er?' vroeg Alex.

'Er wordt verwezen naar de ingang Vilmos. Er is kennelijk een ander bedrijf.' Hij reikte weer naar het telefoonboek van 1943. '*Gumi* betekent "rubber", maar ze deden waarschijnlijk ook in leer. Misschien mochten ze van de nazi's de fabriek overnemen.' Hij keek op. '*Itt van!*' Hij knikte. 'Dat betekent "eureka", weet u.' Hij overhandigde Alex het boek en toonde haar de vermelding van Vilmos Gumi.

'Ik vraag me af of die fabriek nog bestaat. Zo ja, dan weten ze daar misschien wat er met de Blauers of de Kohens is gebeurd. Als zij degenen zijn die de oude Blauer-fabriek hebben overgenomen.'

De man ging terug naar zijn bureau en keek de actuele bedrijvengids aandachtig door. Hij begon zijn hoofd te schudden. 'Niets. Geen vermelding van een fabriek die Vilmos heet. Ik heb overal gekeken. Onder rubber. Onder leder. Onder alles wat maar in de buurt komt van dat soort bedrijvigheid.'

'Maar hoe zit het met de privénummers?' Alex greep de andere gids en sloeg de letter V op. 'Kijk! Hier staat het.' Ze wees naar een ingang in de lijst.

De man las het hardop voor. 'Vilmos Zsuzsi, Közraktár Utca

22. Telefoon 2174801.' Hij keek naar haar op en glimlachte. 'Zsuzsi is haar doopnaam. Ik denk dat het Susan betekent, ja?'

Er stond een straffe wind toen Alex, met het papier met het adres van mevrouw Vilmos stevig in haar hand geklemd, langs de Donau liep.
Ze wierp een blik op de heuvel rechts van haar en zag een enorm standbeeld van een vrouw die haar armen in de lucht hield en iets vasthad wat leek op een veer ter grootte van een huis. Of misschien was het een olijftak, of een lauwerkrans – een symbool van victorie.
Ze drukte op de bel bij de naam VILMOS, deed een stapje terug en wachtte.
'Hallo?' Het was dezelfde stem die Alex over de telefoon had gehoord.
'Mevrouw Vilmos, dit is Alex Payton, de vrouw die u heeft opgebeld.' Voordat Alex er iets aan toe kon voegen, begon de deur te zoemen. Hij bleef zoemen tot ze de overloop op de tweede verdieping bereikte.
De oude vrouw stond in de deuropening. Ze droeg slippers en een peignoir. Ze hield de deur met één hand open, met de andere wenkte ze Alex naar binnen. Ze had donkere kringen onder haar ogen. Ze zag er vermoeid uit. Maar haar stem was krachtig. 'Hallo! Hallo! Kom binnen.'
'Dank u.' Alex schudde haar hand. Die was klein. Haar handdruk was zwak. 'Vindt u het goed dat we Engels spreken?' vroeg Alex.
'O, je bent Amerikaans!' De ogen van de vrouw lichtten op. 'Ja, natuurlijk, Engels. Dat gaat veel beter. Kom toch binnen.' Ze sprak Engels met een zwaar accent. 'Ga zitten. Maak het je gemakkelijk.' Ze wuifde nonchalant terwijl ze zich in de versleten armstoel liet zakken.
Het kleine eenkamerappartement rook naar schimmel. Het meubilair bestond uit de verbleekte armstoel en een bed. De vloer was bedekt met versleten oosterse tapijten.
Alex nam plaats op het smalle bed. Het was bedekt met een versleten, gehaakte sprei. 'Excuses voor deze janboel.' Mevrouw Vilmos haalde gelaten haar schouders op. 'Het is niets vergele-

ken bij wat ik vroeger had. Voordat de communisten alles weg-haalden.' Ze maakte een luchtig wegwerpgebaar.

Deze vrouw bezat iets elegants, viel Alex op, ondanks haar be-scheiden omgeving, ondanks haar armoede. Ze zat rechtop, vor-stelijk en zelfverzekerd. En haar haar sprankelde. Toen Alex be-ter keek, zag ze dat de vrouw een fijn haarnetje droeg waarin piepkleine gekleurde siersteentjes waren verwerkt.

'Dat is mijn moeder.' Ze wees naar een ingelijste zwart-witfoto op de tafel rechts van Alex. 'Ze was mooi, nietwaar?' De vrouw op de foto droeg een ruimvallende negentiende-eeuwse japon en een flonkerende tiara. Ze werd omringd door Griekse zuilen en verscheidene potplanten.

'Die is genomen in ons landhuis, in Miskolc,' lichtte Zsuzsi toe. 'Hij is al oud, natuurlijk, zoals alles hier. Net als ikzelf.' Ze glim-lachte.

'Prachtig.' Alex gaf de foto terug. 'Mevrouw Vilmos, ik zou u graag een paar vragen stellen.'

'Zeg maar Zsuzsi.' Ze sprak het uit als *Shushi*.

Alex haalde diep adem. 'Zsuzsi, ik ben op zoek naar de familie van Aladár Kohen. Ik begrijp dat hij in 1945 in Boedapest is overleden, maar...'

'Ja, in de oorlog.'

Alex knikte. 'Ik probeer erachter te komen of zijn vrouw of kin-deren nog in leven zijn.'

Zsuzsi boog zich naar voren. 'De Blauers waren in feite goede bekenden van mijn man. Zelf kende ik ze niet erg goed. Maar ik weet wel – via mijn man – dat Kohen Aladár met de enige dochter van meneer Blauer was getrouwd. Ze heette Katalin, als ik het goed heb. Hoe dan ook, hij nam de Blauer-lederfabriek over toen meneer en mevrouw Blauer stierven. En ik geloof dat ze twee kinderen hadden, een zoon en een dochter.'

Eindelijk. Alex had iemand gevonden die de Kohens had gekend. Ze waren niet langer een illusie. Ze waren echt.

'De lederfabriek van de Blauers was de grootste van Hongarije. Ooit zelfs de grootste van het Oostenrijks-Hongaarse Rijk. In de oorlog waren ze gedwongen haar te verkopen. Ze waren Joods, zie je.'

Alex knikte. 'Dat weet ik.'

'Ze vroegen mijn man, Karl, om de fabriek van hen te kopen om te voorkomen dat de nazi's haar in handen kregen. Mijn man was een goed mens. Heel behulpzaam. Dus toen de Russen hem op een dag om hulp kwamen vragen...'

'Mevrouw Vilmos. Zsuzsi. Ik moet het weten. Hoe is het de Kohens vergaan?'

'Het was vreselijk.' Zsuzsi's ogen schoten vuur. 'Ik heb het allemaal gehoord toen ik in het *Konzentrationslager* zat.'

'Zat u met de Kohens in het concentratiekamp?' vroeg Alex opgewonden.

'Nee. Ik zei toch al dat ik in Miskolc woonde. In het noorden. Ze deporteerden ons lang voordat ze de Joden uit Boedapest begonnen te deporteren. Ik werd al vroeg naar Auschwitz gestuurd. In 1944. Maar ik werd overgeplaatst naar een werkkamp, omdat ik sterk was, destijds.' Zsuzsi zuchtte diep. 'Het was in Allendorf. In Duitsland. Ik moest meehelpen bommen maken – nazibommen. Ik was daar een jaar, maar dat was meer dan genoeg.'

Ze viel weer stil en hield haar handen kalm gevouwen in haar schoot.

Het tikken van een klok vulde de kamer – nu en dan onderbroken door een sirene buiten in de drukke straat. Het appartement rook net als de kamer van Alex' moeder op het eind had geroken – naar een zieke, oude vrouw.

'In 1945 kwamen de Amerikanen ons bevrijden,' vervolgde Zsuzsi. 'Ze behandelden ons geweldig, dat moet ik zeggen. Ik zal ze nooit vergeten, de Amerikaanse soldaten. Ze gaven ons alles wat we maar wensen konden – chocola, sigaretten, kousen. Dingen die ik de hele oorlog niet gezien had.' Ze leunde naar achter en sloot haar ogen. 'Ze stopten me zelfs in een *Spital*, een herstellingsoord, als dat het goede woord is. Ze gaven me zo goed te eten dat ik meer dan honderd kilo woog toen ik naar Hongarije terugkeerde.'

Alex schatte dat ze nu amper honderd pond woog. Dit kleine, fragiele vrouwtje had ooit twee keer haar huidige omvang gehad. 'Wanneer precies hoorde u wat er met de Kohens is gebeurd?' vroeg ze.

'Toen ik Duitsland verliet, zat mijn koffer vol geschenken van de Amerikaanse soldaten.' Ze slaakte een zucht. 'Maar toen ik in Tsjechoslowakije arriveerde, pikten de bezetters, de Russische soldaten, alles in, met koffer en al. Alle chocola, het voedsel, de kousen... Alles.'

'En de Kohens?'

'Toen ik terugkwam in Hongarije, had ik niets. En mijn familie was weg. Ze waren allemaal vermoord. Toen ik dat hoorde, besloot ik naar Boedapest te verhuizen. Daar heb ik toen mijn man Karl ontmoet.' Zsuzsi depte haar ogen met haar zakdoek. Alex wachtte een moment en vroeg toen: 'Wanneer hebt u de familie Kohen dan ontmoet?'

'Ik heb de Kohens nooit ontmoet.' Zsuzsi leek boos om de vraag.

'Maar ik dacht dat u zei dat u hen kende?' *Werd dit weer een vruchteloze onderneming?*

Ze schudde haar hoofd. 'Ik zat in het *Konzentrationslager*, hoe had ik hen nu kunnen kennen?'

'Zsuzsi, luister. Het is heel belangrijk dat ik te weten kom wat er met hen gebeurd is. Er is een bankrekening in Zwitserland die hun toebehoort.'

'De Blauers waren meer vrienden van mijn man. Omdat hij geen Jood was, kon hij hun fabriek van hen kopen toen de nazi's kwamen, aan het eind van de oorlog. Daarna, toen de sovjets kwamen, werd de fabriek beschadigd – behoorlijk ernstig zelfs. Maar mijn man werkte hard om de boel weer draaiende te krijgen. Een jaar na mijn terugkeer zijn we getrouwd. Hij was een goed mens. Toen, op een dag, ik denk dat het in 1947 was, kwam er een stel Russische soldaten aan de deur die tegen mijn man zeiden dat ze zijn hulp nodig hadden. "*Malinki robot,*" zeiden ze. Weet je wat dat betekent?'

Alex besloot haar maar gewoon te laten praten, net zoals ze bij Sándor had gedaan. 'Het betekent: "Kom ons helpen met het werk." Dat is wat ze die dag tegen hem zeiden. "Kom ons helpen. Dat is alles. We hebben je nodig. Alleen vandaag." Dus ging hij mee.' Zsuzsi was even stil. 'Ik heb hem nooit meer teruggezien.'

Ze begon te huilen.

Alex stond op en knielde naast haar. Ze nam Zsuzsi's kleine handen in de hare. 'Toe maar. Het is goed.'

'Ze deporteerden hem naar Siberië,' snikte Zsuzsi. 'Iemand vond een briefje dat hij uit de trein had gegooid en bracht het naar me toe. Ik heb het nog steeds.' Ze keek wanhopig rond in de kamer. 'Het moet hier ergens zijn.'

'Laat maar,' zei Alex. 'Het geeft niet.'

'Hij vroeg aan de vinder van het briefje om naar mij toe te gaan en me te vertellen wat er gebeurd was – dat hij werd gedeporteerd. De vinder moest me vertellen dat hij van me hield.' Zsuzsi trok haar zakdoek en veegde haar tranen weg. 'Ik heb nooit meer iets van hem gehoord. Nooit.' Ze leunde terug in haar stoel.

Alex liep naar het keukenblok om een glas water voor Zsuzsi te halen. Ze reikte het haar aan en bleef rustig naast haar wachten tot ze haar zelfbeheersing had hervonden.

'Ik hoopte dat hij terug zou mogen komen,' vervolgde Zsuzsi. 'Maar hij kwam niet. En toen pakten de communisten de fabriek van me af. Ze pikten alles in. Ik mocht blij zijn dat ik dit appartement kon krijgen. Dit is alles wat ik nu heb.'

De telefoon rinkelde.

Zsuzsi stond met grote moeite op om op te nemen. 'Zie je wat de nazi's me aangedaan hebben?' Ze strompelde naar de telefoon.

Terwijl Zsuzsi in gesprek was, stelde Alex zich voor hoe ze moest hebben geleden onder de nazi's, hoeveel ze uit haar verhaal moest hebben weggelaten. Ze herinnerde zich de video in het Anne Frank Huis die het lijden en de marteling, de honger en de macabere nazi-experimenten toonde.

Zsuzsi zei verscheidene malen *Servus* alvorens op te hangen.

Alex hielp haar terug naar haar stoel. Als je het geld ooit krijgt, nam ze zich voor, dan zorg je dat deze vrouw ook iets krijgt, dat ze een huis krijgt, en de medische zorg die ze verdient.

'Het was verschrikkelijk wat ze deden,' zei Zsuzsi terwijl ze ging zitten.

'Wat wie deden?'

'De nazi's. Daarom ben je toch hier? Om uit te zoeken wat ze de Kohens hebben aangedaan?'

'Ja, natuurlijk.' De moed zonk Alex in de schoenen. 'Ik vroeg me net af wat...'

'Het was aan het eind van de oorlog, vlak voordat de Russen Boedapest binnenkwamen. Aladár Kohen behoorde tot de eerste lichting mannen die vermoord werden. Ze lichtten ze midden in de nacht van hun bed, namen ze mee naar de rivier en schoten ze dood...

Zijn vrouw Katalin schijnt nog een heleboel geld aan een of andere naziofficier te hebben betaald in ruil voor een veilige doortocht naar Roemenië. Daar was het toen veilig voor Joden, zie je.' Zsuzsi boog zich naar voren en staarde in Alex' ogen. 'Maar ze werd verraden.'

'Hoe?'

'Verschillende families werden verraden. Ze betaalden de nazi's om hen naar Roemenië te laten gaan. De sovjets kwamen eraan, dus wilde iedereen geld – zelfs de Duitse soldaten.' Ze haalde diep adem. 'De Blauers stapten op een trein, een normale trein naar het schijnt. De nazi's zeiden dat ze allemaal naar Boekarest zouden worden gebracht. Dat ze daar binnen twaalf uur zouden zijn.' Zsuzsi zweeg even. 'Maar weet je wat ze deden, die nazizwijnen? De officieren pakten al dat geld aan met de belofte dat ze hen zouden helpen ontsnappen. Maar ze stuurden die trein naar een bos in het oostelijke deel van Hongarije en...' Zsuzsi's stem brak. 'Ze vermoordden iedereen.'

'O, mijn god.'

Zsuzsi leunde naar achter. 'Gelukkig was de dochter daar al.'

'Welke dochter?' schreeuwde Alex bijna. 'Waar?'

'Het jongste kind. Zij was al in Roemenië.'

'Een dochter heeft de oorlog overleefd?'

'Magda. Een geweldige jonge vrouw. Ik heb haar een keer ontmoet. Hier, in dit appartement. Dat was nadat de sovjets mij de fabriek van mijn man hadden afgepakt, nadat ze hem naar Rusland hadden gestuurd.' Zsuzsi diepte haar zakdoek op. 'Ik heb nooit meer iets van hem gehoord.'

'Is Magda nog in leven? Weet u waar ik haar kan vinden?'

'Volgens de laatste berichten die ik hoorde, was ze op weg naar Amerika. Ze kwam hier met de boodschap dat ze mijn man wilde spreken. Ze had geld nodig om weg te komen, zei ze. Maar Karl was al opgepakt door de Russen. Ik kon niets voor haar doen. De communisten hadden alles al gestolen.'

Alex leunde naar voren. 'En heeft ze Amerika weten te bereiken?'

Zsuzsi schudde haar hoofd. 'Ik weet het niet. Dat is het laatste wat ik van haar heb gehoord.'

'Is er misschien iemand anders die het zou kunnen weten? Een andere bekende van de familie?'

Ze wuifde met haar hand. 'Ik weet zeker dat er niemand anders is.' Haar ogen vulden zich weer met tranen.

18

Zürich

Dinsdagavond

De zon ging onder toen Alex' vliegtuig in Zürich landde. Ze had het gevoel alsof het de langste dag van haar leven was geweest – en hij was nog niet voorbij.

Ze probeerde Rudi te bellen vanaf het vliegveld. Net als tevoren werd er niet opgenomen, op geen van zijn nummers. Ze besloot geen bericht achter te laten. Deze informatie was te belangrijk.

Zodra ze op haar kamer in het Wellenberg was, sloot ze haar laptop aan. Vlak nadat ze hem had opgestart, werd er op de deur geklopt. 'Doe open. Ik ben het, Rudi.'

'Je zult niet geloven wat ik te weten ben gekomen,' vertelde ze hem toen ze de deur opende. 'Er is een dochter die...'

'Wacht.' Rudi schoot naar binnen. 'Je weet nooit wie er meeluistert.'

Hij sloot de deur zorgvuldig achter zich. 'Wat ben je te weten gekomen?'

'De Kohens hadden een dochter die Magda heette. En kennelijk heeft ze de oorlog overleefd. Ze zat in Roemenië. Maar ik weet niet of...'

'Heb je haar het formulier laten tekenen? Hebben we toegang tot de rekening?'

'Niet zo snel.' Alex boog zich weer over haar laptop. 'Ik heb haar nog niet gevonden. De laatste keer dat ze gezien is, was ze op weg naar Amerika.'

'We moeten haar vinden.' Rudi volgde haar naar het bureau. 'We hebben iemand nodig die ons machtigt om weer bij de rekening te kunnen.'

'Ik heb de naam Magda Kohen al gezocht voordat ik uit Boedapest vertrok, maar net als bij Aladár Kohen is er op internet geen spoor van te vinden.'

'Nou, blijf zoeken.' Hij streek met zijn handen door zijn haar. 'Je had me moeten zien op de begrafenis. Ik was bloednerveus omdat ik met Max Schmid over koetjes en kalfjes moest praten. Je hebt geen idee wat ik heb doorstaan. Met hem te moeten praten terwijl ik wist wat ik wist.'

Alex typte 'Magda Kohen' in een nieuwe zoekmachine en klikte op Zoeken. 'Nog steeds niets.'

'Hij gedroeg zich alsof er niets aan de hand was.' Rudi veerde op. 'Weet je wat hij me vroeg? Of de mooie dame die ik gisteren bij me had mijn vrouw was. Pechlaner moet hem over ons bezoek hebben verteld.' Hij kwam bij Alex staan. 'Maar ik geloof niet dat ze weten wat wij ontdekt hebben. Schmid vertelde me dat hij ernaar uitzag om zijn werk als mijn fondsbeheerder voort te zetten. Dat hij zijn best zou doen om het voor mij even goed te doen als voor Ochsner. Hij gedroeg zich heel normaal – alsof alles op de oude voet zou doorgaan.'

'Natuurlijk. Waarom de kip met de gouden eieren slachten?' Alex probeerde een andere zoekmachine. Nog steeds niets. Ze vroeg zich af waar Magda nu was. Was ze erin geslaagd Amerika te bereiken? Was ze getrouwd? Was haar meisjesnaam daarom nergens te vinden? Zou ze kinderen hebben? Leefde Magda eigenlijk nog wel?

'Bovendien,' vervolgde Rudi, 'bleef hij opscheppen over het geweldige rendement dat ze door de jaren heen hadden behaald.

Zie je het voor je? Op de begrafenis, nota bene, in het bijzijn van het lichaam. Hij was walgelijk. Dik. Enorm. Zoals je alleen in Amerika ziet.'

'Niet alleen in Amerika.' Alex bleef doorwerken aan de computer terwijl ze praatte. 'Dan moet je de consultant zien die mijn project op de bank superviseert. Die is gigantisch. En hij is een Zwitser. En dan die man die ik vandaag bij de telefoonmaatschappij in Boedapest zag.'

'Oké, maar dat zijn geen witwassers.'

'Dat is waar.' Alex draaide zich om en keek op naar Rudi. 'Heb je er ooit bij stilgestaan dat Schmid misschien echt niets weet van die witwasoperaties? Dat het ook Ochsner kan zijn geweest die met ze werkte? Dat Ochsner degene was die Schmid opdroeg om in de nepfondsen op Cyprus te investeren en dat Schmid gewoon deed wat zijn cliënt hem opdroeg?' Ze dacht even na. 'Misschien pleegde Ochsner daarom wel zelfmoord toen hij zag dat jij vragen over de rekening begon te stellen, dat je naar de bank zou gaan en...'

'Waarom vertelde hij me dan over de rekening?'

'Toen hij zag dat je er via mij over gehoord had, dacht hij misschien dat het niet lang meer kon duren of...'

'Zou kunnen.' Rudi schudde zijn hoofd. 'Maar wat maakt het voor verschil? Als het geld niet naar Cyprus wordt overgemaakt, zullen de witwassers – wie het ook zijn – zelf naar mij op zoek gaan, naar hun geld op zoek gaan. Ze laten twintig miljoen dollar heus niet gewoon naar mijn rekening verdwijnen. Daarom moeten we die dochter vinden.'

'En dan? We kunnen haar er niet bij betrekken. We kunnen haar niet zomaar voor de leeuwen gooien.'

'Natuurlijk niet.' Rudi legde zijn hand op Alex' rechterschouder. 'Als de rekening eenmaal op haar naam is gesteld – of op die van haar erfgenamen – begint de rekening een nieuw leven. Zolang wij maar toestemming krijgen om de eerdere transacties doorgang te laten vinden. Daarna mogen ze hun geld opnemen en de zonsondergang tegemoet lopen.' Hij kneep zachtjes in haar schouder. 'Hoe dan ook móéten we iemand vinden om het *Formular A* te ondertekenen. Om er zeker van te zijn

dat er niets fout gaat – en wij of iemand anders gevaar lopen.'
Alex draaide zich terug naar de computer. 'Ik doe mijn best.
Maar hoe vaak ik ook "Magda Kohen" intik, ik krijg steeds de
melding dat mijn zoekactie geen overeenkomstige resultaten
heeft opgeleverd en dat ik moet zorgen dat al mijn woorden
goed gespeld zijn.'
'Heb je al geprobeerd om accenten toe te voegen?' vroeg hij.
'Weet je zeker dat de spelling juist is?'
'Haar naam heeft geen accenten.' Alex leunde naar achter. 'En
ik weet zeker dat de spelling juist is. Ik heb het gecheckt met de
advocate voordat ik uit Boedapest vertrok.' Ze richtte zich weer
op de computer. 'Het is net als met haar vader: er zijn duizenden Magda's op het web, honderdduizenden Kohens, maar niet
één site met de hele naam "Magda Kohen". Ik weet het zeker
omdat ik de naam tussen aanhalingstekens heb gezet en...'
'Misschien is ze inmiddels getrouwd.' Rudi boog zich naar het
scherm. 'Maar je zou toch denken dat haar meisjesnaam érgens
zou opduiken.'
'In feite is dat het enige wat computers nooit lijken te weten.
Daarom vragen ze altijd om je moeders meisjesnaam wanneer
ze je identiteit willen controleren. Het is het enige stukje informatie dat geheim wordt gehouden.'
'Dat en je sofinummer. In de vs vragen ze daar altijd naar wanneer ze willen nagaan of je bent wie je zegt te zijn. Jammer genoeg hebben wij Zwitsers geen sofinummer. De Amerikanen
worden daar helemaal gek van.'
'Dat brengt me op een idee.' Alex duwde haar haar achter haar
oren en boog zich weer over het toetsenbord. 'Er is een website met sofinummers in de vs.' Alex voerde een snelle zoekactie uit, leunde toen hoofdschuddend naar achter. 'Gelukkig is er
niets.'
'Waarom gelukkig?'
Ze keek op naar Rudi. 'Kennelijk vermelden ze alleen mensen
die dood zijn.'
'En met doden schieten we niets op.' Rudi schudde zijn hoofd.
'Om weer bij die rekening te kunnen, moeten we een levende
erfgenaam vinden.'

'Ik heb alle holocaustsites al gecheckt. Maar daar kan ik haar ook niet vinden. De Kohens evenmin, maar dat ligt voor de hand. Als ze op weg naar Roemenië door nazituig zijn vermoord, zullen hun namen niet op officiële lijsten voorkomen.'

Rudi legde zijn handen op haar schouders. 'Je moet haar vinden. En snel ook. Wie weet wanneer Versari het in zijn hoofd krijgt naar onuitgevoerde transacties te kijken.'

'Al sla je me dood, Rudi, ik kan haar niet vinden.' Alex ploeterde verder op de computer. 'Ik heb elke zoekmachine die ik ken geprobeerd. Bovendien heb ik alle sites voor stambomen, genealogische databases, zelfs telefoongidsen in heel Amerika geprobeerd. Ik krijg steeds hetzelfde antwoord: nop. Magda Kohen is verdwenen, net als de rest van haar familie.'

'Met dit verschil dat we weten dat ze niet door de nazi's is vermoord.'

'En dat ze na de oorlog op weg was naar Amerika. Maar daarna is er geen spoor meer van haar.'

'Kun je het ook proberen door alleen "Magda" in te typen?' vroeg Rudi.

'Heb ik al gedaan.' Ze typte 'Magda' in de zoekmachine en klikte op Zoeken. 'Zie je?' Ze wees naar het getal dat onder aan het scherm oplichtte. 'Er zijn meer dan 3.240.000 resultaten voor Magda, maar niet een ervan is degene die wij zoeken.'

'Moet je niet omlaag scrollen en de lijst doorkijken?'

'Dat hoeft niet, want ik heb de naam Magda Kohen tussen aanhalingstekens gezet. En ze wordt nergens ook maar één keer vermeld – tenminste niet onder de naam Kohen.' Ze leunde naar achter. 'Ze zou een van deze drie miljoen Magda's kunnen zijn, maar daar is niet achter te komen.'

Ze pakte haar muis en klikte op een van de Magda-vermeldingen in het midden van de zoekpagina: *100 ans de cinéma sous la direction de Magda Wassef* (Editions Plume); www.france2.fr/

'Zie je? Deze is in Frankrijk. Ene Magda Wassef. Misschien is onze Magda na de oorlog naar Frankrijk getrokken, heeft er een aardige meneer Wassef ontmoet, is met hem getrouwd en helemaal ingeburgerd.' Alex leunde weer naar achter. 'Kom er maar eens achter.'

'Misschien moeten we haar opbellen? Er staat een telefoon-nummer onder aan de pagina.'

'Tuurlijk,' antwoordde Alex sarcastisch. 'Waarom zouden we ze niet allemaal benaderen? Alle drie miljoen tweehonderdveer-tigduizend. Háár bijvoorbeeld.' Ze klikte op een ander item. 'Magda Weiher. Hier staat dat ze een voedingsconsulent in Duitsland is. Denk je dat zij degene is die we zoeken?'

Ze klikte op een derde item. 'Of wat dacht je van deze: dr. Mag-da Campbell in Minneapolis – uroloog.'

Alex bewoog de cursor naar de onderkant van de eerste pagi-na. 'Kijk, er is zelfs een site in het Hongaars. Misschien moeten we haar opbellen. Maar wat zullen we zeggen? Heette u ooit Magda Kohen?' Ze bewoog het kleine handje heen en weer over de ingang: Tartalom Elõzõ Következõ-Kósáné Dr. Kovacs Mag-da munkaügyi miniszter: Elnök...

Alex leunde naar achter. 'Het is hopeloos.'

Rudi legde beide handen op Alex' schouders en boog zich naar het scherm. 'Ik begrijp er geen woord van. Behalve de naam is het allemaal koeterwaals voor me.'

'Vertel mij wat. Die nachtmerrie heb ik de afgelopen vieren-twintig uur doorstaan.'

'Ik ben er nog nooit geweest. Het schijnt een fantastische stad te zijn.'

'En dan die vriend van je, die Sándor. Wat een merkwaardige man.'

'Ik heb je gewaarschuwd.'

'Dat klopt.' Alex bewoog de cursor heen en weer over de naam Kovács Magda. 'Maar ik zweer je, als hij nog één keer: "Maar weet je, Alex, zo doen wij de dingen hier," had gezegd, dan had ik...'

Ze liet de cursor tot stilstand komen op de naam Kovács.

'Ó mijn god.'

'Wat? Denk je dat zij het is?'

'Nee. Maar ik denk ineens aan wat Sándor zei...' Ze keerde snel terug naar de homepage van de zoekmachine. 'Wat ontzettend stom van me!'

'Waar heb je het over?'

Alex klikte op de naam in het zoekvenster en verwisselde de namen binnen de aanhalingstekens. 'Zo doen wij de dingen hier.'
'Magda Kohen' werd 'Kohen Magda'.
'Wat ben je aan het doen?' vroeg Rudi opgewonden.
'In Hongarije zetten ze de achternaam vooraan.' Alex klikte op de zoekknop. 'Sándor heeft me dat zo vaak gezegd. Als ik geen tijd had willen uitsparen door aanhalingstekens te gebruiken en me niet stug had vastgehouden aan de naam zoals ik dacht dat hij geschreven moest worden, zou de computer haar voor me gevonden hebben. Wat een oen ben ik.'
De computer begon plotseling te knipperen: '1 resultaat gevonden.'
'*Itt van!*' riep Alex.
'Wat betekent dat?' vroeg Rudi.
'Eureka.' Alex glimlachte. 'Het betekent dat we haar gevonden hebben.' Alex scrolde naar de enige ingang die op haar computerscherm was verschenen:

1. Microform Collections – Columbia University Oral History Collection
[URL:www.lib.umd.edu/UMCP/MICROFORMS/columbia_oral.html] Microform Collections. Columbia University Oral History Collection: International Affairs/Diplomacy. Held In: Lawrence Library. Location Code & Call. Archive Manager: Pablo Fuentes Loyola. Page size 5K – in English [Translate]

'Maar ik zie haar naam er niet bij staan.' Rudi boog zich over Alex heen om mee te lezen. 'Hoe weet je dat zij het is? Staat erbij waar ze woont? Hoe we contact met haar kunnen opnemen?' Hij leunde zo zwaar op haar schouder dat het pijn begon te doen.
'Niet zo haastig.' Alex klikte op de ingang en wachtte. 'Laten we de hele pagina bekijken.'
'Als zij het is,' fluisterde Rudi, 'moet je meteen naar New York vliegen en haar dat formulier laten invullen. Ik blijf hier, want dan kan ik zodra je het hebt meteen naar de bank gaan en het gaan vertellen, oké? Ik zal tegen Versari zeggen dat hij moet zor-

gen dat alle transacties doorgaan. Voordat we de rekening aan haar overdragen.'

'Wacht even.' De pagina was blanco geworden. 'We zijn er nog niet.'

'Wat is er gebeurd?' Rudi kneep harder. 'Ben je haar kwijt?'

'Ik zit te wachten tot de pagina met haar naam is gedownload van de server van de Columbia University, maar...' Ze boog zich dichter naar het scherm. 'Wacht, daar komt-ie.'

Midden op de pagina verscheen een tekst in grote, donkerblauwe letters:

Columbia University. Lawrence Library–Oral History Research Office. Oral History Collection of Columbia University. Edited by Sonja Kilian and Sebastian Triska.

Daarna kwam een lijst, gerangschikt in numerieke volgorde. Alex scrolde er snel doorheen. 'Hebbes!' Ze wees naar een regel onder aan de pagina en las hem hardop voor:

'Oral History 0341: Het verhaal van Kohen Magda – Of hoe ik dankzij een koppelteken het IJzeren Gordijn passeerde.'

'Dat moet haar zijn.' Rudi klopte haar op de rug. 'Laten we hem openen en kijken.'

Alex had al op de onderstreepte titel geklikt.

Ze wachtte verscheidene seconden. Er gebeurde niets.

'Waar blijft het?' vroeg Rudi.

'Ik weet het niet. Er is geen hyperlink.' Alex ging terug naar de homepage van het Oral History Project. 'Daar staat een telefoonnummer.'

Ze keek op het klokje onder aan haar scherm: 20.00 uur. 'Dat betekent dat het in New York twee uur in de middag is.' Ze reikte naar de telefoon.

'Bel hier maar mee.' Rudi overhandigde haar zijn gsm. 'Je weet nooit wie er meeluistert in het hotel.'

'Misschien heb je gelijk.'

Alex moest langs drie verschillende mensen voordat ze iemand aan de telefoon kreeg die haar wist te vertellen dat de *oral histories* nog niet in gedigitaliseerde vorm beschikbaar waren. De meeste waren met de hand geschreven of op een schrijfmachine getypt. Als je ze wilde lezen, moest je er persoonlijk naartoe.

19

New York
Woensdagochtend

'Denk eraan, *honey*,' zei de bibliothecaresse met een lijzig zuidelijk accent, 'je mag dit exemplaar niet lenen of kopiëren. Er rust een embargo op.' Ze overhandigde Alex een dikke gele envelop en wees naar een leeg bureau in de hoek van het kantoor. 'Als je wilt, kun je het daar lezen.'
Alex maakte de envelop meteen open. Ze begon al te lezen voordat ze de leestafel had bereikt.

Oral History 0341: *Het verhaal van Kohen Magda - Of hoe ik dankzij een koppelteken het IJzeren Gordijn passeerde.* Dit verslag is gebaseerd op de bandopname van een interview met Magda Kohen, uitgevoerd door Kathryn Straton op 17 april 1977, aan Columbia University, als onderdeel van het lopende Oral History Project. Mevrouw Kohen heeft het manuscript gelezen en enkele kleine correcties en verbeteringen aangebracht. De lezer dient in gedachten te houden dat hij of zij een woordelijke transcriptie leest van gesproken tekst.

Vraag: Mevrouw Kohen, kunt u om te beginnen iets over uw jeugd vertellen?

Antwoord: Nou, ik ben geboren op 1 juli 1928 in Boedapest. We hadden een groot appartement op de Andrassy út en ook een groot buitenhuis. Ik heb een heerlijke jeugd gehad. We reisden veel, naar

Zwitserland, naar Frankrijk. In Engeland
zijn we denk ik twee keer geweest. En we
gingen natuurlijk ook naar de bergen.
Heel vaak. Mijn vader was dol op de
bergen. Hij kende de namen van elke berg
uit het hoofd, weet u. Hij kon je de
exacte hoogte van elke berg in Europa
vertellen. Heel indrukwekkend.

V: Waar was u toen de Tweede
Wereldoorlog begon?

A: Vlak voor de oorlog waren we met
vakantie in Venetië. Daar hoorde ik voor
het eerst over de zogeheten Joodse
wetten. We logeerden daar bij een neef
van ons en hij vertelde ons erover –
want die dingen stonden daar in de
krant. Dat was de laatste keer dat we
reisden.

V: Dus u was in Italië toen de oorlog
uitbrak?

A: Nee. We waren teruggegaan naar
Boedapest. In de eerste oorlogsjaren was
alles betrekkelijk normaal. De Hongaren
mochten hun zaken min of meer op hun
eigen manier runnen. Er werden
bijvoorbeeld geen anti-Joodse wetten
aangenomen. Dat gebeurde pas toen de
Duitsers kwamen. Pas toen de
sovjettroepen oprukten, besloten de
nazi's de zaken in eigen hand te nemen.
Toen vielen ze Hongarije binnen. Het zal
maart 1944 zijn geweest.

V: En wat gebeurde er toen?

A: Ik weet het niet precies. Mijn vader
besloot mij naar Roemenië te sturen. Hij
zei dat de rest van de familie mij
binnen een paar maanden zou volgen. Maar
ik heb noch hem, noch iemand anders van
mijn familie ooit teruggezien.

[Mevrouw Kohen vroeg om een pauze.]

V: Wilt u doorgaan?

A: Ja. In het begin logeerde ik bij een
familie in Timisoara. Zij waren niet
Joods, moet u weten. Het waren vrienden
van mijn ouders. En ze behandelden me
alsof ik familie van hen was.
Ik vond snel een baantje, als
verpleeghulp, hoewel ik pas vijftien was.
Waarschijnlijk omdat ik zo veel talen
sprak. In elk geval kreeg ik een rood
kruis op mijn uniform, omdat ik in een
laboratorium werkte. Het was grappig, de
Duitse soldaten vroegen me op straat
vaak de weg – vanwege mijn uniform,
snapt u?
Ik stuurde ze vaak precies de andere
kant op. Voor de grap. Ik was bang dat
ze me op een dag zouden snappen, maar
dat is nooit gebeurd.
Ze mochten me, ziet u, omdat ik perfect
Duits sprak en er Germaans uitzag met
mijn blonde haar en blauwe ogen. Ze
wilden ook met me uitgaan, maar ik zei:
'Nee, sorry, ik ben te jong.'

V: Dus Roemenië was bezet door de nazi's?

A: Ja. Bezet, zo kun je dat zeggen – tot de Russen ze weg kwamen jagen. Maar wij waren toen al vertrokken. Wat er gebeurde, is dat er een Roemeense generaal was die hoofd van de politie was in Timisoara. Hij was getrouwd met een nicht van de familie bij wie ik woonde. Hoe dan ook, op een morgen belde hij de familie op en zei: 'Jullie kunnen maar beter vertrekken, want de Duitsers komen jullie ophalen.' Iemand moet de Duitsers hebben verteld dat ik niet hun dochter was – dat ik uit een Joodse familie kwam. We hebben nooit geweten wie.
We klommen allemaal op een vrachtwagen die al propvol mensen was en gingen naar Caransebes – in het oosten.
Toen we daar waren, hoorden we dat de Russen dichterbij kwamen. We dachten dat ze ons zouden redden.

V: Hoe was het leven in Caransebes?

A: We hadden er onderdak bij een heel aardige familie. Ik herinner me dat er niet genoeg bedden waren en er was ook niet genoeg water – we wasten ons allemaal aan een kleine lampetkan. Maar vergeleken met andere mensen waren we goed af.
Toen de Russen arriveerden, gingen we terug naar Timisoara. We dachten dat alles goed zou komen. We waren blij dat

de Russen ons van de Duitsers kwamen
bevrijden. Wie had kunnen weten dat de
Russen even erg zouden zijn – of nog
erger?

V: Hoe was het leven onder de sovjets?

A: Een nachtmerrie. Zoals u zich kunt
voorstellen.

V: Wat kunt u ons vertellen?

A: De sovjets deden verschrikkelijke
dingen. De eerste bevrijdingstroepen
waren die van generaal Tolboetsjin; ze
kwamen uit Siberië, meen ik. Ze hadden
van hun levensdagen nog geen wc gezien,
als je het mij vraagt. Ze hadden ook nog
nooit een bidet gezien – ze dronken
eruit. Ik bedoel, ze waren heel primitief
– zij waren degenen die meisjes
verkrachtten en wat al niet. Maar ik
bleef gespaard – misschien omdat er een
officier bij ons was ingekwartierd.
Ze hadden rare streken, die Russen. Je
mocht geen vreemd geld in huis hebben,
weet u, zoals dollars en zo, en daarom
deden ze huiszoekingen. Ze legden zelfs
beslag op ons huis. Wij mochten in de
woonkamer slapen en een Russische
officier nam de grote slaapkamer. Zijn
adjudant nam de andere slaapkamer, mijn
slaapkamer.
Maar het was een Russische soldaat die
ons hielp om nieuws over mijn familie in
Boedapest te krijgen. Hij was een heer,
een van de weinigen.

V: Hoe kwam u aan nieuws over uw familie?

A: Dat ging zo. We hadden een heel lieve hond, een teckel die Alpha heette. Die Rus kwam op een dag naar ons huis en begon met Alpha in de tuin te spelen. We spraken geen Russisch, maar met veel handen- en voetenwerk lukte het ons om met hem te communiceren. We kwamen erachter dat hij elke week op en neer naar Boedapest ging, met een of ander handeltje. Dus gaven we hem een keer het adres van mijn familie en een van onze buren en vroegen hem een brief te bezorgen.
Na zijn volgende trip kwam hij terug met een briefje van de buren waarin stond wat er echt was gebeurd. Dat mijn moeder en mijn broer door de nazi's slinks waren overgehaald om hun al hun geld te geven – in ruil voor een veilige doortocht naar Roemenië, waar ze zich bij mij wilden voegen. Natuurlijk werden ze verraden. De trein bracht hen naar een bos en daar zijn ze doodgeschoten. Het was afschuwelijk.
Mijn broer had aan de Olympische Spelen mee kunnen doen, weet u. Hij was heel goed in schermen. Geweldig gewoon. Maar toen verwijderden de fascisten hem van de universiteit – omdat hij Joods was. Ze zeiden dat hij naar een werkkamp moest, maar hij bleef in Boedapest om bij mijn moeder te zijn. Hij moest wel onderduiken. Toen kwam mijn moeder op het idee om naar Timisoara te gaan, waar

het relatief veilig was voor Joden. Ze betaalde een enorme hoeveelheid geld aan een paar naziofficieren die beloofden hen naar Roemenië te helpen. Alleen werden ze verraden. Ze werden onderweg naar mij door de nazi's vermoord.

[Mevrouw Kohen verzocht om een pauze.]

Toen ik na de oorlog hoorde wat er met mijn familie was gebeurd, besloot ik dat ik uit Roemenië weg moest zien te komen. Dat ik op een of andere manier het Westen moest zien te bereiken. Maar ik had geen geld. De lederfabriek van mijn familie bestond allang niet meer. Hij was aan het eind van de oorlog verkocht aan een man die Vilmos heette. Hij was een vriend van mijn vader geweest en had er een redelijk bedrag voor betaald, naar het schijnt. Omdat de nazi's de fabriek toch zouden inpikken als onderdeel van een campagne om alles Arisch te maken teneinde alle Joodse bezittingen in handen van Ariërs te brengen.
Dus kocht Vilmos Karl de fabriek van mijn vader – voor een heel redelijk bedrag, naar het schijnt. Maar toen de sovjets aan het eind van de oorlog Boedapest binnenvielen, werd de fabriek verwoest. En Vilmos zelf werd door de Russen gedeporteerd. Ik heb zijn vrouw later gesproken, op mijn weg naar het Westen. Zsuzsi, meen ik dat ze heette. Ze vertelde me wat er gebeurd was – dat haar man door de Russen was meegenomen en dat de fabriek was

verwoest. Daarom had ze geen geld om aan
mij te geven.

V: Hoe bent u dan weggekomen?

A: Het was niet gemakkelijk. Ten eerste
had ik een paspoort nodig. En dat was
bijna onmogelijk. Ik had kunnen proberen
om de grens clandestien over te steken,
maar de Roemeense familie zou problemen
hebben gekregen als ik gepakt werd. Dus
probeerde ik iets te doen, iets te
verzinnen, om aan een paspoort te komen.
De situatie begon hopeloos te worden.
Churchill had de term IJzeren Gordijn
nog niet tot gemeengoed gemaakt, maar we
wisten precies wat er gaande was –
degenen van ons die daar woonden.
In die tijd kon je Timisoara niet eens
zonder toestemming verlaten. Ik verzon
een verhaal dat ik in Boedapest zou gaan
trouwen. Ik vroeg een vriend uit
Boedapest, Elemér heette hij, of hij het
spelletje mee wilde spelen. Dus stuurde
hij me brieven waarin hij schreef dat
hij met me wilde trouwen, en die nam ik
mee naar de autoriteiten als bewijs.
In de tussentijd lukte het me een brief
te krijgen van een neef van mijn moeder
die in Amerika woonde. Het was een soort
schriftelijke verklaring dat hij me zou
onderhouden als ik daar kwam. Maar ik
moest nog steeds uit de sovjetzone zien
te komen, en daarvoor had ik een
paspoort nodig. Dus moest ik twee jaar
lang op en neer naar Boekarest om mijn
paspoort te regelen. Je had tien

verschillende papieren nodig. Tegen de
tijd dat je het ene kreeg, was het
vorige alweer verlopen.
Je moest uren in de rij staan, zes of
zeven uur lang soms. En als je dan
vooraan stond, zeiden ze dat je de
volgende dag moest terugkomen.
Maar ik hield vol. Ze begonnen me het
tortelduifje te noemen of zoiets. 'La
Mica Inamoratà' in het Roemeens.
Het interessante deel van het verhaal is
dat ik een heel aardige vriend had,
Daniel heette hij, die een belangrijke
communist werd in Boekarest. Hij werkte
bij de politie. Hij was zelfs hoofd van
een afdeling. Hij nodigde me heel vaak
uit voor communistische
jongerenbijeenkomsten en dergelijke.
Hoe dan ook, op een dag kwam ik hem in
Boekarest op straat tegen. Mijn aanvraag
liep toen al ruim een jaar en ik zat nog
steeds te wachten op een antwoord. Ik
weet niet hoe hij het wist, maar hij zei
tegen me: 'Ik hoor dat je op een
paspoort wacht.'
Ik zei: 'Ja, ik wil trouwen in
Boedapest.'
Daniel zei: 'Heb je het aanvraagnummer?'
Ik droeg het altijd bij me in mijn tas,
moet u weten. Dus gaf ik hem het
aanvraagnummer. Hij zei dat hij zou doen
wat hij kon om me te helpen.
In de tussentijd ging ik naar de
Amerikaanse diplomatieke missie in
Boekarest en liet daar de brief van de
neef van mijn moeder zien, die in
Pennsylvania woonde. De man die daar

werkte, vertelde me dat ik er beter aan
deed naar Boedapest te gaan – dat de
Amerikaanse ambassade daar me beter kon
helpen. Maar om dat te doen had ik nog
steeds een paspoort nodig. Ik vroeg of
ze de brief voor me wilden bewaren,
omdat ik bang was om ermee rond te
lopen. Als de Roemeense autoriteiten
hadden ontdekt dat ik naar Amerika wilde
in plaats van naar Hongarije, zouden ze
me nooit een paspoort hebben gegeven.
Afijn, na weken en weken kreeg ik
eindelijk een onderhoud met madame Ana
Pauker, het hoofd van de Roemeense
communistische partij. Ik zal haar
gezicht nooit vergeten. Iemand deed de
deur voor me open en ik bleef in de
deuropening staan. Haar ogen priemden
recht door mijn hoofd, en ze was
misschien vier meter van me vandaan. Ze
liet me niet eens binnen. Ze zei: 'Je
hoeft me niets te vertellen. Ik weet
alles. Het is allemaal geregeld. Je kunt
gaan.'

V: Dus u kreeg uw paspoort?

A: Ja, maar pas later. Eerst moest ik op
een bepaalde dag naar het politiebureau.
Daar kreeg ik een ander papier. In feite
schreven ze het op de andere kant van
hetzelfde papier. Ze zeiden dat ik om
halfzes moest terugkomen, nadat de
kantoren gesloten waren.
Ik was behoorlijk bang, want er werden
mensen opgepakt – dat was aan de orde
van de dag. En niemand hoorde ooit meer

van ze. Dus zei ik tegen mijn vrienden:
'Hoor eens, ik moet erheen na
sluitingstijd en ik weet niet wat er met
me gaat gebeuren. Maar als ik niet
terugkom, weten jullie waar je me kunt
komen zoeken. Afgesproken?'
Ik ging naar het politiebureau. Het was
halfzes in de middag. Ik werd naar het
hoofd van het kantoor gebracht, een
vrouw. Ik kon een blauw paspoort naast
haar op de tafel zien liggen. Ze zei: ga
zitten. Ze pakte het paspoort en gaf het
aan me, vroeg me een papier te tekenen –
een soort ontvangstbewijs. En precies op
dat moment kwam mijn vriend Daniel naar
binnen, in zijn uniform, en hij zei: 'Ik
wil graag dat je met mijn pen tekent.'
In feite is het duidelijk dat hij me had
geholpen. En op dat moment nam ik me
heilig voor dat als ik ooit een zoon
kreeg, ik hem Daniel zou noemen.

V: En bent u toen naar Boedapest
teruggegaan?

A: Ja, en nu komt het deel waar ik
uitleg waarom mijn verhaal de titel moet
krijgen 'Hoe ik dankzij een koppelteken
het IJzeren Gordijn passeerde'. Het is
namelijk zo dat het paspoort alleen goed
was voor reizen binnen het sovjetblok.
Er stond in: 'Geldig voor Hongarije',
dan kwam er een koppelteken en dan
'Tsjechoslowakije'. Vraag me niet waarom;
ik had nooit gevraagd om toestemming om
naar Tsjechoslowakije te gaan.
Weet u wat ik deed? Ik gebruikte het

paspoort om eerst naar Hongarije te
gaan. Maar voordat ik vertrok, zocht ik
de man bij de Amerikaanse missie op,
Greg nog wat. Ik vroeg hem om te kijken
of hij mijn brief naar de Amerikaanse
ambassade in Boedapest kon sturen. Hij
zei dat hij zou zien wat hij doen kon.
Dus zodra ik in Boedapest aankwam, ging
ik naar ze toe. Ze vertelden me: 'We
hebben je brief. Hij is ons toegestuurd
vanuit Boekarest. Als je ons je paspoort
geeft, kunnen we je visum voor de
Verenigde Staten erin zetten.'
Ik zei: 'Maar mijn paspoort is alleen
geldig voor Hongarije en Tjechoslowakije.
Zelfs al had ik het visum voor Amerika,
hoe zou ik Hongarije uit moeten komen?'
'Zie je kans naar Frankrijk te komen?'
vroegen ze. Het was namelijk zo dat in
Frankrijk alles makkelijker geregeld kon
worden – het lag buiten de
sovjetinvloedssfeer.
Dus ging ik naar een bevriende advocaat
in Boedapest en hij zei: 'Het is heel
simpel. Je hebt een paspoort dat zegt
"geldig voor: Hongarije-Tsjechoslowakije"
met een koppelteken ertussen. Voeg gewoon
nog een land toe!"

V: Wat bedoelt u?

A: Kijk, in het Roemeens kun je namelijk
een koppelteken gebruiken in plaats van
een komma. Het betekent hetzelfde. Dus
het enige wat ik hoefde te doen was een
manier vinden om een land achter
'Hongarije-Tsjechoslowakije' te zetten

door nog een koppelteken toe te voegen.
Dagenlang was ik bezig met inkt mengen.
Vervolgens leerde ik het handschrift te
imiteren. Na een paar dagen oefenen
voegde ik Frankrijk toe. Toen stond er
in het paspoort: 'geldig voor Hongarije-
Tsjechoslowakije-Frankrijk'. Stel u voor:
als ze 'Hongarije en Tsjechoslowakije' in
het paspoort hadden gezet, had ik er
niets aan toe kunnen voegen. Daarom zeg
ik altijd dat mijn leven is gered door
een koppelteken.

V: En wanneer verliet u Hongarije?

A: Twee dagen later. Ik kon niet
wachten. Ik nam met niemand die mij van
vroeger kende contact op. Ik had gehoord
dat iedereen dacht dat ik tijdens de
oorlog was gestorven, dus liet ik hen
gewoon in die waan. Het leek me beter
dat niemand wist wat ik van plan was.
Hoe dan ook, de dag van mijn vertrek, 1
juli 1947, was mijn verjaardag.
Ongelooflijk, nietwaar? Ik nam de Arlberg
Expres, waar mijn vader zo dol op was,
omdat die door de Alpen reed.
Ik reisde van Boedapest naar Wenen,
Buchs, Zürich, Bazel en Parijs. De reis
duurde twee dagen en twee nachten. In de
trein ontmoette ik een Zwitserse
journalist die van de Balkan kwam – hij
had artikelen geschreven over de toestand
daar. Hij wist hoe armoedig het leven
was in Roemenië en Hongarije – de
laatste keer dat ik een sinaasappel had
gezien was vóór de oorlog.

Toen de Oostenrijkse grenswacht in mijn paspoort zag dat het mijn verjaardag was, zei de journalist: 'Laten we Wenen in gaan en het vieren.' We hadden in Wenen namelijk een tussenstop van ongeveer vier uur, dus nam hij me mee naar een *Heurige* – een soort wijntaveerne – en daar vierden we mijn verjaardag en mijn 'ontsnapping' uit Hongarije en Roemenië. En van toen af aan, telkens als de trein langer dan een uur stopte – in Innsbruck, in Salzburg, in Zell am See – huurden we een rijtuig en maakten we een rondrit door de stad. Toen onze trein uit Wenen vertrok, zaten er twee Amerikaanse soldaten in mijn compartiment. Zij kwamen van de Filippijnen, die toen nog bij de Verenigde Staten hoorden. Van een van de soldaten weet ik nog precies hoe hij heette: Elmer Forte. Net als mijn vriend uit Boedapest: Elemér, met wie ik zogenaamd zou trouwen.
Iedereen in ons compartiment trok naar elkaar – we werden dikke vrienden. Het was een heel spannende reis. Vergeet niet dat Oostenrijk nog steeds voor een deel bezet was door Russische soldaten, dus ik was nog niet buiten gevaar. Toen we bij de grens met Zwitserland kwamen, in Buchs, moesten we allemaal uitstappen om te worden gecontroleerd. Wij zaten in het achterste treindeel en tegen de tijd dat de grenspolitie bij mij aankwam, waren alle anderen de grens al over, ook de twee soldaten. Ik was doodsbang. Dit was de laatste barrière

die ik moest nemen. Maar op een of
andere manier werkte de vervalsing.
Toen ik eindelijk de grens over was,
werd ik begroet door het volgende beeld:
de twee Amerikanen waren vooruitgegaan
naar de Zwitserse kant van het station
en kwamen aanzetten met een enorme mand
vol fruit en chocola. Ik heb nog nooit
zoiets gezien. Ze begonnen 'Happy
Birthday' voor me te zingen. Ik begon te
huilen als een kind, zo blij was ik.

V: Hoe kwam u in de Verenigde Staten
terecht?

A: Zodra ik in Parijs aankwam, ben ik
naar de Amerikaanse ambassade gegaan.
Maar al met al kostte het me bijna een
jaar om al mijn papieren in orde te
krijgen. In de tussentijd gaven de
Fransen me een 'Titre d'Identité et de
Voyage' die me toestond in Parijs te
blijven zolang het nodig was. Ze waren
geweldig wat dat betreft.
Terwijl ik wachtte, onderhield ik mezelf
door Franse les te geven – vooral aan
kinderen van buitenlanders die daar
waren, net als ik. Mijn moeders neef
stuurde me wat geld uit Amerika. Ik
slaagde erin wat geld op te nemen van
een Zwitserse bankrekening die mijn
ouders in Zürich hadden. De Franse
autoriteiten hielpen me om aan de
overlijdensakten van mijn vader, moeder
en broer te komen. Het was niet
gemakkelijk, als je nagaat hoe ze aan
hun eind zijn gekomen, maar ik had deze

documenten nodig om bij de bank in
Zwitserland toegang te krijgen tot de
rekening die mijn ouders in Zürich
hadden. Helaas had het niet veel om het
lijf. Er stond alleen wat contant geld
en een beetje goud op. Alles bij elkaar
zo'n tweeduizend dollar. Maar het was
genoeg voor mijn reis naar New York. En
voor een start in Amerika.
Ziet u dat stempel, hier in mijn
paspoort? Dat is van toen ik terugging
naar Zwitserland om de rekening leeg te
halen. Hij liep bij de Helvetia Bank
Zürich. Ze waren daar heel correct, als
je nagaat hoe weinig er op de rekening
stond.

V: Wanneer bent u uit Frankrijk
vertrokken?

A: In 1948. Toen kreeg ik mijn visum voor
Amerika. Op dezelfde dag dat ik het kreeg
boekte ik mijn overtocht op de
Mauritania. Ik kwam op 16 augustus aan.
Ik zal het nooit vergeten. We arriveerden
overdag. We voeren de haven van New York
binnen. Het was ochtend, de zon scheen.

V: Kon u het Vrijheidsbeeld zien?

A: Natuurlijk.

Alex wreef in haar ogen en liet het twaalf pagina's tellende document weer in de envelop glijden.
Ze voelde zich uitgeput, maar na het lezen van het avontuur van deze vrouw leek de marathon van de afgelopen dagen weinig voor te stellen.

En waar was ze nu? Magda Kohen was er duidelijk in geslaagd de Verenigde Staten te bereiken. Maar wat was daarna gebeurd? Alex bekeek de datum van het interview op de envelop. Het had meer dan twintig jaar geleden plaatsgevonden.

Was ze nog in leven? Getrouwd? Woonde ze ergens op een farm in Pennsylvania bij de neef van haar moeder?

Alex vroeg aan de bibliothecaresse: 'Waar kan ik een kopie hiervan maken? Ik moet...'

'Ik zei toch dat niemand kopieën mag maken van de oral histories?' De vrouw liep naar de tafel waaraan Alex zat. 'De privacywetten verbieden dat.'

'Maar wat heeft het voor zin om iemands wederwaardigheden vast te leggen als je ze niet gaat publiceren?' Alex stond op. 'Waarom maakt u ze niet toegankelijk voor het publiek?'

'We willen ze wel degelijk publiceren. We moeten ze alleen nog laten digitaliseren. En we zitten momenteel wat krap bij kas.'

'Als ik mevrouw Kohen kan vinden, weet ik zeker dat er genoeg geld loskomt voor digitalisering.'

'Nou, dat denk ik toch niet. Als u had gezien hoe mevrouw Kohen leeft, zou u beseffen dat...'

'Bent u dan bij haar thuis geweest?'

'Ja, ik ben daar geweest om te helpen met het vastleggen van haar verhaal. Ik was degene die aantekeningen maakte.' De bibliothecaresse glimlachte breed. 'Ze is een bijzondere vrouw. Het is ongelooflijk hoe ze erin slaagt om met zo weinig geld rond te komen.'

'Dus ze leeft nog?' Alex' hart bonsde. 'Hoe kan ik met haar in contact komen? Het is heel belangrijk dat ik...'

'Niet zo snel. De privacywet verbiedt ons informatie te verstrekken over deelnemers aan het Oral History Project.'

'Maar als ze nog in leven is, moet ik haar spreken.'

'Het spijt me.' De bibliothecaresse borg het origineel op in de archiefkast en leunde achteruit in haar bureaustoel. 'Ik mag u niet meer informatie geven dan ik heb gedaan. Ik zou mijn baan kwijtraken.'

'Luister...' Alex zag de naam van de bibliothecaresse op een bordje op haar bureau. Ze besloot Sándors trucje te gebruiken.

'Beseft u hoe belangrijk dit is, mevrouw Ragsdale? Zodra ik de naam van deze vrouw op uw website ontdekte, ben ik op het eerste vliegtuig gestapt dat uit Zürich vertrok. Ik heb zelfs de nacht doorgebracht op het vliegveld in Londen om de eerste aansluiting te kunnen pakken. Om hier zo vroeg mogelijk te zijn. Ik moet haar spreken – zo spoedig mogelijk.'

'Hm, ja. Ik kan haar misschien wel vertellen dat u naar haar op zoek bent. Haar vragen of...'

'Vertelt u haar alstublieft dat het om een bankrekening in Zwitserland gaat. Dat het van het grootste belang is dat ik haar zo spoedig mogelijk spreek. Het is echt heel belangrijk.'

'Ik zal zien wat ik doen kan.'

'Dank u!' Alex pakte een velletje papier en begon te schrijven. 'Hier is mijn nummer. Het is de Yale Club. Daar logeer ik zolang ik in New York ben. Onderweg hierheen heb ik daar ingecheckt.' Gelukkig hadden Nan en Susan, die allebei lid waren, Alex een open uitnodiging gegeven om daar te logeren wanneer ze in New York was.

'Zeg haar dat ze me moet opbellen zodra ze kan, oké?' Alex overhandigde het nummer aan de bibliothecaresse. 'Ik wacht in spanning af.'

20

New York
Woensdag, laat in de ochtend

Het rode berichtenlampje knipperde toen Alex haar kamer in liep. Ze belde onmiddellijk naar de receptie. 'Yale Club, u spreekt met Marie.'

'Zijn er berichten voor me?' vroeg Alex. 'Ik zie dat mijn lampje brandt en...'

'U bent gebeld door mevrouw Rimer.'

'Rimer?'

'Ja. Ze heeft een nummer achtergelaten: 212-989-8453.'
'Zei ze waar het over ging?'
'Nee. Alleen dat Magda Rimer heeft gebeld. Dat is alles.'
Binnen tien minuten was Alex op het adres dat Magda haar over de telefoon had gegeven – een vervallen kolos van een gebouw in Chelsea, een met baksteen bekleed cruiseschip dat aan de grond was gelopen op West 24th Street. Magda had de portier kennelijk gewaarschuwd. Zodra Alex haar naam noemde, gebaarde hij dat ze door kon lopen. '8-H. U kunt naar boven gaan.' Nadat ze had aangebeld, deed Alex een stap terug en haalde diep adem. *Ik sta op het punt deze lieve oude vrouw de sleutel naar vrijwel onbeperkte weelde te overhandigen,* zei ze tegen zichzelf. *Een kans om het soort leven terug te krijgen dat ze kwijt is geraakt.*
Ze zag een beweging in het kijkgaatje boven de vervaagde gouden H. Een stem riep van binnen: 'Is dat Alex Payton?'
'Ja.'
Alex hoorde hoe verschillende sloten werden opengedraaid.
'Momentje.' De deur ging open, maar slechts op een kier. Hij werd tegengehouden door een dikke koperen ketting. Ogen tuurden naar buiten van halverwege de deur, en aan de voeten van de vrouw nog vier ogen.
'Kom binnen!' Magda sloot de deur om de ketting los te maken. Toen ze de deur weer opende, renden de twee katten naar buiten, om even voorbij de gebroken marmeren drempel te blijven staan.
'Maak je over hen maar geen zorgen.' Ze wenkte Alex naar binnen, precies zoals Zsuzsi had gedaan, met een luchtig handgebaar. 'Ze lopen niet weg. Ze zijn gewoon nieuwsgierig, maar niet genoeg om er werk van te maken. Ze komen nooit buiten, zie je.' Magda was elegant gekleed, in een tweedpakje, rode zijden blouse en stevige schoenen. Ze was mooi, levendig, opgewekt. Heel anders dan de nederige huls van een vrouw die Zsuzsi was. Magda straalde zelfs. Haar haar was perfect gekapt, op haar wangen was rouge aangebracht. Ze had een broche met een helderrode edelsteen in haar revers. Toen Alex binnen was, deed Magda de deur zorgvuldig achter haar op slot. 'Ik sluit ze

altijd alle drie, zie je – twee nachtsloten en de ketting. Drie is mijn geluksgetal, weet je.'

'Ja, dat weet ik. Ik heb zojuist uw verhaal gelezen.'

'Werkelijk.' Magda's accent was beslist Hongaars, vooral zoals ze de 'r' uitsprak – net als Sándor.

Ze nam Alex bij de hand en leidde haar naar een sofa tegen de muur aan de andere kant van de kamer. 'Maak het je gemakkelijk. En let niet op de rommel.' Ze maakte voor zichzelf een plekje vrij op de sofa en ging naast Alex zitten. 'Ik krijg de laatste tijd niet veel bezoek.' Het was warm en bedompt in het appartement en het rook er naar katten.

'Ik heb belangrijk nieuws voor u, mevrouw Rimer. Of moet ik Kohen zeggen?'

'Dat maakt niet uit. Mijn huwelijk met Ritchie was niet van lange duur, zie je. Al sta ik nog steeds onder zijn naam in het telefoonboek.' Ze glimlachte. 'Waarom noem je me niet gewoon Magda?'

'Magda, ik heb goed nieuws voor u.' Alex reikte in haar handtas. 'Ik ben net vanmorgen met het vliegtuig uit Zürich gearriveerd – in de hoop u te vinden.'

'O ja. Die aardige vrouw van het Oral History Project vertelde me dat je iets voor me had. Het is zo'n schat. Ze belt me heel vaak om te horen hoe het met me is. Is haar project eindelijk afgerond?'

'Niet echt.' Alex haalde haar kopie van de overeenkomst tussen Magda's vader en meneer Tobler tevoorschijn. 'In feite geloof ik dat ze er geen geld meer voor hebben.'

'Is het heus? Je zou denken dat ze geld genoeg hadden.'

'Kennelijk niet.' Alex overhandigde de brief aan Magda. 'Misschien zou u een donatie kunnen overwegen.'

Magda glimlachte beminnelijk. 'O, van een donatie kan geen sprake zijn.' Ze wierp een blik door de rommelige kamer. 'Zie je? Dit is alles wat ik op de wereld bezit. Ik kan me dit appartement alleen veroorloven omdat het onder de huurbeperkingsregels valt. Chelsea is zo'n modieuze wijk geworden.'

Ze nam een van de langharige katten in haar armen en begon het dier te aaien; de brief viel op haar schoot. 'En ik laat alles aan jullie na als ik doodga, hè, liefie?' Ze wreef met haar neus over de kattenvacht.

'Ik heb zo'n idee dat u van gedachten zult veranderen.' Alex raapte de brief op en gaf hem terug aan Magda. 'Als u dit leest, zult u begrijpen wat ik bedoel.'

'Hoezo van gedachten veranderen? Dit zijn de beste vrienden die ik op de wereld heb. Als ik doodga, worden mijn weinige bezittingen verkocht om ze verzorgd achter te laten.'

'Hebt u geen kinderen? Kleinkinderen?'

'Nee.' Magda wuifde met haar hand. 'Mijn man was ziek toen we trouwden. We waren al jaren bevriend. We trouwden kort voor zijn dood, in feite. Meer om het officieel te maken dan om iets anders. Hij hield zijn eigen appartement aan, zelfs na ons trouwen. Erg Woody Allen, *n'est-ce pas?*'

Magda klopte op Alex' hand. 'Hij was musicus, moet je weten. Jazzmusicus.'

'De reden dat ik u naar erfgenamen vraag...'

'Waarom zou ik me zorgen maken over erfgenamen? Wat je hier ziet, is alles wat ik bezit.' Magda wees naar de stapels oude kranten en tijdschriften die de vloer van haar appartement bedekten. De boekenschappen puilden uit van oude boeken en grammofoonplaten. 'Ik ben een *Lebenskünstler* geworden – iemand die toekan met bijna niets. Het is een kunst, zeggen mijn vrienden me – een kunst die ik zeer goed beheers.' Ze glimlachte. 'Mijn familie was ooit behoorlijk rijk, in feite. Maar we zijn alles in de oorlog kwijtgeraakt. Zelfs het appartement. Toen ik terugging naar Boedapest... was het 1945? Misschien was het '46.'

Magda's geheugen was duidelijk achteruitgegaan sinds ze haar oral history had laten optekenen.

Alex pakte Magda's hand. 'Magda, ik heb goed nieuws voor je.'

'Dat zei je al. Maar laat ik eerst wat thee gaan zetten.' Magda stond op zodat de katten op de vloer sprongen. 'Het is zo lang geleden dat ik goed nieuws heb gehad. Of überhaupt nieuws. Ik wil ervan genieten.' Ze liep neuriënd naar de keuken.

Alex zag een oude grammofoon op de tafel naast de zitbank. Ze pakte de plaat die op de draaitafel lag: Ray Charles, *The Golden Years*. Hij zat onder het kattenhaar.

'Dus je houdt van jazz!' Magda keek om het hoekje. 'Het is mijn passie, weet je. Toen ik naar Chelsea verhuisde, in de zomer van '55... Ik denk dat het toen was... misschien was het '56. Hoe dan ook, ik heb niet zo'n goed geheugen meer. New York was toen hot. De jazz beleefde zijn hoogtijdagen. Je kon overal terecht, Harlem, de Village. Ik liep alle clubs af. Ik kende Herbie Hancock persoonlijk. Hij stelde me voor aan Ritchie Rimer, mijn man.' Magda's ogen sprankelden. 'Hij speelde keyboard met Wayne Shorter. Daarna speelde hij met Miles Davis.'

Magda pakte een oude hoes van een stapel albums naast de platenspeler: Miles Davis, *Quiet Nights*. Ze hield hem trots omhoog. 'Zie je? Hij is gesigneerd. Door Miles zelf.' Haar geheugen was weer helemaal terug.

'Ik heb ook alle originele Shirley Horn-opnames.' Magda liep terug naar de keuken en zong: *'But don't change a hair for me, not if you care for me.'* Verscheidene minuten later kwam ze met een dienblad met kopjes, schoteltjes en twee schalen met koekjes de woonkamer in. 'Shirley speelde zelf piano, weet je. En Oscar Peterson ook. Hij noemde me altijd zijn zangvogeltje – zo noemden ze me in Roemenië.'

'Ik weet het. Dat stond ook in uw *oral history*. En dat brengt me bij de reden van mijn bezoek.'

'Je moet dit horen.' Magda zette het dienblad boven op de boeken en kranten op de koffietafel voor hen en begon naar een andere plaat te zoeken.

'Magda. Ik heb u iets te vertellen. Het is heel belangrijk. Zowel voor u als voor mij.'

Magda draaide zich met een bezorgde blik in haar ogen om. 'Wat is het?' Alex overhandigde haar opnieuw de kopie van het trusteecontract. 'Lees dit alsjeblieft – het verklaart alles.'

'Weet u zeker dat u niet wilt dat ik uw paspoort voor u draag?' Alex had gezien dat Magda het twee keer had laten vallen sinds ze haar appartement hadden verlaten.

'Maak je geen zorgen. Ik draag het altijd bij me. En ik ben het nog nooit kwijtgeraakt.' Magda hield het paspoort trots vast terwijl Alex haar naar de hoofdingang van de Amerikaanse hoofdvestiging van de Helvetia Bank Zürich leidde, op de hoek van Madison Avenue en 55th Street.

'Maar hier, bewaar jij het maar als het je geruststelt.' Ze gaf het aan Alex. 'Maar verlies het niet! Je kunt je niet voorstellen hoe belangrijk het voor mij is een Amerikaans paspoort te hebben. Ook al heb ik gezworen dat ik nooit meer terugga naar Europa, ik wil weten dat ik elk moment zou kunnen gaan, als ik zou willen. Na wat ik in de Tweede Wereldoorlog heb doorgemaakt, zul je begrijpen wat ik bedoel.'

'Jazeker.'

Magda keek in Alex' ogen. 'Je ziet er nerveus uit.'

'Ben ik ook een beetje. We moeten heel voorzichtig zijn daarbinnen.' Alex leidde haar naar de lift. 'Doe gewoon alles wat ik u zeg, oké? Dan komt alles in orde.'

'Kom op, hoe moeilijk kan het zijn om een dikke, vette Zwitserse bankrekening te erven?' In de lift haalde Magda verscheidene verkreukelde documenten uit haar handtas. 'Ik heb alles bij me waar ze om zouden kunnen vragen. Geboorteakten, overlijdensakten, het testament van mijn man. Ik heb een zekere ervaring in het beschikken over de juiste documenten, weet je.' Ze glimlachte. 'Wist je dat een koppelteken mijn leven heeft gered?'

'Ja, dat weet ik.' De deur ging open en Alex liep naar een mooie zwarte vrouw achter een bureau. Er was geen vel papier op te zien – alleen een telefoon en een grote vaas met rode orchideeën. Alex schreef het rekeningnummer op en vroeg een rekeningbeheerder te spreken. 'Gaat u zitten,' zei de vrouw. 'Er komt zo iemand bij u.'

Zodra ze zaten, begon Magda de brief opnieuw te lezen. Ze wreef al lezend met een vingertop over haar vaders handtekening. 'Ik vraag me af waarom ze me hier nooit iets over verteld hebben.' Ze keek op met tranen in haar ogen. 'Als ik het had geweten... zou ik het een stuk gemakkelijker hebben gehad.' Ze veegde een traan van haar wang.

'Misschien vonden ze u te jong. U was pas tien jaar toen ze de rekening in Zürich openden.'

'Hoe weet je dat?' Magda keek haar met grote ogen aan.

'Uw verjaardag stond in de *oral history*. Ik heb het gewoon uitgerekend.'

'Wat knap!' Magda droogde haar ogen met een zakdoek. 'Ik ben beslist geen rekenwonder. Dat is iets wat ik niet van mijn vader heb geërfd. Hij kon je de hoogte van bijna elke berg in Europa vertellen. De Mont-Blanc, de Eiger, de Jungfrau, de meeste pieken van de Karpaten.'

'Magda, wanneer we daar naar binnen gaan, zou u me dan een plezier willen doen?'

'Natuurlijk, zeg het maar.' Magda veegde nog een traan weg en stopte haar zakdoek terug in haar tas.

'Om te zorgen dat alle losse eindjes op uw rekening zijn weggewerkt, moeten we zorgen dat HBZ alle eerdere transactieorders uitvoert. Op die manier begint u met een schone lei wanneer u...'

'Waarom zou ik ze nog iets met mijn rekening laten doen? Na wat ze me in Zürich hadden aangedaan, na de oorlog... hadden ze me wel eens mogen vertellen... Ze hadden me over deze rekening moeten vertellen.' Haar ogen stonden boos. 'Ik ben er geweest, weet je, na de oorlog, naar de Helvetia Bank Zürich.'

'Ja, dat heb ik gelezen.'

'Ik vertelde wie ik was. Ze zeiden dat al mijn documenten in orde waren. Maar op de rekening die ze me gaven, stond bijna niets. Als ze wisten dat ik de erfgenaam van mijn ouders nalatenschap was, waarom hebben ze me dan niet over deze rekening verteld? Hoe konden ze?' Ze schudde langzaam haar hoofd. 'Ik heb al die lijsten met slapende rekeningen doorgenomen. En er stond niets in over deze rekening, mijn naam werd niet genoemd. Noch Kohen noch Blauer werd ergens genoemd. Hoe kan dat?'

'In feite was dit geen slapende rekening. Het was een trusteerekening. Daarom is ze nooit opgedoken.'

'Wat is het verschil?'

Alex haalde diep adem. 'Uw vader heeft deze rekening kennelijk geopend op naam van Rudolph Tobler, de vader van de man die...'

'Waarom heeft hij dan nooit contact met me opgenomen?' vroeg Magda boos. 'En waarom heeft de bank me niet over de rekening ingelicht toen ik na de oorlog bij hen langsging?'

'Het schijnt dat de bank niet wist dat het een trusteerekening was. Dat was nu juist het punt met dit soort rekeningen. Als Hitler Zwitserland binnen zou vallen, zouden de nazi's nooit weten...'

'Waarom nam die Rudolph Tobler dan geen contact met me op na de oorlog?'

'Kennelijk gaan Zwitserse bankiers niet wereldwijd op zoek naar cliënten.'

'Hij wist aan wie de rekening toebehoorde. Hij had naar me moeten zoeken.'

'Het schijnt dat hij dat wel heeft gedaan. Dat weet ik van zijn executeur. Hij heeft zelfs mensen ingeschakeld om in Boedapest naar de familie te zoeken.'

'Nou, dan hebben ze niet hard gezocht. Ik bedoel, zelfs jij wist me te vinden, toch?'

'Ik had geluk. Zonder internet weet ik niet of het mogelijk was geweest.'

'Nou ja. Godzijdank was jij er.' Magda pakte Alex' hand en hield hem stevig vast. 'Hoe kan ik je ooit belonen? Hoeveel mag ik je betalen?'

'In feite,' Alex diepte Rudi's contract op, 'heeft de zoon van meneer Tobler ermee ingestemd zijn vaders beheerloon van vijf procent met mij te delen, als u dat goedvindt.'

Magda las de overeenkomst zorgvuldig door en gaf hem terug. 'Natuurlijk vind ik het goed. Als je het mij vraagt, zou jij alles moeten krijgen.'

'Omdat Rudi Toblers vader nooit iets voor zijn werk heeft ontvangen, is het waarschijnlijk alleen maar eerlijk om...'

'Weet je zeker dat vijf procent genoeg is?' vroeg Magda. 'Ik kan je best wat meer geven.'

Ze opende haar handtas en trok haar chequeboek. 'Als een extra bonus. Voor alles wat je hebt gedaan.'

'Nee, het is goed zo, echt.'

'Weet je het zeker?'

'Beseft u wel hoeveel vijf procent van deze rekening is?' vroeg Alex. Magda keek haar blanco aan.

'Mijn helft van de vijf procent aan beheerloon is bijna tien miljoen dollar.'

'Mijn god.' Magda schudde haar hoofd. 'Is dat waar?'

'Ja.'

'Ik vraag me af hoe mijn vader aan al dat geld is gekomen. Ik wist dat mijn moeders familie in goeden doen was, maar niet dat het zoveel was. Ik nam gewoon aan dat het gestolen was door de nazi's.'

'In feite is het bedrag al die jaren exponentieel gegroeid. Anders dan die slapende rekeningen heeft deze rekening rente en dividend opgeleverd, die telkens trouw opnieuw zijn belegd. De bijna vierhonderd miljoen dollar begon waarschijnlijk als weinig meer dan een miljoen. Enkele honderdduizenden dollars zouden, bij exponentiële groei, genoeg zijn geweest om het niveau te bereiken dat het momenteel waard is.'

'Het is meer geld dan ík ooit zou kunnen uitgeven, dat is zeker.' Haar ogen vulden zich met tranen. 'Dank je.'

'Graag gedaan.' Alex voelde een golf van trots. Haar inspanningen, hoe moeizaam ook, hadden deze arme, lieve vrouw vreugde gebracht. Magda was gelukkig en in leven. *Zorg gewoon dat dat zo blijft*, zei Alex tegen zichzelf.

'Weet je wat ik dacht dat er met het geld was gebeurd?' Magda depte haar ogen. 'Ik dacht dat mijn moeder het allemaal had gebruikt om in Roemenië te komen. Ik dacht dat ze het allemaal aan de nazi's had gegeven. Aan degenen die haar hebben verraden.' Ze stopte haar zakdoek terug in haar handtas. 'Mijn ergste nachtmerrie was dat mijn moeders favoriete diamanten halssnoer in de handen van een nazi kwam. Ik bleef me voorstellen dat een of andere Duitse soldaat mijn moeders favoriete diamanten collier aan zijn vrouw had gegeven... of aan zijn vriendin.'

'Het zou best in Zürich kunnen zijn.'

'Wat bedoel je?' Magda zette grote ogen op.

'Het schijnt dat er aan uw rekening een kluis is gekoppeld.'

'Dat meen je niet.'

'In de kelder van het hoofdkantoor van HBZ. In Zürich. U hoeft er maar naartoe te gaan en het te vragen.'

'Heus?'

'Zelfs als je geen sleutel hebt, schijnen ze hem voor je open te boren... tegen een kleine vergoeding voor een nieuw slot.'

'O, dat zou geweldig zijn. Zou jij me daarbij kunnen helpen?'

'Natuurlijk, maar eerst moeten we HBZ ervan overtuigen dat u de eigenaar van de rekening bent. Daarna kunt u doen wat u wilt.'

Een lange, goed geklede man kwam uit een zijdeur en stak Magda de hand toe. 'Ik ben Michael Neumann, de assistent-manager hier.' Hij sprak met een licht Zwitsers-Duits accent.

Hij schudde Magda's hand en richtte zich toen tot Alex. 'U moet Rudolph Toblers vriendin uit Zürich zijn.'

Alex schudde hem aarzelend de hand. 'Hoe weet u dát?'

'Ik heb zojuist met mijn collega's in Zürich gebeld. Geloof me, het viel niet mee om hen te bereiken. Het is daar laat in de middag. Meneer Versari vertelde me over de rekening en uw bezoek daar op maandag.'

'Werkelijk?' Ze haalde diep adem. 'Dan hebben ze u waarschijnlijk ook verteld dat ze ons hebben toegezegd dat zodra we de beneficiaire eigenaar van deze rekening vonden, meneer Tobler weer in zijn hoedanigheid van trustee zou worden hersteld.'

'Als de eigenares daarmee instemt.' De bankier keek naar Magda. 'Is dat uw wens?'

'In feite wil ik deze vrouw met het beheer van de rekening belasten.' Magda glimlachte naar Alex.

'Heus?'

'Daarover kunnen we binnen beslissen.' De bankier nam Magda's hand en hielp haar overeind. 'Ik neem aan dat u zich kunt legitimeren?' vroeg hij langs zijn neus weg.

'Natuurlijk. Ik draag dit altijd bij me.' Magda overhandigde haar geboorteakte en haar paspoort. Neumann bekeek ze zorgvuldig en maakte een lichte buiging. 'Wilt u maar met me meelopen, mevrouw Kohen? Binnen zit u waarschijnlijk meer op uw gemak.'

'Wij allebei dan.' Magda nam Alex bij de arm en trok haar mee. 'Ze is mijn persoonlijk adviseur, weet u.'

Neumann ging hun voor naar een elegant ingerichte spreekkamer, vol antiek meubilair en oude schilderijen. Hij liet hen een moment alleen om kopieën van Magda's documenten te maken.

'Spannend.' Magda klopte Alex teder op haar hand. 'Ik zou alleen willen dat mijn vader en moeder hier waren om mee te genieten.'

'Ik weet zeker dat ze heel trots op u zouden zijn.'

'Waar wonen jouw ouders?' vroeg Magda.

'Mijn vader woont in Californië. Mijn moeder woonde in Seattle. Ze is een paar maanden geleden overleden.'

'O, wat spijt me dat voor je.' Magda bleef Alex' hand vasthouden. 'Ik weet zeker dat ze heel trots op je is geweest.'

'Misschien.' Alex haalde diep adem. 'Magda, vergeet alstublieft niet om de bankier op te dragen alle lopende orders af te handelen.'

'Maar ik wil niet dat HBZ nog iets met deze rekening uit te staan heeft. Na wat ze me aangedaan hebben.' Ze schudde haar hoofd. 'Het eerste wat ik ga doen is alles naar mijn rekening in New York overmaken.'

'Magda, ik vraag u niet om de rekening eeuwig door HBZ te laten beheren. Zeg gewoon dat ze moeten zorgen dat alle eerdere transacties worden afgehandeld.'

'Als jij dat nodig vindt.'

'Het is maar voor een paar dagen. Daarna kunt u doen wat u wilt.'

'Mooi.' Magda knikte. 'Maar zou ik een klein bedrag kunnen opnemen?'

'Natuurlijk.' Alex klopte op haar arm. 'Neem zoveel op als u wilt. Het is nu allemaal van u.'

'En ik wil jou en de zoon van meneer Tobler uitbetalen wat ik jullie verschuldigd ben.'

'Uitstekend. Ik weet zeker dat u dat met meneer Neumann kunt regelen. Ze kunnen de bedragen gewoon van een van de termijndeposito's halen. U hebt er meerdere, als ik me goed herinner.'

'En verzorgen zij de overboeking voor me?'

'Ze doen alles wat u hun opdraagt. U bent nu de cliënt.' Alex pakte een papiertje en noteerde haar rekeningnummer bij HBZ en Rudi's rekeningnummer bij zijn bank in Zürich. 'Laat dit maar aan hen zien, dan zullen ze de overboeking helemaal voor u regelen. Alle drie de banken zijn in Zwitserland, dus zal het in een mum van tijd zijn gebeurd.'

'Prachtig.' Magda pakte het papier en hield Alex' hand stevig vast. 'En als ze moeilijk doen, zeg ik gewoon dat jij mijn adviseur bent en dat ze zolang ik leef, moeten doen wat jij zegt. Kan ik dat doen?'

'Als u een volmacht tekent, ja.'

'Dan doe ik dat. Ik zal ze zeggen dat ze jou alle transacties moeten laten uitvoeren die jou goeddunken. Maar wanneer alles achter de rug is, laat ik alles naar mijn eigen bank in New York overmaken.'

'Prima.'

'Ik zal ze leren. Let maar eens op.' Ze stak haar hand uit en pakte een aantal koekjes van een kleine zilveren schaal die midden op de tafel stond.

De deur ging open en Magda liet de koekjes steels in haar zak glijden.

'Mevrouw Kohen?' vroeg Neumann.

'Ja?' Magda keek met een schuldige blik naar hem op.

'U bent nu de officiële eigenaar van rekening 230-SB2495.880-01L.' Hij overhandigde Magda haar documenten. 'U kunt erover beschikken zoals u goeddunkt.'

Toen ze de bank uit liepen, nodigde Alex Magda uit voor een lunch. Voor de eerste keer in dagen had ze echt trek. 'Geweldig!' Magda klapte opgetogen in haar handen. 'Laten we naar mijn favoriete vestzakpark gaan. Het is vlakbij.'

Ze haakte haar arm in die van Alex en begon te lopen. 'Het is op 53rd Street. Of is het 54th? Of misschien 55th. Ik weet dat het hier ergens is. Het is niet moeilijk te vinden – er staat een deel van de Berlijnse Muur en een schattige fontein. En je eet er de beste hotdogs van New York City.'

'Zijn wij even een gek stel.' Alex hield Magda's arm innig vast. 'Twee miljonairs gaan lunchen in de mondainste stad van de wereld, en waar gaan we heen? Naar een park. En wat eten we? Hotdogs.'

'Je moet gewoon meegaan met de stroom, schat.' Bij de ingang van het park, naast een klaterende waterval, vond Magda een karretje van Sabrett. Ze bestelde twee hotdogs. 'Wil je alles er-op en eraan?' riep Magda, om boven het geluid van het water uit te komen.

'Ja hoor.'

'Waarom niet, hè?' Magda glimlachte. 'We zijn nu vrouwen in bonis. We kunnen het betalen.' Alex zag hoe Magda zuur, ui-en, saus en extra mosterd hoog optastte. *Wat een geweldige vrouw*, zei ze tegen zichzelf. *Ondanks haar leeftijd is ze fris, vol leven en energie.*

Magda overhandigde Alex haar hotdog en ging naast haar zit-ten. 'Is het hier niet prachtig?' Ze stak haar hand uit en raakte het met graffiti bedekte brok steen naast Alex aan. 'Ze hebben dit stuk muur naar New York gebracht, weet je. Ooit scheidde het oost van west. Zie je hoe grijs en doods de oostkant is? En hoe de westkant is bedekt met prachtige kleuren? Nu weet je waarom ik nooit ben teruggegaan naar Europa.'

'Dat kunt u nu wel. Als u wilt.' Alex nam een forse hap van haar hotdog. Hij was verrukkelijk. 'U kunt het zich veroorlo-ven om te doen waar u zin in hebt.'

'Wij allebei.' Magda likte gracieus de mosterd en saus van haar vingers. 'We kunnen allebei doen waar we zin in hebben. We zijn miljonairs!' Ze glimlachte Alex olijk toe.

Het begon eindelijk door te dringen. Haar bankrekening was waarschijnlijk al gecrediteerd met de tien miljoen dollar van Magda's HBZ-rekening. Aangezien beide rekeningen bij dezelf-de bank liepen, zou het geld er waarschijnlijk meteen op staan. Ze was nu een rijke vrouw. Ze kon nu doen wat ze wilde.

'Weet u wat ik zou willen doen?' vroeg ze Magda. 'U vanavond mee uit eten nemen, een chic diner in het beste restaurant van New York. Ik trakteer.'

'O, ik weet het niet.' Magda nam een hapje en knikte. 'Ik weet zeker dat je leukere dingen te doen hebt – met mensen van je ei-gen leeftijd. Ik ben oud genoeg om je moeder te wezen.' Ze zweeg. 'Wat zeg ik? Ik ben oud genoeg om je grootmoeder te zijn. Hoe dan ook, je hoort nu bij mijn familie.'

Ze stapte uit haar schoenen en liep het water in. 'Waarom kom je er niet bij? Het water is heerlijk!'

'Zodra ik mijn hotdog opheb.' Alex zag Magda door de vijver aan de voet van de waterval waden. Ze zag er zo gelukkig uit. Na alles wat deze vrouw had meegemaakt, na alle ellende die ze had doorstaan, bleef ze van het leven genieten. Ze zag eruit alsof ze tot het eind aan toe met volle teugen van haar leven zou genieten. Wat er ook gebeurde.

Alex dacht aan haar eigen moeder, die zo jong was gestorven.

'En nog iets.' Magda draaide zich om naar Alex en riep met een zwaai van haar rechterhand iets onduidelijks. Het klonk nog het meest als: *Zie ons ook familie.*

'Ik versta het niet!' riep Alex terug.

'Laat maar.' Magda glimlachte. 'Waarom kom je er niet bij? Je hebt vandaag toch niets anders te doen, of wel?'

'Nee, eigenlijk heb ik niets te doen.' Toen dacht ze ineens aan Rudi, die op haar telefoontje wachtte. 'Wacht even.' Ze keek op haar horloge. Het was vroeg in de avond in Zürich. Rudi kennende werd hij gek van het wachten tot hij iets van haar hoorde.

'Ik moet even iemand bellen,' riep ze naar Magda. 'Dan kom ik.'

Alex zag een openbare telefoon bij de ingang van het park en gebruikte een creditcard om het gesprek te betalen. *Het wordt tijd om een mobieltje aan te schaffen,* zei ze tegen zichzelf, terwijl ze Rudi's mobiele nummer draaide. *Je hebt tien miljoen op je bankrekening staan. Je kunt nu zo veel telefoons kopen als je ooit zou kunnen gebruiken. Je kunt nu doen wat je wilt, in feite. Marco in Parijs opzoeken. Met hem reizen waarheen je wilt, waarheen hij wil. In de beste hotels logeren.*

'Tobler.'

'Rudi, ik heb haar gevonden.' Alex schreeuwde om zich verstaanbaar te maken boven het geklater van de fontein. 'Alles is voor elkaar. We komen net van HBZ in New York en het is achter de rug, we...'

'Wacht. Ik moet je iets vertellen.'

'We hebben alles geregeld. Magda heeft het *Formular A* getekend. De rekening staat nu op haar naam. En ze heeft me een volmacht gegeven, zodat ik HBZ kon opdragen alle FINACORP-transacties doorgang te laten vinden. Alles is beklonken.'

'Nee, dat is het niet.'

'Jawel. Ze hebben zelfs jouw rekening en de mijne gecrediteerd met ons deel van het geld waar je vader recht op had. We zijn allebei rijk. We hebben ieder negen komma negenhonderdvijfentwintig miljoen dollar.'

'Waarom heb je niet gereageerd op mijn oproepen?' vroeg hij.

'Waar heb je de hele dag gezeten? Ik heb verschillende berichten achtergelaten bij je hotel met de vraag of je...'

'Dat vertel ik je net: ik ben druk bezig geweest om Magda Kohen te zoeken – of Magda Rimer, zoals ze nu heet. Tussen haakjes, ik ben nu bij haar, en raad eens wat we eten om...'

'Hij heeft me opgebeld.' Rudi klonk boos.

'Wie heeft je opgebeld?'

'Schmid. Hij probeerde zijn stem te verdraaien, maar ik weet dat hij het was.'

'En?'

'Hij bedreigde me. Ik moet een bedrag overmaken van...'

'Laat me raden, eenentwintig komma drie miljoen dollar.'

'Heeft hij jou ook gebeld?' vroeg Rudi opgewonden.

'Nee. Maar het is duidelijk wat er gebeurd is. Hij heeft ontdekt dat de rekening geblokkeerd is.' Ze duwde haar haar achter haar oor en hield de telefoon strak tegen haar oor. 'Maar het maakt niet uit. Nu de rekening in Magda's handen is, gaat de beleggingsorder gewoon door. FINACORP krijgt niet te horen waarom, maar hun transactie zal volgens plan worden uitgevoerd. Alles komt goed.'

'Maar hij zei dat ik het geld meteen moest sturen. Naar een rekening bij een beursmakelaar in New York. Malley Brothers. Hij heeft me zelfs het nummer gegeven.' Rudi las haar het nummer snel voor. 'Hij zei dat ik het vandaag moest overmaken.'

'Ik sta versteld dat hij je het bankrekeningnummer van zijn cliënt

in de States heeft gegeven. Hij moet enorm in paniek zijn geraakt toen hij zag dat het geld was geblokkeerd.'
'Dat is toch logisch? Het zit erin dat de witwassers hem ook zouden vermoorden!'
'Maak je geen zorgen. Nu Magda de rekening heeft, zal de transactie doorgaan. Het zal twee dagen kosten – hoogstens drie. Het is allemaal geregeld.'
'Maar hij zei dat ik het geld vandaag moest overmaken.' Rudi zweeg. 'Hij zei dat het onmiddellijk moest gebeuren, anders zouden er *Konsequenzen* zijn.'
'Rudi, ik zei toch al dat het geregeld is. De overboeking van Magda's rekening zal worden uitgevoerd zonder dat zij er zelfs maar van hoeft te weten. Ze zal het geld nooit missen.'
'Maar ik maak me zorgen.'
'Vertrouw me. Het komt goed.'
'Ik zei hem dat ik het geld op een of andere manier bij elkaar zou krijgen, dat ik er desnoods nog wat schilderijen voor zou verkopen...'
'Wát heb je gezegd?'
'Ik zei hem dat hij niet in paniek moest raken, dat ik het hem zou...'
'Ben je gek geworden?'
'Als ik mijn Warhols verkoop, moet ik genoeg hebben... Het duurt alleen een paar weken voordat het...'
'Besef je het dan niet? Door hem te zeggen dat je het geld zult sturen, gaf je toe dat je wist wat er speelde. Dat wij wisten wat er speelde.'
'Ik wist niet wat ik anders moest zeggen.'
'Waarom kon je niet gewoon wachten?'
'Maak je geen zorgen, ik zorg wel dat het geld er komt. Al moet ik alles verkopen.'
'Het is geen kwestie van geld, Rudi. Als je gewoon had gewacht, zou de overboeking automatisch zijn verlopen. We hadden kunnen doen alsof we geen idee hadden wat...'
'Hoe kon ik nu weten dat je Magda had gevonden?'
'Dus nu is het mijn fout?'
'Waarom heb je me niet eerder gebeld?' vroeg Rudi. 'Als ik had

geweten dat je de rekening aan Magda had overgedragen, zou ik niet...'

'Ik heb haar twee uur geleden gevonden.' Alex keek naar Magda die in de fontein stond. Ze voerde de koekjes die ze van de bank had meegenomen aan een paar spreeuwen die op de rand van de fontein waren neergestreken. 'Ik ben onmiddellijk met haar naar het New Yorkse filiaal van HBZ gegaan om de papierwinkel af te handelen, en ze deed alles wat ik haar vroeg. Gaf ons zelfs een volmacht voor de rekening, een die geldig is zolang ze leeft. Betaalde ons deel van het beheerloon.'

'Laten we dat dan gebruiken om hen te betalen.'

'Ben je gek geworden?'

'Als jij tien betaalt en ik betaal ook tien, dan zal het me vast wel lukken om de rest bij elkaar te krijgen.'

'Waar heb je het over?'

'Als je naar HBZ-New York gaat en jouw aandeel vandaag overmaakt... Het is hier te laat om mijn deel vandaag over te maken, maar ik zal het morgenvroeg meteen doen. Dan kunnen we...'

'Ik maak aan niemand iets over. Er is geen reden tot paniek.'

'We hebben het hier over internationale criminelen, Alex. Je hebt geen idee waar ze toe in staat zijn...'

'We hebben geen idee wie er achter de witwaspraktijken zit. Het kan net zo goed een ongevaarlijk iemand zijn.'

'Denk je dat echt?'

'Ja.'

'Dan zul je dat moeten bewijzen.'

21

New York
Woensdag, eind van de middag

Amerikaans bankgeheim. Was het een oxymoron, zoals Ochsner had gezegd? Net als willekeurige volgorde? Irrationele logica? Stil alarm?

Alex trok haar chequeboek terwijl ze bij Malley Brothers op 200 Park Avenue binnenliep. Haar hart bonsde.

Ze liep naar de receptioniste alsof ze er kind aan huis was. 'Hallo. Ik wil een storting doen op een rekening die hier loopt.'

'Het kantoor van de kassier is achterin.'

Alex opende haar chequeboek terwijl ze langs de bureaus naar een glazen kantoor achter in de ruimte liep.

'Ja?' Een gezette vrouw achter een dikke glazen ruit keek sloom op.

'Ik wil een bedrag storten op een rekening die bij deze bank loopt. Het gaat om tienduizend dollar.'

'Loopt de rekening bij dit filiaal?' vroeg de vrouw verveeld.

'Dat weet ik niet. Ik heb alleen een rekeningnummer. Het is een voorschot op de huur voor een nieuw appartement. En ik moet zeker weten dat het vandaag op de rekening wordt bijgeschreven.' Alex keek achter zich. 'Er zijn nog meer kapers op de kust, dus ik moet snel zijn. De eigenaar zei me dat ik hier moest zijn.'

De vrouw keek op naar Alex. 'Op welke naam staat de rekening?'

'Dat is het probleem. Ik heb de naam van de man die me het appartement wil verhuren, maar ik meen dat de rekening op een andere naam staat.'

'We hebben de naam van de rekeninghouder nodig.'

'Dat weet ik, maar kunt u me niet op weg helpen? Hij heeft zo veel rekeningen hier. Maar dit is het nummer.' Alex hield haar cheque omhoog. Na 'Betaal aan...' had ze het rekeningnummer ingevuld dat Rudi haar aan de telefoon had gegeven.

De kassier typte het negencijferige nummer in. 'U hebt geluk.'

Ze glimlachte. 'De rekening loopt bij ons filiaal in Tribeca.'

'Dus daar moet ik heen om...'

'U kunt hem hier afgeven. Ik zal zorgen dat hij vandaag wordt verwerkt.' De vrouw hield haar hand op naar de cheque.

'Aan wie moet ik hem betaalbaar stellen?' vroeg Alex. 'Ik moet een naam vermelden.'

'Ik lees hier Vortex Partners. Kan dat kloppen?' antwoordde de vrouw.

Na haar ervaringen met de gekmakende geheimhoudingszucht van Zwitserse banken was Alex opgetogen. Het ging haast te gemakkelijk.

Ze vulde de naam in op de cheque, wilde hem overhandigen, maar trok hem toen terug. 'Wacht, hij zei dat hij een bevestiging nodig had, om zeker te zijn dat het bedrag echt vandaag wordt bijgeschreven.'

'Ik zal hem vandaag intern versturen. Dat beloof ik.'

'Maar ik heb een bevestiging nodig. Misschien kan ik er beter zelf heen gaan. Voor alle zekerheid.'

'Waarom? Ik kan u een bewijsje meegeven.' De kassier hield haar hand op om de cheque aan te pakken.

Alex besloot nog een stap verder te gaan. 'Maar ik moet zeker weten dat het geld vandaag echt op de rekening staat.' Alex keek om zich heen. Nog meer goed nieuws: achter haar was een rij ontstaan.

'Ik zou het liefst praten met de persoon die de rekening beheert. Gewoon om zeker te zijn dat het geld op de goede plek terecht is gekomen.' Ze keek opnieuw achterom. 'Het spijt me dat ik zo lastig ben.'

De kassier zuchtte. 'Ik weet niet waarom u hem niet gewoon hier kunt afgeven.' Ze typte een commando op haar computer. 'De rekeningbeheerder heet Jeff Norton. Maar ik kan u verzekeren dat als u de cheque hier...'

'Het geeft niet. Ik ga er zelf wel heen en lever hem persoonlijk af. Voor alle zekerheid.' Alex vouwde de cheque op en stopte hem terug in haar handtas. 'Welk adres zei u dat het was?'

Het was heel gemakkelijk om hem te spreken te krijgen. Alex

zei gewoon dat ze een paar miljoen dollar te beleggen had. En dat was niet eens gelogen.

Norton was aan het telefoneren toen Alex zijn hokje in liep. Hij gebaarde dat ze kon gaan zitten en praatte door. 'Oké. Afgesproken. U hebt zojuist tweeduizend aandelen IBM en duizend aandelen Unibanco gekocht.'

Alex zag hem de orders in zijn computer typen. 'U wilt ze boeken naar de rekening in Miami? Geen probleem.' Hij sprak luid. 'Nee, ik heb het nummer niet nodig. Ik kan het opvragen via mijn Alpha Search.' Alex lette scherp op zijn vingers terwijl hij een wachtwoord intypte om in te loggen op de database van de bank. Het was gemakkelijk te onthouden, het bestond bijna volledig uit cijfers.

Binnen enkele seconden verscheen er op het scherm een lange lijst nummers en rekeningdetails. Norton keek haar aan en glimlachte terwijl hij bleef doorpraten. Hij trok zijn wenkbrauwen op, alsof hij wilde zeggen: 'Tja, wat wil je? Ik ben ook zo'n drukbezet man.' Ze had de indruk dat hij een rol speelde – de rol van de drukbezette makelaar, speciaal voor haar.

Alex zag een schap met ordners aan de muur. Op elk ervan stond een ander rekeningnummer. Op vele ook de naam van de cliënt. Iedereen die zijn hok binnenwandelde, kon ze zien.

Amerikaans bankgeheim. Het was precies zoals Ochsner had gezegd – een oxymoron.

Norton legde zijn hand over de hoorn en fluisterde: 'Ik kom zo bij u.'

Alex nam een geplastificeerde grafiek ter hand die tussen de paperassen op zijn bureau lag. Onder aan de grafiek zat een sticker: 'Eigendom van J. Norton. Niet verwijderen.'

Het was een particuliere data-analyse van de prestaties van Standard & Poor's 500 koersindex gedurende de twintigste eeuw.

Het toonde dat de S&P 500 exponentieel was gestegen, precies zoals Ochsner had gezegd, van een basis van honderd in 1945 naar meer dan zestigduizend eind twintigste eeuw. Als je gewoon alle rente en dividend herinvesteerde, had je in 1938 maar een paar honderdduizend dollar nodig gehad om aan het eind van de eeuw op meer dan een miljard dollar uit te komen.

Norton legde de hoorn met een klap op de haak. 'Zo.' Hij draaide zich naar haar om en glimlachte. 'Wat kan ik voor u betekenen?'

'Ik... Ik zou graag een effectenrekening openen. Ik heb een paar miljoen dollar te beleggen. Een erfenis.' Alex forceerde een glimlach. 'Ik heb gehoord dat u een van de beste makelaars bent.'

'Ik weet inderdaad vrij goed de winnaars ertussenuit te halen.' Hij haalde verlegen zijn schouders op.

'Zoals dit.' Alex hield de S&P-grafiek omhoog. 'Denkt u dat u het voor mij even goed zou kunnen doen?'

'Ik durf zelfs te hopen dat ik nog veel beter kan.' Hij nam de grafiek van haar over en legde hem terug op zijn bureau. 'Mijn cliënten zijn heel tevreden met mijn prestaties.' Hij knipoogde.

'Zo te zien hebt u heel wat cliënten.' Alex wees naar het schap met ordners achter hem. 'Hoe houdt u dat allemaal bij?'

'Het is niet gemakkelijk. Buitenlanders zetten graag een heleboel bedrijven op. Het is gunstig voor hen, maar lastig voor ons.'

'Het moet een hele toer zijn om al die rekeningnummers te onthouden.' Ze keek hem vol bewondering aan. 'Hoe doet u dat?'

'Het is gemakkelijk. De computer doet het werk voor ons. Wij monitoren ze alleen.'

'Wat is dat?' vroeg ze.

Norton glimlachte meewarig. 'Dat is het systeem dat de verschillende rekeningen van eenzelfde client verbindt.'

'O ja?'

'Tussen haakjes, u spreekt accentloos Engels. Bent u buitenlander?'

'Ik woon in Zwitserland. In Zürich.'

'Maar bent u Zwitsers staatsburger?'

'Nee, Amerikaans.'

Hij viel stil. 'Dan heeft iemand u verkeerd verwezen. Ik werk alleen met buitenlandse rekeningen.'

Hij leunde achteruit in zijn stoel en vouwde zijn handen achter zijn hoofd. 'Helaas kan ik u niet aannemen. Hoe graag ik ook zou willen.' Hij begon in de paperassen op zijn bureau te graven. 'Maar ik zal een goede rekeningbeheerder voor u zoeken.'

'Maar kunt u geen uitzondering maken?' vroeg Alex. 'Ik heb enkele miljoenen dollars te investeren, en ik zou echt graag willen dat u...'

'Het spijt me.' Hij haalde zijn schouders op. 'Interne regels verbieden het.' Hij zocht even in de telefoonklapper van Malley Brothers en schreef toen een naam en een telefoonnummer op een stukje papier. 'Helaas is dit de man bij wie u moet zijn.' Hij overhandigde haar het papier en keek verlangend in haar ogen. 'Het spijt me echt enorm. Ik wou dat ik met u kon samenwerken.'

'Ik ook.' Alex pakte het papier aan, maar bleef zitten. 'Ik zag er echt naar uit.' Ze pakte de S&P-grafiek weer op. 'Dit is heel interessant. Zou ik er een kopie van mogen hebben?'

Norton schudde zijn hoofd. 'Sorry. Het bedrijf dat ze maakt, staat niet toe dat ze gekopieerd worden. We moeten ze bestellen en dit is het laatste exemplaar dat ik heb.'

'Och, toe nou. Eén kopietje zal toch geen kwaad kunnen?' Op haar weg naar binnen was het Alex opgevallen dat er geen secretaresses op deze verdieping waren en geen kopieermachines bij de werkplekken. De achilleshiel van het eenentwintigste-eeuwse kantoor: computers konden bijna alles – behalve fotokopieën maken.

'Nou,' zei hij met een samenzweerderige glimlach, 'ik zou een uitzondering kunnen maken...'

Hij stond op. 'Ik ben zo terug.'

Voordat hij zijn hok verliet, drukte Norton een paar maal op de Escape-toets en bracht zo zijn computerscherm naar de veilige startpagina van Malley Brothers. Het kleine veld voor het wachtwoord lichtte onopvallend op onder aan het scherm.

Zodra hij weg was, typte Alex Nortons wachtwoord in. Toen drukte ze op Enter en het scherm gaf een menu met opties. Bij de prompt 'Zoeken naar' typte Alex rap het rekeningnummer van Vortex Partners. Verscheidene lange seconden zei het: 'Zoek: 066-198038.' Toen verscheen het rekeningoverzicht. Het bevatte slechts een paar duizend dollar aan cash. Het grote geld werd kennelijk naar andere rekeningen overgemaakt – rekeningen waar de man bij FINACORP waarschijnlijk niet eens weet van had. Ze ontdekte een icoon Gekoppelde rekeningen onder aan het scherm, klikte eenmaal en herhaalde exact de volgorde die Norton had gevolgd om een Alpha Zoekactie te starten.

Binnen een paar seconden had ze een scherm vol namen en adressen. De meeste waren bedrijven als ABC Trading en Vortex Partners – offshorebedrijven waarschijnlijk. Slechts één bevatte een naam, maar dat was genoeg: Zinner, Miguel.

Ze schreef hem snel op en klikte toen op het rekeningnummer. Er verscheen een adres: Monte Verde Farm, Rodovia Juscelino Kubischeck, Km. 255, Catanduva, S.P., Brazilië.

Ze keek om de hoek. Norton was nergens te zien. Niemand anders keek.

Ze klikte nogmaals op het rekeningicoontje. Ditmaal gaf het haar de portefeuille van de rekening, in tabellen geordend: zo'n 160 miljoen dollar aan aandelen en obligaties – alleen op die ene rekening. En allemaal waren het Amerikaanse en Europese effecten. Blue chips, stuk voor stuk. Dit was zijn officiële rekening, besefte Alex. De rekening waar het vuile geld op terechtkwam, spic en span gewassen, ontdaan van zijn illegale verleden.

Ze hoorde voetstappen. Ze drukte de Escape-toets verschillende malen in om het scherm terug te laten keren naar de hoofdpagina en leunde snel naar achter.

Norton kwam glimlachend zijn hok in lopen.

Het venster voor het wachtwoord op zijn computer in de hoek lichtte onschuldig op.

'Hoe bedoel je dat je niet wilt wachten?' schreeuwde Alex in de telefoon. 'Je zei dat als ik ontdekte aan wie de rekening toebehoort, je het goed vond dat de transactie volgens plan zou doorgaan.'

'Maar nu ik weet dat we te maken hebben met een terrorist, ben ik niet van plan om rustig af te wachten tot...'

'Waar heb je het over?' gilde Alex. In de verte loeide een sirene. 'Ik vertel je net dat de rekening toebehoort aan een man uit de Braziliaanse stad Catanduva.'

'Daarom juist! Terwijl ik wachtte tot je zou terugbellen, ben ik weer naar dat internetcafé gegaan. Ik ontdekte daar dat de bank op Cyprus die voor de overdracht wordt gebruikt in feite een dekmantel is voor Hezbollah. Je weet toch wie dat zijn? Een van de grootste terroristische organisaties in de wereld. Ik las – ik meen op cnn.com – dat vóór 11 september Hezbollah meer moorden op Amerikanen op zijn geweten heeft dan enige andere terroristische groep, Al-Qaeda inbegrepen.'

'Mooi, maar deze rekening behoort toe aan iemand in Brazilië. Waarom denk je dat...'

'In het artikel dat ik las stond dat Hezbollah heel actief is in Brazilië.' De sirene werd luider. 'Ze schijnen enorme smokkel-operaties uit te voeren in het grensgebied tussen Brazilië, Paraguay en Argentinië. En het geld dat Hezbollah in Brazilië witwast, wordt gebruikt om terroristische activiteiten over de hele wereld te financieren. Ik wil voor geen geld met ze te maken krijgen.'

'Waarom zou je je geld – of ons geld – aan ze overmaken?'

'Het is de enige manier om van ze af te komen.'

'Rudi, denk nou eens rustig na. Als er werkelijk internationale terroristen bij deze rekening betrokken zijn, denk je dan dat je ze gewoon hun geld kunt betalen en dat zij dan zullen zeggen: "Dank je, Rudi en Alex, dat jullie ons betalen wat je ons schuldig bent"? En dat ze vervolgens gewoon vrolijk de zonsondergang tegemoet zullen lopen?' Van alle kanten klonk nu getoeter.

'Maar we hebben geen andere keus. Schmid zei dat we ze onmiddellijk moesten betalen.'

'Schmid is waarschijnlijk in paniek geraakt. En hij probeert waarschijnlijk gewoon zijn eigen huid te redden.' Ze haalde diep adem. 'Denk nou eens na. Wat als de Braziliaan van wie de rekening is, niets te maken heeft met de terroristen? Wat als hij het geen probleem vindt om te wachten tot het geld op de normale manier binnenkomt – via Cyprus?' Rudi gaf geen antwoord. 'Waarom zouden we twintig miljoen dollar aan iemand betalen die het hoe dan ook krijgt? Magda zal nooit merken wat er met haar belegging op Cyprus is gebeurd. Het is trouwens niet eens haar geld.'

'Precies!' riep Rudi uit. 'Eigenlijk zou Magda het geld naar die rekening moeten overmaken. Je hoeft haar alleen het nummer van de rekening bij Malley Brothers in New York te geven en tegen haar te zeggen dat...'

'Ik ga Magda hier niet bij betrekken.'

'Laat mij dan met haar praten. Dan zal ik het haar wel uitleggen.'

'Ik sta niet toe dat je haar hierin betrekt.'

'Als het moet bel ik haar zelf. Je zei dat ze Rimer heet, toch? Ik wed dat haar nummer in het telefoonboek van New York staat.'

Alex gaf geen antwoord. Waarschijnlijk had Rudi daar gelijk in.

'Als jij haar niet zegt dat ze het geld moet overmaken,' ging Rudi verder, 'dan doe ik het.'

'Maar waarom zou je die lieve, onschuldige vrouw erbij betrekken als we alleen maar rustig hoeven wachten tot het geld is overgemaakt?'

'Ik ben ook onschuldig. En jij ook. Dus waarom zouden wij de dupe moeten worden?'

'Luister nou, Rudi. Niemand hoeft de dupe te worden. Als de transactie doorgaat, zal niemand hoeven weten dat wij er iets mee te maken hebben, of dat we er iets van weten.' Ze ademde diep in. 'Die vent in Brazilië is vast gewoon een louche zakenman die wil dat zijn geld veilig wordt witgewassen via een onopvallende Zwitserse bankrekening.'

'Hoe weten we dat zeker?'

22

Rio de Janeiro
Donderdagmorgen

Een golf van warme, vochtige lucht sloeg Alex tegemoet toen ze de aankomsthal uit kwam. Het was vervuilde zeelucht, heel wat anders dan de frisse, verkwikkende lucht in Amsterdam.

Ze stapte in een wachtende taxi. 'Breng me naar het beste hotel van de stad.'

'Het Copacabana Palace?'

'Prima.' Ze keek op haar horloge. Nog elf uren over.

Ze had al dertien van de vierentwintig uur verbruikt die Rudi haar had gegeven om bewijs te vinden dat Miguel Zinner geen bedreiging vormde – of in elk geval niet zo'n grote bedreiging dat Magda erin mocht worden meegesleurd.

Ze was een stuk wijzer geworden van een surfactie op internet in New York. Maar hij wilde hard bewijs dat Zinner gewoon een ongevaarlijke, zij het corrupte zakenman was.

De auto scheurde weg. Alex leunde naar achter. Ze was uitgeput. Op JFK had ze moeten vechten om met de eerste vlucht weg te kunnen. En hoewel ze businessclass vloog, had ze onrustig geslapen, zich afvragend wat ze ging doen als ze in Brazilië was.

Doe wat je te doen staat, had ze tegen zichzelf gezegd terwijl ze over de donkere Amazone vloog. *Je hebt tien miljoen tot je beschikking. Je hebt genoeg geld om de beste advocaat van de stad te betalen, of een privédetective in te schakelen – een heel team als je wilt.*

Ze had zelfs naar Marco in Parijs gebeld – en hem midden in de nacht wakker gemaakt – om hem om raad te vragen.

'Heb je wel eens gehoord van ene Miguel Zinner?'

'Natuurlijk. Hij is een van de rijkste mannen van Brazilië. Hij bezit een van de grootste farms in het binnenland. Waarom wil je dat weten?'

'Ik ben bezig met een rapport over hem. Over Brazilië, in feite. Voor mijn werk. Ik dacht dat jij hem misschien kende.'

'Natuurlijk ken ik hem. Iedereen kent hem. Zinner is voortdurend in het nieuws.'

'Waarom zou een boer voortdurend in het nieuws zijn?'

'Zijn farm is waarschijnlijk groter dan sommige Amerikaanse staten. In elk geval groter dan de meeste Zwitserse kantons. Hij moet inmiddels miljardair zijn.'

'Zou hij in iets illegaals verwikkeld kunnen zijn?'

'Ik weet het niet. Waarom wil je dat weten?'

'Zomaar.'

'Waar gaat dit allemaal over, Alex?'

'Niets bijzonders. Ga maar weer slapen. Het spijt me dat ik je heb gestoord.'

Het verkeer kwam nog slechts stapvoets vooruit. Alex staarde uit het raam. De snelweg werd aan weerszijden begrensd door enorme sloppenwijken. Honderdduizenden schamele hutjes bedekten het groene landschap. Een rioollucht dreef de auto in.

Alex dacht aan Magda in haar muffe appartement in New York en het feit dat ze nu een nieuw huis zou kunnen kopen, een herenhuis zoals dat waarin ze in Boedapest was opgegroeid. Wat was ze nu aan het doen? Waarschijnlijk lag ze te slapen. Te dromen – van haar nieuwe leven, een leven in rijkdom. *Totdat Rudi haar te pakken krijgt. Dan sleept hij haar mee in deze nachtmerrie zoals hij met iedereen heeft gedaan.*

Het was als in *Broer Konijn*, het verhaal dat haar vader haar voorlas toen ze een klein meisje was. Broer Konijn kwam met zijn poot aan de teerbaby vast te zitten, en hoe meer hij duwde en trok om weg te komen, hoe meer hij vast kwam te zitten. Uiteindelijk kon hij geen kant meer op.

Ze herinnerde zich dat haar eerste contact met Rudi een onschuldig telefoontje was geweest. Dat hij het niet had opgegeven voordat hij haar gesproken had, voordat hij haar Ochsner had laten ontmoeten, voordat ze er tot haar nek in zat. Hoe meer ze haar best deed om weg te komen, hoe erger het werd.

Ze sloegen een hoek om en de azuurblauwe Atlantische Oceaan strekte zich voor hen uit. De taxi stopte voor de hoofdingang van het Copacabana Palace – het was adembenemend. De chauffeur draaide zich om. 'Hier het is, het beste hotel van Rio. Is het goed genoeg voor u?'

In haar kamer, een suite met uitzicht op zee, pakte ze de bedrijvengids en bladerde hem door tot ze een rubriek met de kop *detectives particulares* vond. Ze moest er meer dan tien bellen om er een te vinden die Engels sprak. Hij zei dat hij haar om twaalf uur kon ontmoeten.

Alex ging op het bed zitten en probeerde de artikelen te lezen die ze voor haar vertrek uit New York van internet had gehaald. Helaas waren ze bijna allemaal in het Portugees. Verschillende bevatten echter foto's. Op een ervan schudde Miguel Zinner de *prefeito* de hand, op een andere de *governador.*

Nergens was sprake van Hezbollah, nergens sprake van terrorisme. Alex keek op haar horloge. Ze had nog twee uur tot haar afspraak met de detective. Na vijf dagen van constant reizen en nauwelijks slapen begon het haar op te breken. Ze sloot haar ogen en voelde zich wegzakken. Er was niet genoeg tijd voor een dutje. Bovendien wilde ze niet het risico lopen dat ze de afspraak misliep. Ze besloot een paar baantjes te gaan trekken om wakker te worden.

Het water was koel. Niet zo koud als de Pacific bij Seattle, maar koud genoeg om de meeste Brazilianen aan de kant te houden. Alex dook er pardoes in. Het sneed haar bijna de adem af, maar het duurde niet lang of ze was de branding voorbij. Hier, aan de mooie kant van de stad, was het water kristalhelder.

Terwijl ze het water doorkliefde, begon haar hoofd helder te worden. *Het komt goed,* zei ze tegen zichzelf. *Het komt allemaal goed.*

Ze zag een man naast haar zwemmen. Hij droeg een zwembroek met lange pijpen, zoals surfers dragen. Hij zwom snel, net als zij. Ze zag hoe zijn slanke, gespierde bovenlichaam de golven doorkliefde. Piepkleine belletjes hechtten zich aan zijn gladde buik terwijl hij door het water gleed. Ze hief haar hoofd om beter te kijken, maar er sloeg een golf over haar heen, en hij was verdwenen.

Plotseling voelde ze armen om zich heen. Ze gilde en schopte wild om zich heen, kreeg toen een mondvol zeewater binnen en begon te hoesten.

Toen werd ze omhooggehouden, uit het water. 'Het is goed. Ik ben het.' Hij hield haar stevig vast.

'Marco!' Alex hapte naar lucht. 'Wat doe jij hier?'

'Ik wilde je verrassen.' Hij hielp haar door de golven terug naar het strand. Hij nam haar in zijn armen en wreef zacht over haar rug. Ze rilde, maar Marco's handen waren warm. Zijn lichaam was warm. Hij hield haar dicht tegen zich aan. 'Het spijt me. Ik wilde je niet bang maken. Ik wilde je gewoon helpen.'

'Waarom ben je hier?'

'Om je te zien.'

'Maar ik heb je gisteravond nog opgebeld. En je was in Parijs.'

'En jij was in New York. Ik zag je nummer op mijn schermpje. Ben je niet blij dat ik gekomen ben?'

'Jawel, maar...'

'Geen gemaar.' Hij trok haar naar zich toe.

'Het is gewoon... Ik verwachtte het niet.'

'Het klonk alsof je me nodig had. Alsof je naar Brazilië ging zonder iemand om je te helpen. Ik vermoedde dat er maar twee plaatsen waren waar je naartoe zou zijn gegaan, Rio of São Paulo. Ik besloot het eerst hier te proberen.'

'Je bent de halve wereld overgevlogen alleen om mij te zien?'

'Natuurlijk.' Zijn handen voelden prettig aan. Ze begon op te warmen.

'Hoe heb je me gevonden?' vroeg ze.

'Het was niet moeilijk. Ik heb alle grote hotels opgebeld. Het zijn er niet zo veel. Het jouwe was het derde dat ik probeerde.' Hij gebaarde naar het Copacabana Palace, dat wit straalde in de middagzon.

'Toen ik daar kwam, zeiden ze me dat je was gaan zwemmen, dus dacht ik dat ik je voorbeeld maar moest volgen.' Hij glimlachte. 'Het was gemakkelijk om je te spotten. Je was de enige zwemmer afgezien van de surfers. En het is niet gemakkelijk te vergeten hoe je prachtige lichaam eruitziet. Het is pas vijf dagen geleden.' Hij trok haar dicht tegen zich aan. Zijn handen bleven haar rug wrijven. Ze voelde dat hij opgewonden werd.

'Zullen we naar binnen gaan?' vroeg ze.

Terwijl hij haar naar het hotel leidde, kwamen er drie opgeschoten jongens recht op hen aflopen. Ze waren op blote voeten en droegen haveloze kleding. Marco leidde haar rustig bij hen vandaan, precies zoals hij die nacht in Amsterdam had gedaan.

'Je moet oppassen,' zei hij terwijl hij haar de drukke straat over leidde. 'Het is hier niet zo veilig als in Zürich. Tussen haakjes, wat ben je te weten gekomen over Miguel Zinner?'

'Niet veel. Nog niet. Om twaalf uur zie ik iemand om het te bespreken.'

'Misschien kan ik je wel helpen.' Hij leidde haar over een breed trottoir bedekt met wervelende zwart-witte mozaïeken. 'Ik heb een vriend die voor een groot agro-industrieel bedrijf in Catanduva werkt, de plaats waar Miguel Zinner zijn farm heeft.' Marco hield de deur voor haar open toen ze de geklimatiseerde lobby in liepen. 'Hij zei dat hij ons zelfs vanmiddag kan ontmoeten. Als je wilt.'

'Graag.'

'Maar er is één probleem. Hij woont in São Paulo en hij vertrekt vanavond naar de States. Hij zei dat we daarheen konden komen en hem spreken voordat hij op zijn vliegtuig stapt – alle vluchten naar Noord-Amerika vertrekken hier 's avonds.'

Alex keek op haar horloge. 'Kunnen we het niet uitstellen?'

'Helaas niet. Als we hem willen spreken, moeten we nu gaan. We kunnen een vliegtuig nemen vanaf Santos Dumont, maar met al het verkeer...'

'Ik weet het niet. Misschien moet ik maar hier blijven.'

'Waarom? Wat is er?'

Ze keek op haar horloge. 'Ik heb eigenlijk geen tijd.'

'Wat bedoel je? Je bent hier net.'

'Ik heb de afgelopen vijf dagen zoveel gevlogen. Kunnen we hem niet hierheen laten komen? Ik betaal met alle plezier zijn vliegticket.'

Marco lachte. 'Hij is rijk. Voor geld gaat hij zijn plannen niet omgooien. Niet Digo Braga.'

Het verkeer in São Paulo was nog erger dan in Rio. Het was rijden, stoppen, rijden, stoppen, de hele weg vanaf het vliegveld naar de city. En om de zaak nog erger te maken, was het veel koeler dan in Rio. De gigantische metropool leek meer op New York in de winter dan op een zoele Latijns-Amerikaanse stad. De horizon ging bijna helemaal schuil achter wolkenkrabbers. Alex begon slaperig te worden. 'Is het verkeer hier altijd zo'n puinhoop?' vroeg ze aan Marco. 'Meestal wel, ja.' Marco legde zijn arm om haar heen. 'En het is ook geen verrassing. De helft van het geld dat ze hier aan wegen en tunnels behoren te spenderen komt terecht in de zakken van politici. De aannemers rekenen het dubbele van wat de projecten werkelijk kosten. En vervolgens delen ze het geld met de politici. Het zijn misdadige praktijken.'

'En ze komen ermee weg?' vroeg Alex.

'Wat kun je ertegen doen?'

'Ze in de gevangenis gooien, misschien?' Ze kwamen tot stilstand. De trucks en bussen om hen heen spuwden uitlaatgassen. Marco trok haar naar zich toe. 'Je weet niet veel van Latijns-Amerika, hè?'

Ze nestelde zich in zijn armen. 'Hé, ik heb computerwetenschap gestudeerd.'

'Sorry.' Marco hield haar dicht tegen zich aan. 'Het is gewoon zo dat politici in Zuid-Amerika zich verrijken. Het is een soort sport, in feite. Iedereen doet het. Alle politici. Zelfs de president. Heb je niet gehoord over alle recente schandalen?'

Alex schudde haar hoofd.

'En het trieste is dat niemand ooit opdraait voor zijn daden. *Bicho ruim não morre.*'

'Wat betekent dat?' vroeg Alex.

'Gewoon een uitdrukking die ze hier gebruiken. Het betekent letterlijk: slechte beesten gaan nooit dood. Onkruid vergaat niet.'

Toen ze incheckten in het hotel in São Paulo, stond Marco erop de kamer met zijn creditcard te betalen.

Ze hadden nauwelijks tijd gehad om hun bagage in de suite te zetten, toen Marco's mobieltje overging.

'Het is Digo,' zei Marco schouderophalend. 'Hij is vroeg. Moet ik hem vragen te wachten?'

'Nee.' Alex pakte haar handtas. 'Laten we dit meteen afhandelen.'

Marco's vriend wachtte op hen aan een klein tafeltje in de bar. Hij dronk een cola en rookte een sigaret. Hij was kalend, maar zag er heel atletisch uit. Hij droeg een klein brilletje met een metalen montuur, net als Rudi.

'Digo *bonitão!*' riep Marco. 'Fijn dat je gekomen bent.'

Hij omhelsde Digo en ging naast hem zitten. 'Digo is een van mijn oudste en beste vrienden.' Marco gebaarde Alex tegenover hen te gaan zitten. 'Hij en ik hebben op dezelfde basisschool én middelbare school gezeten. Daarna is hij in de States gaan studeren. Aan Penn.'

'Heus?' vroeg Alex.

Digo knikte.

'En Alex heeft aan Yale gestudeerd,' zei Marco.

'Hoe wist je dat?' vroeg ze.

'Je sweatshirt.' Marco glimlachte. 'Herinner je je onze cyberchat van afgelopen maandag? Je vertelde me wat je aanhad.'

Alex voelde dat ze bloosde.

'Dus,' Digo nam nog een slok van zijn cola en zette het glas terug op het tafeltje tussen hem en Alex, 'je bent geïnteresseerd in Miguel Zinner?'

'Ja. Ken je hem?' vroeg Alex.

'Vrij goed zelfs. Wat wil je over hem weten?'

'Alles. Ik ben bezig met een verslag voor...'

'Ze is consultant,' wierp Marco in het midden. 'Geen zorgen. Ze is een goede vriendin. Je kunt haar alles vertellen.'

'Oké.' Digo nam een trek van zijn sigaret en boog zich naar Alex. 'Miguel Zinner is een van de grootste boeren van Brazilië. Zijn bedrijf heet Monte Verde. Het ligt in het binnenland. Het is zo groot dat je een vliegtuig nodig hebt om het te overzien. Hij produceert meer koffie, sinaasappels, varkens en rundvee dan vrijwel iedereen.' Hij nam nog een trek. 'Ik ben er verschillende keren geweest, voor zaken. De farm is omgeven door hekken, waakhonden, gewapende bewakers – de hele mikmak.'

'Waarom heeft een boer gewapende bewakers nodig?' vroeg Alex.

'Dat is normaal in Brazilië.' Digo nam een slok cola. 'En Zinner moet miljarden bezitten. Hoewel hij waarschijnlijk niet degene is die de hightech beveiliging heeft geregeld. Hij is niet iemand die snel bang is – voor wie dan ook.' Hij haalde zijn schouders op. 'Het is een grote kerel, in alle betekenissen van het woord. Hij weegt zeker honderdvijftig kilo. Je moet zijn Rolex zien. Ze hebben hem speciaal voor hem gemaakt. Van puur goud natuurlijk.'

'De man achter de beveiliging is zijn rechterhand, José De Souza. Hij is een echte *filho da puta,* sorry dat ik zo grof ben – een echte kleine rotzak. Ik heb zaken met hem gedaan. Het is een ploert. Hij runt voor Zinner alle internationale zaken. En alleen omdat hij Engels en Frans spreekt – en Zinner niet – doet De Souza alsof hij de baas is.'

Hij wendde zich tot Marco. 'Om je een idee te geven van het type man: als hij in Sao Paulo is, brengt hij zijn tijd door in Café Photo.'

'Wat is dat?' vroeg Alex.

'Dat wil je niet weten.' Marco legde zijn hand op haar arm en glimlachte. 'Het is niets voor jou.'

'Waarom niet?'

'Het is een heel exclusieve bar, die wordt bezocht door rijke mannen en een select groepje vrouwen, van wie de meesten, hoe zal ik het zeggen, chique prostituees zijn. Heel mooi. Heel duur.'

'Ik wed dat hij daar vanavond is,' voegde Digo eraan toe. 'Ik hoorde dat hij dit weekend in de stad is.'

'Denk je dat ze bij iets illegaals betrokken zijn?' vroeg Alex aan Digo.

'Iedereen in Brazilië is bij iets illegaals betrokken.' Hij leunde naar achter en trok aan zijn sigaret. 'Ik zal je een voorbeeld geven. Een tijdje terug dachten we erover om varkens te gaan fokken op mijn farm. Anderen leken daar een heleboel geld mee te verdienen. Dus maakte ik een spreadsheet waarop de winst- en verliescijfers stonden. En met de beste wil van de wereld, hoe ik de cijfers ook aanpaste, kreeg ik het gewoon niet rond. Ik kon er onmogelijk iets mee verdienen.'

Hij drukte zijn sigaret uit in de kristallen asbak op de tafel. 'Dus ging ik met de cijfers naar een accountant die is gespecialiseerd in het agrarisch bedrijf en vroeg hem wat er niet klopte. Hij bekeek mijn spreadsheet en wees toen naar het bedrag dat ik had begroot voor belastingen. "Daar heb je je probleem," zei hij. "Je hebt je belastingen gebaseerd op honderd procent van je inkomen."' Digo haalde zijn schouders op. 'En weet je wat hij deed? Hij pakte zijn potlood en veranderde het belastingbedrag in de helft van wat ik had begroot. "Zo, nu maak je winst," zei hij.'

'En?' Alex wreef in haar ogen. Het begon rokerig te worden in de hotelbar en ze was moe. 'Wat wil je daarmee zeggen?'

'Dat iedereen hier met zijn belasting rommelt.' Hij dronk zijn cola op. 'En als je jaarlijks voor honderden miljoenen dollars aan goederen exporteert, begint dat aan te tikken. Het enige wat je hoeft te doen is je exportdocumenten vervalsen door mensen in de haven om te kopen. Op die manier weet niemand hoeveel je echt verkoopt. En je boekt al je winst offshore – via bedrijven die speciaal daarvoor zijn opgericht, op de Cariben, meestal.'

'Zoals de Britse Maagdeneilanden?' vroeg Alex.

'Precies. Of de Caymaneilanden. Of een van de andere belastingparadijzen. Iedereen doet het. De Braziliaanse overheid weet ervan, maar doet er niets aan. Ze weten dat ze er niets tegen kunnen doen.'

'En al dat niet-opgegeven inkomen, waar komt dat terecht?'

'Het blijft meestal in het buitenland. Het officieel het land in brengen zou moeilijk te rechtvaardigen zijn.' Digo stak een nieuwe sigaret op. 'Als je het zou willen gebruiken in een puriteins land als de Verenigde Staten, een land dat belastingontduiking niet oogluikend toestaat, zou je het waarschijnlijk ergens anders willen onderbrengen.'

'Bijvoorbeeld in Zwitserland?'

'Precies. Op die manier kun je het de States in brengen op een manier die er legaal uitziet. Je kunt het gebruiken om een chic appartement met uitzicht op Central Park te kopen, of een huis in Florida, of om de studie van je kind te betalen. Noem maar op.'

Zou dát het zijn geweest? vroeg Alex zich af. *Verdonkeremaande winst? Belastingontduiking?* Zinner was zijn geld in Zwitserland aan het witwassen om het een schijn van legitimiteit te geven – dat was alles. En zijn fondsbeheerders in Zwitserland waren waarschijnlijk op tilt geslagen toen ze zagen dat het geld vastzat op Magda's rekening. Als typische Zwitsers probeerden ze alles recht te breien.

'Heb je wel eens gehoord van de Hezbollah?' vroeg ze aan Digo.

'Ja.' Hij nam een lange trek. 'Wie niet?'

Marco keek Alex doordringend aan. 'Waarom vraag je dat?'

'Ik las ergens dat Zinner banden met ze heeft.'

'Waar heb je dát gelezen?' vroeg Digo.

'Ik weet het niet. Het schijnt dat de Hezbollah uitgebreide activiteiten ontplooit in Brazilië. In het niemandsland aan de grens met Paraguay en Argentinië, volgens zeggen. Ze zijn daar betrokken bij witwaspraktijken.'

'Het zou kunnen.' Digo leunde naar achter. 'Maar Zinner zal daar niets mee te maken hebben. Hij is Joods.'

'Werkelijk?' vroeg Alex. 'Hoe weet je dat?'

'Zinner is een Joodse naam. Het verbaast me dat je dat niet wist.'

Alex haalde haar schouders op. 'Sorry.'

'Ik heb gehoord dat Miguel Zinner een van Israëls grootste financiële steunpilaren in Brazilië is. In de Verenigde Staten ook. Hij is behoorlijk religieus, in feite.'

Digo doofde zijn sigaret. 'Het is uitgesloten dat hij banden heeft met een van de meest antisemitische organisaties van de wereld.'

Het eerste wat Alex deed toen ze terugkwam in de suite was Rudi opbellen om hem te vertellen dat er geen reden voor paniek was – dat ze alleen maar hoefden te wachten en dat het, zodra Magda's geld naar Cyprus was gestuurd, allemaal voorbij zou zijn. Vreemd genoeg nam hij op geen van zijn nummers op. Ze liet een boodschap achter waarin ze schetste wat ze ontdekt had. Vervolgens besloot ze Magda op te bellen, om zich ervan te vergewissen dat alles goed met haar was – dat Rudi niet was teruggekomen op zijn belofte dat hij zou wachten om contact met haar op te nemen totdat hij van Alex had gehoord.

'Ik heb de tijd van mijn leven,' jubelde Magda. 'Dankzij jou.' Ze klonk uitgelaten. 'We hebben een feestje in mijn appartement, met een paar vrienden van vroeger – de weinigen die het hoekje nog niet om zijn.' Alex herkende de muziek op de achtergrond: Shirley Horn.

'Ik heb in jaren niet zo'n plezier gehad.' Magda moest schreeuwen om boven het lawaai uit te komen. 'Jammer dat je er niet bij kunt zijn.'

Alex keek op en zag dat Marco zich uitkleedde. Hij glimlachte naar haar terwijl hij uit zijn broek stapte.

'We gaan vanavond met z'n allen stappen,' vervolgde Magda. 'Ik neem al mijn oude vrienden mee naar de Blue Note. We gaan de bloemetjes eens flink buiten zetten.'

'Nou, veel plezier. En wees voorzichtig.'

'Doe ik. Trouwens, heb je het telefoonnummer van meneer Tobler? Ik wil hem bedanken voor alles wat hij voor me gedaan heeft, voor het overdragen van de rekening.'

'Waarom stuur je hem geen brief?' Alex zag dat Marco zijn hemd uittrok. Zijn torso was indrukwekkend. 'Rudi heeft het erg druk de laatste dagen. We kunnen hem waarschijnlijk beter niet lastigvallen.'

'Best. Kun je me zijn adres geven? Dan stuur ik hem een brief.'

'Uitstekend idee. Het huisnummer is 8, maar de straat is... wacht even.' Alex opende haar laptop en controleerde Rudi's adres. 'Het is Nägelistrasse. Zal ik het voor je spellen?'

'Niet nodig,' onderbrak Magda haar. 'Ik spreek Duits, weet je.'

'Natuurlijk. Dat was ik vergeten.' Al pratend begon Alex de documenten te sluiten die nog steeds openstonden op haar scherm, inclusief de artikelen over Miguel Zinner die ze eerder die ochtend had gedownload.

'Ik ben van plan om hem uit te nodigen om naar New York te komen,' vervolgde Magda. 'Jou ook. Om het te vieren. Lijkt je dat wat? Dan neem ik jullie mee naar het beste restaurant van de stad. Geen hotdogs ditmaal, dat beloof ik!'

'Dank je, Magda. Dat is een uitstekend idee. En vergeet niet, wat er ook gebeurt, je kunt altijd opbellen en een bericht voor me achterlaten.' Ze gaf Magda haar Thompson-nummer. 'Het is een gratis nummer,' voegde ze eraan toe. 'Je kunt kosteloos bellen.'

'Geen zorgen, schat.' Magda giechelde. 'Ik zie niet meer op tegen dure telefoongesprekken. Ik ben nu miljonair, weet je nog?'

'Nou en of. Is het niet geweldig?' Alex vergrootte een van de foto's op haar desktop. Miguel Zinner was precies zoals Digo hem had beschreven, een boom van een kerel en met de grootste Rolex die ze ooit had gezien. Hij stond naast een kleine, donkere man met een baard van drie dagen. Volgens het bijschrift was dat José De Souza. Ze stonden allebei in een kleine mensenmenigte en veel van de mannen naast hen droegen militaire uniformen. Een witte poster boven hen droeg het woord *Inauguração*.

Alex hing op en staarde verscheidene seconden naar de foto. Dit waren de mannen voor wie Rudi zo bang was – een corpulente boer en zijn kleine handlanger.

Marco kwam naar haar toe en sloeg zijn armen om haar heen. Hij droeg alleen zijn witte boxershorts. 'Ga je de hele nacht met je computer spelen?' Hij beet zachtjes in haar oor terwijl hij sprak. 'Of kom je mee naar bed?'

'Natuurlijk. Even deze laatste foto afsluiten.' Ze voelde Marco's handen over haar borsten glijden. De ogen van De Souza staarden haar aan vanaf de foto. 'Hij ziet er gemeen uit, vind je niet?' fluisterde ze.

'Wie? De Souza?'

'Ja. Griezelig, vind je niet? Het is net alsof hij ons in de gaten houdt.'

'Tover hem dan weg,' fluisterde Marco. 'Tover alles weg.'

Terwijl Alex de cursor over de foto bewoog om hem af te sluiten, schoof hij een beetje naar rechts en toonde nog meer mensen, die bij de rand van het podium stonden. Een van de gezichten was slechts gedeeltelijk zichtbaar, maar ze herkende het onmiddellijk.

Ze scrolde de foto verder en het complete gezicht kwam in beeld. 'Kom op. Laten we gaan.' Marco probeerde haar op te tillen. 'We hebben belangrijker dingen te doen.'

'Eén seconde.' Alex duwde haar haar achter haar oren en boog zich naar het scherm. De man in de groep was Jean-Jacques Crissier. Wat deed de leidinggevende computerconsultant van HBZ, haar baas, in Brazilië in de kringen van een louche geldwitwasser?

'Wat is er?' vroeg Marco.

'Ik weet het niet. Misschien niets.' Alex pakte de telefoon. 'Maar ik ga het uitzoeken.' Snel toetste ze Erics nummer.

'Maar...'

'Eric, met Alex.'

'Waar ben je?' Hij klonk paniekerig. 'Ik krijg geen nummer op mijn schermpje. Ben je nog in het buitenland?'

'Ja. Ik...'

'Ik heb de hele dag niets van je gehoord – gisteren trouwens ook niet. Ik heb verschillende berichten voor je achtergelaten op je Thompson-voicemail.'

'Heeft Crissier iets gezegd?'

'Ja! Hij wil weten wanneer je terugkomt.'

'Nog iets anders?'

'Hij wil weten waar je zit.'

'En wat heb je hem gezegd?'

'Dat je griep hebt. Zoals je me had gezegd.' Hij zweeg even. 'Maar hij zei dat hij je onmiddellijk wil zien. Ongeacht hoe ziek je bent. Wat is er aan de hand, Alex?'

'Ik weet het niet.' Ze haalde diep adem. 'Maar ik ga het uitzoeken.'

'Zit je in de problemen?'

'Er is maar één manier om daarachter te komen.' Ze greep haar handtas.

'Vertel me waar je bent. Vertel me hoe ik kan helpen...'

'Ik moet ophangen.' Ze hing op en opende haar handtas, pakte haar lippenstift en begon die aan te brengen in de spiegel naast de deur.

'Wat is er toch allemaal?' vroeg Marco.

'Ik moet iets uitzoeken. Misschien stelt het niets voor, maar ik moet zeker weten of Miguel Zinner zo onschuldig is als je vriend beweert.'

Hij stond op. 'Waar heb je het over? Waarom kunnen we niet naar bed gaan? Ik dacht dat je moe was.'

'Ik moet dit doen. Vanavond nog.'

'Maar waarom?' Hij liep naar haar toe. 'Waarom kunnen we niet naar bed gaan? Eens goed slapen? Morgen is vroeg genoeg om alles over Miguel Zinner te weten te komen. Waarom zo'n haast?'

'Dat wil je niet weten.'

'O jawel. Ik ben er nu bij betrokken, Alex.' Hij nam haar in zijn armen. 'Ik wil je helpen. Laat me. Alsjeblieft?'

'Kom dan nu met me mee. Ik moet iets uitzoeken. Een krankzinnig idee dat ik heb.' Ze mikte de lippenstift terug in haar handtas en klikte hem dicht. 'Daarna kunnen we ons ontspannen. We kunnen teruggaan naar Rio. Of waar je maar heen wilt. Help me alleen om te zorgen dat niemand mij ooit kwaad kan doen – ons ooit nog kwaad kan doen.'

Café Photo was vol mannen van velerlei ras en nationaliteit. Velen waren jong. Sommigen konden niet ouder dan twintig zijn. De vrouwen waren stuk voor stuk bloedmooi – en slank. Ze voldeden totaal niet aan het stereotype van prostituees. Ieder, zonder uitzondering, had een tasje aan haar schouder hangen – voor het geld ongetwijfeld.

Alex herkende De Souza onmiddellijk. Hij zat aan de bar whisky te drinken en luidkeels in het Engels tegen een man naast hem te oreren. 'Het twaalf jaar oude spul kun je elke dag drinken, weet je, en toch de volgende dag niets voelen.' Ze kon zijn stem duidelijk boven het lawaai in de bar uit horen komen. 'Je voelt het als fluweel door je keel glijden. Mijn favoriet is Royal Salut. Heeft eenentwintig jaar nodig om te rijpen. Het is de crème de la crème.' De Souza sprak de Franse woorden met een zwaar, schor accent. Terwijl hij sprak, nam hij gulzige slokjes uit zijn glas.

Alex kwam dichterbij.

'Wat ga je doen?' fluisterde Marco.

'Wacht gewoon hier op me, oké?' Ze gaf hem een kneepje in zijn arm. 'Dit is in een paar minuten gepiept.'

Alex liep weg en ging aan de bar zitten, tegenover De Souza. Hij keek meteen haar kant op. Alex glimlachte. Hij stak een sigaar op terwijl hij zijn ogen op haar gericht hield. Ze keek weg en besloot dat het waarschijnlijk effectiever zou zijn om hem te laten bungelen. Toen ze terugkeek, was hij verdwenen.

Plotseling hoorde ze zijn stem naast zich. *Oi meu bem.*

'Sorry. Wat zei u?' vroeg Alex. 'Ik spreek geen Portugees.'

'Geen probleem. Ik spreek alle talen.' De Souza glimlachte. Hij had een geel, onregelmatig gebit. 'Kan ik je een glas champagne aanbieden?'

'Ja hoor.'

Hij bestelde twee glazen. 'Dom Pérignon, is dat goed?' Hij glimlachte opnieuw. 'Alleen het allerbeste voor jou.' Hij ging naast haar zitten. 'Weet je wat ik zou willen? Jou mee naar huis nemen. Je eens heerlijk verwennen. Zou je dat willen?'

'Ik weet het niet.'

Hij boog zich dichter naar haar toe. 'Jij bent een heel mooie vrouw, weet je dat?' Zijn adem rook naar drank.

Alex kon Marco zien vanuit haar ooghoeken – hij hield hen discreet in het oog vanaf de andere kant van de bar.

'Je hebt mooie ogen.' De Souza wierp een blik op haar borsten. 'En een mooi lijf.'

'Dank u.'

'Zij vinden dat zo te zien ook.' Hij wees naar twee mannen verderop die met twee slanke blonde vrouwen stonden te praten. 'Zij werken voor de gouverneur, weet je.'

Hij legde zijn hand op Alex' schouder. 'Ik ken ze. Ik ken een heleboel mensen hier. Het zijn allemaal vrienden.'

'Hoe komt u aan zo veel belangrijke vrienden?' vroeg ze langs haar neus weg.

'Ik ben een belangrijk man, weet je.' Het viel Alex op dat hij met een ietwat dikke tong sprak. 'Belangrijke mensen vertrouwen me.' Toen mompelde hij iets over 'de kas' terwijl hij zijn glas champagne leegdronk.

'Jij kunt me ook vertrouwen.' Hij trok aan zijn sigaar. De rook ging recht naar Alex' gezicht. 'Ik heb connecties, met mensen op hoge posities. De top.' Hij bestelde nog een drankje.

'Nu u het zegt, ik heb geloof ik van u gehoord. Stond uw foto een tijdje terug niet in de krant?' vroeg Alex.

'Zou kunnen.' Hij legde zijn hand op haar been. 'Waar was het?'

'Ik weet het niet. U was in gezelschap van officials. Ik meen dat u met iemand was die Miguel Zinner heet.'

'Dat is mijn baas.' De Souza nam nog een trek. 'Hij zit nu in Parijs. In het Ritz. Zouden we ook naartoe kunnen. Kan ik je de stad laten zien. Echt iets voor jou.'

'En u was met nog iemand. Jean-Jacques Crissier, kan dat?'

'Wie?' Hij kneep in haar dij.

Ze herhaalde de naam. 'Ik meen dat hij uit Zwitserland komt...'
'Nooit van gehoord.' Hij bewoog zijn hand omlaag tussen haar benen. 'Wat zeg jij, zullen we ervandoor gaan? Mijn wagen staat buiten.'
'Nee, dank u. Ik kan echt niet...'
'Hoezo, kan niet? Niemand zegt nee tegen mij.'
'Heus.' Ze keek om zich heen. Marco zat niet langer tegenover hen. 'Ik heb hier afgesproken met een vriend.'
'Maar nu ben je met mij.' Hij kneedde de binnenkant van haar dij. 'Ik zal me vannacht over je ontfermen. Je hebt niemand anders nodig.'
Alex duwde zijn hand weg. 'Sorry. Een andere keer misschien.'
'Wat krijgen we nou?' Hij legde zijn andere hand in haar nek en kneep harder. 'Vind je me niet leuk?'
'Dat is het niet. Ik kan nu gewoon niet weg.' Ze probeerde op te staan. De Souza's hand verstrakte zich rond haar nek.
'Niet zo snel. Niemand loopt bij mij weg.'
'Het spijt me, maar ik moet echt gaan.' Ze probeerde zijn hand van haar dij te duwen. 'U doet me pijn.'
'Doe dan gewoon wat ik zeg, dan overkomt je niets.'
Plotseling verscheen Marco aan haar zijde, als bij toverslag.
'Wat is hier aan de hand?' vroeg hij.
'Niets. Ik wilde net weggaan.' Alex stond op en liep naar de deur. Ze keek achterom om te zien wat De Souza deed. Hij staarde naar haar met zijn sigaar in zijn ene hand en zijn drankje in de andere.
Marco kwam achter haar aan en escorteerde haar voorbij het legertje mannen in donkere pakken die bij de deur stonden. Hij leidde haar kalm naar buiten. Hij leek helemaal niet bang te zijn. Hij keek zelfs niet om om te zien of De Souza hen volgde.
'Ho even.' Marco hield Alex tegen toen ze de straat bereikten. 'Er zijn hier niet veel taxi's op dit uur van de nacht.' Hij trok haar terug naar de club. 'Laten we binnen vragen of ze er een voor ons willen bellen.'
'Nee.' Alex trok hem mee. 'Ik wil hier weg. Nu!'
Hij hield haar arm stevig vast. 'Alex, het is niet veilig hier. Niet 's nachts. We zijn veel beter af als we binnen wachten.'

'Je krijgt mij niet naar binnen. Niet zolang hij daar is.'

Marco sloeg zijn arm om haar heen en liep met haar mee. 'Laten we dan naar de Rebouças lopen. Daar kunnen we waarschijnlijk een taxi vinden.'

Ze liepen verscheidene blokken. Marco bleef zorgvuldig aan de straatkant lopen. De volmaakte gentleman.

Verderop zag Alex een goed verlichte straat. 'Bedankt, Marco,' fluisterde ze, 'dat je er vanavond was. Dat je voor me klaarstond.'

'Geen probleem.' Hij trok haar naar zich toe. 'Ben je te weten gekomen wat je wilde van De Souza?'

'Ja, dat wel.'

'Mooi.' Hij boog zich naar haar toe en kuste haar op haar voorhoofd. 'Je stinkt naar sigarenrook.'

'Weet ik. Wat een walgelijke vent, hè? Het eerste wat ik doe als we weer op onze kamer zijn is een douche nemen en elk spoor van José De Souza van me afspoelen.'

'Wat denk je van een gezamenlijke douchebeurt?'

'Klinkt goed.'

'We zouden kunnen doorgaan waarmee we begonnen toen we in de...'

Alex hoorde een harde bons. Marco werd van haar losgerukt en landde op het trottoir – een verkreukelde, roerloze massa in het donker.

De grote zwarte Mercedes die Marco had geraakt kwam met gierende banden tot stilstand en José De Souza sprong eruit. Hij greep Alex voordat ze weg kon komen en drukte zijn hand over haar mond. Hij begon haar de achterbank van de auto op te duwen. 'Jij komt met me mee, kreng.'

Alex verzette zich nog heviger. Hij hield haar stevig vast. Ze voelde dat een van haar hoge hakken het begaf, ze viel op de grond. Toen voelde ze dat De Souza haar optilde en op de achterbank van de wagen probeerde te duwen.

'Niemand loopt van mij weg,' schreeuwde hij in haar oor. 'Nooit.'

Ze probeerde hem het hoofd te bieden, zich te verdedigen, maar hij drukte haar gezicht op de achterbank, tegen een jas die naar sigarenrook stonk. Iets hards onder de jas drukte pijnlijk tegen haar wang.

Ze voelde dat De Souza zijn hand onder haar rok stak en haar slip omlaag trok. Ze trapte harder, maar hij hield haar nog krachtiger omlaag. Haar gezicht werd zo hard omlaag gedrukt dat ze nauwelijks adem kon halen.

'Wees maar een braaf meisje en doe precies wat ik zeg.' Hij trok haar benen uit elkaar. 'Papa gaat je een lesje leren.'

Alex schopte. Hij trok harder.

Ze gilde en kermde, maar hoe meer ze worstelde, hoe harder hij haar op de jas drukte. Ze kon nu geen adem meer krijgen. Alles begon te draaien. Ze raakte in paniek. Ze probeerde te schoppen, wrong zich in bochten, maar hij duwde gewoon nog harder. Ze kon voelen dat ze haar bewustzijn begon te verliezen.

Alex bokte met al haar kracht en slaagde erin haar hand onder haar hoofd te schuiven, waardoor ze een kleine opening kreeg om door te ademen. Het harde voorwerp onder de jas drukte nu tegen de rug van haar hand. Was het een pistool?

Ze voelde een golf van energie nu de lucht haar longen in stroomde, en ze gaf nog een trap. De Souza duwde haar verder omlaag. Ze voelde dat hij zich tussen haar benen probeerde te dringen. 'Je krijgt nu wat je wilt. Wat je aldoor hebt gewild.'

Alex hoorde het geluid van een gesp die werd losgemaakt. Toen voelde ze dat haar slip scheurde.

Met zijn vrije hand begon hij tussen zijn benen te frommelen. 'Kom op. Nog wat harder. Ik ben bijna zover.' Ze voelde de ritmische bewegingen van zijn hand.

'Bijna zover.' Ze voelde dat zijn mond zich om haar oor sloot. Hij ademde zwaar. 'Ik ben bijna zover.'

Ze greep de rand van het harde voorwerp onder de jas en probeerde het weg te trekken. Schoppend en kermend slaagde ze erin het onder de jas uit te schuiven. Het was een kleine laptop. Ze hief hem boven haar hoofd om hem op De Souza's hoofd te laten neerkomen.

Hij lachte alleen en boog opzij. 'Het zal niet baten, mijn *petite mouche*. Je kunt niets meer doen om me tegen te houden.' Ze

voelde hem harder toestoten. 'Hou je vast, papa komt zo thuis.'
Ze haalde weer uit met de laptop. Ditmaal raakte de hoek ervan de zijkant van zijn gezicht.

Hij schreeuwde. *'Puta que pariú!'*

Hij gebruikte nu beide handen om haar vast te pinnen, haar armen neer te drukken. Maar zonder hulp van een hand was hij niet in staat haar te penetreren.

Hij schoof omhoog, en gebruikte zijn lichaamsgewicht om haar eronder te houden – haar gezicht drukte tegen de jas. Haar adem werd bijna afgesneden. Ze vocht om lucht te krijgen, maar kon nauwelijks in- of zelfs maar uitademen. Haar longen begonnen te branden.

Ze zag als in een flits haar moeder met een kussen over haar gezicht, worstelend. *Is zij ook zo gestorven?*

Alex' hoofd begon te draaien.

In een laatste poging zichzelf te bevrijden schopte ze wild van zich af, maar zonder enige lucht in haar longen begon haar kracht weg te ebben. Het werd rood voor haar ogen.

Toen hoorde ze een doffe klap. De Souza schreeuwde in haar oor. *'Merda!'* Toen nog een doffe klap.

Ditmaal voelde ze de dreun tot in haar lichaam. Plotseling liet De Souza haar polsen los en gleed van haar lichaam.

Alex draaide zich om en hapte naar lucht.

Boven haar stond Marco, naast de auto. Hij hield zich overeind met één hand op het open portier. Bloed stroomde over zijn gezicht. Hij boog zich naar De Souza, die opgerold op de grond lag. Met zijn vrije hand haalde Marco snel uit naar het gezicht van De Souza, en Alex hoorde een plopgeluid als van een champagnekurk. Bloed spoot uit De Souza's neus. Hij schreeuwde als een bezetene. *'Para! Por favor!* Stop!'

De Souza rolde onder de auto om aan Marco's slagen te ontsnappen. Marco draaide zich om naar Alex. 'Kom, laten we gaan.' Hij tilde haar van de achterbank en trok voorzichtig haar rok van haar middel omlaag. 'Laten we hier wegwezen. Voordat de politie hier is. Met De Souza's connecties is het beter om geen problemen te krijgen.' Hij leidde haar weg van de auto, hinkend, met één arm slap langs zijn zij.

Alex volgde blindelings, zonder te merken dat ze de kleine laptop nog steeds stevig vasthad.

23

Alex klikte de ketting op zijn plek en duwde een zware fauteuil tegen de deur van de hotelkamer.

'Maak je geen zorgen. Hij komt ons niet achterna.' Zijn gezicht en torso afdrogend kwam Marco de badkamer uit. Alex zag verscheidene schrammen op zijn zij en rug. 'Behalve zijn neus heb ik ook verschillende ribben en zijn rechterarm gebroken. Hij zal de komende dagen nergens heen gaan.'

'Hoe kun je daar zo zeker van zijn?'

'Ik ben karatedocent, weet je nog wel? Ik weet dat soort dingen.'

'Maar als De Souza bevriend is met de gouverneur, kan hij dan niet de politie op ons afsturen?'

'Maak je geen zorgen.' Marco liep naar haar toe en nam haar in zijn armen. 'Hij weet niet waar we zijn. Hij weet niet hoe we heten. Hij weet niets van ons.'

Hij trok haar mee naar het bed. 'Laten we gewoon gaan slapen.'

Alex maakte zich los. 'Sorry,' fluisterde ze. 'Ik wil eerst een douche nemen. Ik wil elk spoor van die vent van me afspoelen.'

'Best. Ik ben hier als je me nodig hebt.' Hij hinkte naar het bed en ging er op zijn buik op liggen.

Alex sloot de deur van de badkamer en draaide de kraan van de douche open. Ze liet het stomende hete water minutenlang over zich heen stromen, zeeg toen neer op de vloer en sloeg haar armen om haar knieën. Ze begon te huilen. Ze huilde tot er geen tranen meer kwamen, tot de pijn in haar ogen en wangen even groot was als de pijn in de rest van haar lichaam.

Toen ze naar buiten kwam, lag Marco te slapen. Zijn broek en bebloede overhemd lagen in een verkreukelde hoop op de vloer. Alex ging naast hem op het bed zitten. Verscheidene minuten keek ze hoe zijn rug bewoog op het ritme van zijn ademhaling. De diepe schrammen glinsterden in het zachte licht van de kamer. Deze man, deze knappe man, had haar gered. En het was bijna zijn dood geworden. Ze wist zo weinig van hem, maar na wat ze zojuist hadden doorgemaakt, voelde het aan alsof ze hem al haar hele leven kende. Ze kroop naast hem. Hij verroerde zich nauwelijks.

Ze lag daar verscheidene uren, zich afvragend wat ze had gedaan om dit te verdienen. Ze had alleen geprobeerd om het juiste te doen, de beste uitweg te vinden. En ook haar was het bijna fataal geworden. Net als Marco.

Terwijl ze daar in het donker lag, bleef ze terugdenken aan het moment waarop ze geen lucht meer kreeg – hoe weinig het had gescheeld of ze was gestorven onder de handen van De Souza – hulpeloos, stikkend.

Was haar moeder zo gestorven? Machteloos onder het kussen gedrukt tot er geen lucht, geen leven meer over was? Hoe kon iemand ervoor kiezen om zo uit het leven te stappen?

Maar haar moeder had veel pijn gehad, en ze haatte pijn. Maar de gruwel van verstikking doormaken, het moest een hel voor haar zijn geweest.

En wat als ze halverwege van gedachten was veranderd? Hoe had ze Evelyn kunnen vertellen dat ze moest ophouden?

Maar stel dat het van meet af aan het idee van haar verpleegster was geweest?

Maar waarom? Evelyn had een goede baan bij mevrouw Payton. Waarom zou ze zichzelf overbodig willen maken?

Alex moest aan Rudi's woorden denken: *follow the money*. Maar haar moeder had geen geld. Wat had het voor zin gehad om haar leven voortijdig te beëindigen?

Zonder profijt geen motief. Zonder motief geen misdrijf.

Het bleef onlogisch.

Het begon licht te worden toen Alex zich eindelijk voelde wegdrijven. Ze kroop naast Marco en hield hem stevig tegen zich aan. Ze zakte weg in een diepe slaap. De slaap der doden, werd het zo niet genoemd? *Hou op met dat gespeculeer over wat er gebeurd kan zijn, zei ze tegen zichzelf terwijl ze wegdreef. Richt je op het heden, op het zoeken naar een manier om aan deze nachtmerrie te ontsnappen.*

Alex werd gewekt door een telefoontje van de receptie met de vraag wanneer ze hun kamer vrij zouden maken – het was al middag.

Marco lag nog te slapen. Ze stond op om Rudi op te bellen. Nog steeds geen gehoor. Wat was er aan de hand? Het was meer dan vierentwintig uur geleden sinds ze elkaar hadden gesproken. Had hij haar berichten niet gekregen? Had hij besloten naar New York te gaan om Magda te ontmoeten en haar erbij te betrekken?

Ze toetste Magda's nummer. Geen gehoor en ook geen antwoordapparaat.

Ze berekende de tijdzones. Het was laat in de ochtend in New York. Magda zou inmiddels wakker moeten zijn.

Ze probeerde haar Thompson-voicemail opnieuw. Vreemd genoeg was er geen enkel bericht – niet van Rudi en zelfs geen bericht dat met haar werk te maken had. Had Eric niet gezegd dat hij verschillende berichten voor haar had achtergelaten? Ze liep terug naar het bed en schudde Marco zachtjes wakker.

'Kom op. Laten we hier weggaan. Laten we naar het vliegveld gaan. Ik wil terug naar New York om te zien hoe een zeker iemand het maakt. Daarna wil ik naar Seattle. Ik moet daar nog iets doen.'

Marco draaide zich slaperig naar haar om. 'We kunnen niet weg. Nog niet.'

'Waarom niet?' Alex begon haar koffer te pakken.

Hij wreef zijn ogen uit. 'Ik zei toch dat alle vliegtuigen naar de States in de avond vertrekken?'

'Laten we dan naar het vliegveld gaan en daar wachten.' Ze gooide alles wat ze had in haar koffer en sloot hem stevig. 'Laten we het eerste vliegtuig pakken dat vertrekt.'

'Dat lijkt me niet zo'n goed idee.' Marco wikkelde het laken om zijn middel en stond onvast op.

'Waarom niet?' vroeg Alex.

'De Souza mag dan gewond zijn, maar hij kan nog steeds zijn zware jongens of de politie naar het vliegveld sturen om naar ons uit te kijken. Hij kan allerlei smoezen verzinnen om ons te laten arresteren.'

'Maar hij weet niet hoe we heten, toch? En alleen hij weet hoe we eruitzien.'

'Toch lijkt het me verstandiger om tot het laatste moment te wachten. Je weet maar nooit.'

Alex pakte de telefoon en belde naar de receptie. 'Dan ga ik een stoel in het eerst vertrekkende vliegtuig reserveren. Ik zal er ook een voor jou reserveren, goed?'

'Prima.'

Ze zetten haar in de wacht.

Terwijl ze wachtte, zag ze de laptop van De Souza op het bureau staan. 'Wat doet dat ding hier?' vroeg ze aan Marco.

'Je hebt het gisternacht meegenomen, weet je dat niet meer?'

'Helaas is dat het enige wat ik me niet herinner.' Ze opende de klep. Het scherm kwam tot leven. Het icoon voor de inbelverbinding, in het midden van het scherm, klikte automatisch aan en het scherm begon te flitsen: Monte Verde Intranet.

Ze zag dat de naam José De Souza al was ingevoerd in het naamveld. Een reeks sterretjes vulde het wachtwoordveld. Ze hing op, sloot de telefoonlijn aan op haar computer en drukte op Enter. Het scherm lichtte op. Wachtwoord geaccepteerd.

'Wat is dat?' Marco kwam erbij en legde zijn handen op Alex' schouders.

'Het intranet van de farm, alleen bedoeld voor intern gebruik.' Ze bewoog de cursor omlaag naar de prompts voor Naam en Wachtwoord. 'Zoals veel mensen bewaart De Souza zijn informatie op het scherm.' Ze dacht aan Panos en zijn verhaal over geheugenkunst in Boedapest. 'Misschien kan hij het niet onthouden.'

Plotseling verschenen de woorden *Connecting to Monte Verde Intranet* op het scherm. Toen de woorden: *Bem Vindo*.

'Volgens mij ben je binnen,' zei Marco zachtjes in haar oor. 'Dat betekent "welkom" in het Portugees.'

Onder aan de pagina was nog een veld: *Monte Verde Farms – Operações Internaçionais. Accesso: José De Souza.*

'De computer ziet jou voor hem aan.' Marco masseerde zachtjes Alex' schouders. 'Ze geven je toegang tot de administratie van het bedrijf.'

Alex klikte op Enter en er verschenen twee knoppen op het scherm: *Stockes* en *Vendas.*

'Het eerste is "voorraad",' vertaalde Marco. 'En het tweede betekent "verkopen". Zie je dat op allebei het woord *Interna* staat? Het moeten hun interne *Caixa Dois*-cijfers zijn, de cijfers die ze niet aan de overheid rapporteren – net als Digo ons vertelde.'

'We moeten dit aan de politie geven.' Alex haalde een diskette uit haar laptop en schoof hem in de computer van De Souza.

'Hoewel. Als het waar is wat Digo zegt, doen ze er niets mee.' Binnen een paar minuten had ze Monte Verdes verkoop- en voorraadcijfers over de afgelopen vijf jaar – zowel de echte als de frauduleuze cijfers.

Plotseling begon er een kleine tekstregel op het scherm op te lichten: *Dial-up networking failed.* Inbelverbinding verbroken.

'Vreemd. Ze willen ons niet meer laten inloggen.' Alex klikte op het icoon voor Inloggen. Niets.

'Misschien hebben ze in de gaten dat jij niet José De Souza bent.'

'Hoe kunnen ze dat nu weten?' Ze leunde naar achter en wachtte. 'Als ze ons één keer toelaten, moeten ze ons nu weer toelaten.'

'Of misschien wisten ze aldoor al dat je niet De Souza was.'

'Wat bedoel je?'

'Misschien lieten ze je opzettelijk online komen.'

'Waarom zouden ze dat doen?'

Marco wees naar de telefoonkabel.

Alex voelde het bloed door haar lijf razen. 'Jij denkt dat ze ons gesprek traceerden om uit te vinden waar we waren?' Ze trok de stekker eruit en mikte de laptop in de prullenbak. 'We moeten hier wegwezen. Nu!'

Binnen een paar minuten waren ze beneden in de lobby. Marco stond erop een taxi op straat aan te houden in plaats van er een te nemen die het hotel bood.

'Als ze ons hier komen zoeken,' legde Marco uit, 'willen we niet dat ze weten waar we naartoe zijn.'

Ze klommen in een gammele Volkswagen-taxi. Marco mompelde iets tegen de chauffeur en wendde zich toen tot Alex. 'Gelukkig zijn er drie vliegvelden in São Paulo – en De Souza kan niet op alle drie tegelijk zijn. En hij is de enige die weet hoe we eruitzien. Bovendien heeft het voornaamste vliegveld van São Paulo, waar de meeste vluchten naar Noord-Amerika vertrekken, verschillende terminals. Dat is een van de voordelen van een stad met twintig miljoen inwoners.' Hij wees uit het open raam. 'En dit is het grootste nadeel.'

Auto's, bussen en vrachtwagens blokkeerden de straten in elke richting. 'Iedereen probeert de stad uit te komen voor het weekend. En ik kan ze geen ongelijk geven.'

Lange tijd kwam het verkeer nauwelijks vooruit. De uitlaatgassen van de auto's en bussen die om hen heen stonden, stroomden door de open ramen van de taxi naar binnen.

Alex' ogen begonnen te schrijnen. 'Hoe lang duurt het om op het vliegveld te komen?' vroeg ze.

'Als jij het weet, weet ik het ook.'

Het leek eindeloos te duren. Tegen de tijd dat ze voor de vertrekhal stopten, was de zon een vaaloranje bal aan de zwaar vervuilde namiddaghemel.

Alex sprong uit de wagen en haalde hun bagage uit de kofferbak terwijl Marco de chauffeur betaalde. Ze zag hem grimassen terwijl hij uitstapte. 'Gaat het wel goed met je?' vroeg ze.

'Ja, hoor. Laten we gaan.'

Hij nam zijn tas van Alex over en liep naar binnen. Ze renden naar de incheckbalie, maar een vrouw in een officieel uitziend donkerblauw uniform hield hen tegen. 'U moet eerst door de veiligheidscontrole.' Ze sprak Engels met een zwaar accent. 'En ik moet uw paspoorten en tickets zien.'

Alex overhandigde haar ticket. 'Ik wil het veranderen – om vanuit São Paulo naar New York te vliegen en niet vanuit Rio. Omdat ik het volle pond heb betaald moet dat geen probleem zijn, toch?'

De veiligheidsbeambte bekeek Alex' ticket zorgvuldig. 'Wilt u nu meteen naar New York vertrekken?'

'Ja. En we willen ook het ticket van mijn vriend omzetten.'

'Nou, dan kunt u maar beter haast maken.' Ze plakte een rood zegeltje op Alex' ticket. 'Het vliegtuig naar New York staat klaar voor vertrek.'

Alex holde naar de incheckbalie. 'Zet ons allebei op de vlucht naar New York.' Ze wees achterom naar Marco, die nog steeds bij de veiligheidscontrole was. 'Het maakt niet uit hoeveel het kost.'

De vrouw bekeek Alex' ticket zorgvuldig. 'Normaal gesproken moeten routewijzigingen vooraf worden geregeld, maar omdat u businessclass reist... Hebt u bagage in te checken?'

'Nee. Ik heb alleen een schoudertas en een rolkoffer die als handbagage mee kan.'

'Mooi. De vlucht staat op het punt te sluiten.'

'Kunnen we het ticket van mijn vriend ook omzetten?' Alex wees naar Marco. 'We vliegen samen.'

'Is zijn ticket ook naar New York?'

'Ik geloof het niet. Hij is gisteren uit Parijs gekomen.'

'Dan moet hij een nieuw ticket hebben. Of het huidige laten omboeken. Het spijt me, maar dat zou te veel tijd kosten.' Ze overhandigde Alex een instapkaart. 'U zult toch al moeten rennen. De instaptijd is bijna verstreken.'

'Maar hij moet met mij mee.' Alex gebaarde naar Marco, die achter haar aan kwam. 'Kunt u niet iets regelen? Hij heeft een ticket eersteklas. Kan dat niet gewoon worden omgeboekt?'

'Dat kost tijd. Hij kan een andere vlucht naar New York nemen.' Ze wees naar het SAÍDAS – DEPARTURES-scherm aan de muur achter Alex. 'U moet nu gaan. Anders mist u uw vlucht.'

'Maar...'

'Wat is er aan de hand?' vroeg Marco. 'Is er een probleem?'

'Ze weigeren je op mijn vlucht te laten.' Alex schreeuwde bijna. 'Laat je ticket zien, misschien kunnen ze het omzetten.'

De vrouw schudde haar hoofd zonder zelfs een blik op Marco's ticket te werpen. 'Zelfs al kon het wel worden omgeboekt, dan nog zou het te laat zijn. Deze vlucht is gesloten.'

'Boek ons dan allebei op een latere vlucht.' Ze wees naar het SAÍDAS – DEPARTURES-scherm. 'Over iets meer dan een uur gaat

er een vlucht naar New York met een andere maatschappij. Laten we die nemen.'

'Geen denken aan.' Marco leidde Alex naar de paspoortcontrole. 'Neem deze vlucht. Zorg dat je wegkomt uit São Paulo.
Ik zie je in New York.'

'Hoe denk je me te vinden?'

'Wacht op het vliegveld – na de douane. Als er een probleem is,
bel me dan op mijn mobiel. Als het goed is, doet hij het in de
States, maar voor het geval dat...' Hij haalde de hotelrekening
uit zijn zak en krabbelde een nummer op de achterkant. 'Dit is
mijn berichtenservice in Brasilia. Je kunt er altijd een bericht
achterlaten.'

Hij overhandigde haar de rekening. 'En hoe kan ik jou bereiken?'

'Ik weet het niet. Mijn voicemail bij Thompson werkt niet goed,
lijkt het. Ik zal zodra ik in de States ben een mobieltje kopen –
zo mogelijk op het vliegveld. Maar in geval van nood kun je dit
nummer proberen.' Ze schreef Rudi's mobiele nummer boven
aan zijn ticket en gaf het hem terug. 'Hij is een vriend van me.
En ik heb zo'n vermoeden dat hij ook in New York is.' Terwijl
ze hem het ticket aanreikte, zag ze onwillekeurig dat het een eer-
steklasticket was. 'Kom zo gauw je kunt, oké?'

'Doe ik.' Hij kuste haar snel. 'Ga nou – anders mis je je vlucht
nog.'

24

New York City
Zaterdag, vroeg in de ochtend

Na aankomst wachtte Alex drie uur lang op Marco. Zijn vlucht
uit São Paulo kwam precies op tijd aan op JFK. Maar hij kwam
niet opdagen.

Ze belde zijn mobieltje vanaf een openbare telefoon voorbij de douane, maar er werd niet opgenomen. Ze liet ook een bericht achter op zijn antwoordapparaat.

Er was geen winkel in de buurt waar ze een mobieltje kon huren. *Je kunt maar beter wachten,* zei ze tegen zichzelf. *Je mag hem niet mislopen wanneer hij naar buiten komt.*

Terwijl ze wachtte, haalde ze de hotelrekening tevoorschijn om na te gaan of ze het juiste nummer had gedraaid. Dat zat goed. Ze bekeek de rekening. Marco had zijn echte naam opgegeven toen hij de kamer boekte, zag ze. Marco Ferreira.

Hij had niet anders gekund. Ze hadden om legitimatie gevraagd. Maar het adres had hij zelf mogen invullen. En hij had een adres uit duizenden gekozen: Prinsengracht 263, Amsterdam, Nederland, het adres van het Anne Frank Huis.

Ze zag dat Marco ook haar telefoongesprekken had betaald. En dat naar Magda had meer dan veertig dollar gekost, hoewel het nog geen vijf minuten had geduurd.

Haar boosheid over de buitensporige rekening sloeg om in paniek toen ze besefte dat als zij Magda's nummer op de rekening kon zien, José De Souza en zijn mannen dat ook konden. Door Magda te willen beschermen had Alex haar leven in nog groter gevaar gebracht. Ze rende naar een openbare telefoon en belde haar nummer. Er werd niet opgenomen.

Ze kreeg ook geen gehoor op Rudi's nummers.

En geen enkel bericht op Alex' voicemail bij Thompson.

Wat is er verdorie aan de hand? vroeg ze zich af, terwijl ze naar de taxistandplaats liep. Wat het ook was, Magda moest in veiligheid worden gebracht.

De taxi deed er minder dan een halfuur over om Magda's adres in Chelsea te bereiken. Natuurlijk had Alex de chauffeur gezegd dat ze hem honderd dollar fooi zou geven om haar daar zo snel mogelijk te brengen.

'Het spijt me, u kunt nu niet naar boven,' zei de portier.

'Waarom niet?'

'Mevrouw Rimer heeft een ongeluk gehad.'

Alex liet haar koffer op de grond vallen. 'Wat voor ongeluk?'

'Weten we niet. Ze zijn het aan het uitzoeken.'

'Mag ik doorlopen? Ik moet haar zien.'

'Het spijt me. Ze zeiden dat ik niemand naar boven mocht laten. Ze zijn bang dat de pers…'

Alex liet haar koffer liggen en was al door de deur naar de trap voordat de portier haar kon tegenhouden.

Haar laptoptas bonkte tegen haar benen terwijl ze klom. Ze nam twee, soms drie treden tegelijk. 'Laat haar niet dood zijn. Laat haar niet dood zijn.' Ze herhaalde de woorden terwijl ze klom. 'Magda, als je iets overkomen is, zal ik het mezelf nooit vergeven.'

Op de overloop van de zevende etage zag ze een van Magda's katten die zich achter de deur verstopte. Alex bukte om hem op te pakken, maar het dier glipte weg en rende de trap op. Het had bloed op zijn rug.

Alex holde door de gang naar Magda's appartement. Een geel plastic politielint was voor de open voordeur gespannen. Een man in uniform stond buiten. 'Kan ik u helpen?' vroeg hij.

'Ik ben een vriendin van mevrouw Rimer.' Alex was volledig buiten adem. 'Alles goed met haar?'

'Nee. Ze heeft een hartaanval gehad.' Alex zag aan zijn schildje dat hij de bewaker van het appartementengebouw was, niet een politieagent. 'En ze moet in haar val haar hoofd hebben gestoten.'

'Hoe is ze eraan toe? Is alles goed met haar?'

'Ze is dood.'

'Nee!' Alex hield zich vast aan de deurpost. 'Dat kan niet waar zijn.'

'Zeker wel. Ze was de laatste dagen de bloemetjes aan het buitenzetten,' zei de bewaker laconiek. 'Dat moet haar dood zijn geworden. De buren klaagden zelfs over het lawaai. Geen wonder dat haar rikketik het begaf.'

Alex boog zich over het politielint en keek naar binnen. Het appartement rook nog steeds naar katten – en naar Magda. Ze zag de witte krijtomtrek van Magda's lichaam op de vloer naast de kachel. Eén arm langs haar zij, de andere uitgestrekt naar de deur.

Het rook als haar moeders kamer, op het eind, toen ze stervende was.

Ze stelde zich voor hoe Magda daar had gelegen, alleen, met niemand in de buurt om te helpen. Een vrouw die de concentratiekampen van de nazi's, de sovjetbezetting, haar vlucht door een door oorlog verscheurd Europa had overleefd. Maar dit had ze niet overleefd.

Alex keek rond en zag Magda's andere kat tussen de stapels grammofoonplaten naast de boekenkast door gluren. De bewaker ging op zijn knieën zitten en stak een halfgeopend blikje kattenvoer uit. 'Ze zeiden dat ik hem moest zien te lokken. Maar telkens als ik hem bijna te pakken heb, komt er iemand storen. Net als u nu. Ze zeiden dat als ik hem niet snel te pakken krijg, ze hem zullen moeten laten inslapen. Ze willen niet dat hij de plaats delict verstoort.'

'Plaats delict? Ik dacht dat u zei dat het een hartaanval was?'

'Hé, dame. Rustig aan. We zijn hier in New York City. Ze behandelen alles hier als een plaats delict. Hier, poes, poes.'

'Dus ze gaan een lijkschouwing doen?'

'Natuurlijk. Maar daar komt echt niks uit. We weten dat ze alleen was toen ze stierf. Ik heb vanmorgen mijn sleutels moeten gebruiken om haar deur open te maken. Na een telefoontje van de buren dat ze gekreun hoorden.' Hij hield zijn sleutelbos omhoog. 'En ik moest alle sloten openmaken.'

'Niet allemaal.' Alex stak haar hand uit en tilde de ketting op. Deze was volledig intact. 'Als ze hiermee had afgesloten, zou u hem hebben doorgeknipt, toch?'

De bewaker knikte.

'Dus was deze niet gesloten.'

'En?'

'Ze vertelde mij dat ze altijd drie sloten gebruikte. Ik weet het nog goed. Drie was haar geluksgetal.'

De bewaker haalde zijn schouders op. 'Ik zou het niet weten.'

'Iemand kan de deur van buitenaf op slot hebben gedaan. Om de indruk te wekken dat alles normaal was. Alleen met de ketting kon dat niet. Weet u of haar sleutels op haar lichaam zijn gevonden? Ergens in het appartement?'

'Hoor eens, dame, ik ben gewoon een bewaker. Met uw theorieën moet u bij de politie zijn.'

'Het is geen theorie.' Alex keek naar de schichtige kat. 'Als u Magda kende, zou u weten dat ze haar deur altijd dubbel sloot.'

'Dat zal dan wel.' De bewaker knielde en schoof het blikje kattenvoer naar binnen. 'Hier, poes, poes.'

Alex liep verdwaasd terug door de gang. Ze voelde zich duizelig, zwak, moe – en kwaad.

Ze nam de lift terug naar de lobby. 'Dat was niet netjes van u,' bitste de portier. 'Ik zei dat u niet naar boven mocht.'

Alex liep naar haar koffer in de hoek van de lobby.

'Zijn die allemaal voor Magda?' Een oude man las gebukt een kaartje aan een groot boeket bloemen naast Alex' koffer. Er lagen er nog verscheidene andere langs de muur.

'Vreemd, hè?' antwoordde de portier laconiek. 'Het overlijdensbericht staat pas morgen in de krant, maar ze sturen nu al bloemen. Nieuws doet hier snel de ronde, vermoed ik.'

Buiten zag Alex een openbare telefoon op de hoek van 9th Avenue en 24th Street. Ze liep erheen en nam de hoorn van de haak. Ze wachtte een paar seconden, begon toen het alarmnummer te draaien. *Hier luistert de politie wel naar me*, zei ze tegen zichzelf terwijl ze wachtte tot er werd opgenomen. *Dit is Zwitserland niet – of Brazilië. Ze zullen zich niet laten tegenhouden door regels van bankgeheim of machtige politici.*

'Alarmnummer. Wat kan ik u voor u doen?'

'Ik wil aangifte doen van een moord,' zei Alex.

'Waar? Moeten we een ambulance sturen?'

'Nee, maar ik moet de politie spreken. Nu!'

'Moment. Ik verbind u door.'

Binnen een paar seconden kreeg ze iemand aan de lijn. 'Moordzaken. Kan ik u helpen?'

'Ik denk dat er iemand is vermoord.'

'Hoe is de naam?'

'Ik geef mijn naam liever niet.'

'Wat is dan de naam van het slachtoffer?'

'Magda Kohen. Rimer, in feite.' Alex spelde beide namen.

'Adres?'

'465 West 24th Street, Appartement 8-H.'

'Ik verbind u door met dat district. Moment.'

Alex bereidde haar verhaal voor: dat Magda altijd drie sloten gebruikte en dat haar ketting niet bevestigd was toen de huismeester die ochtend binnen was gekomen. Nou en? Zou dat hen overtuigen?

Ze zou kunnen vertellen over de eenentwintig komma drie miljoen dollar die van Magda's rekening op weg was naar Cyprus. En dan? Ze zullen bewijzen willen zien. Iets wat aantoonde dat haar rekening was gebruikt voor witwaspraktijken. Daarvoor had ze rekeningafschriften nodig. Ze moest toegang hebben tot Magda's rekening bij HBZ.

Toen wist ze het weer. Die woensdag had Magda een volmacht getekend die Alex volledige toegang tot de rekening bood.

Ze hing op en draaide Michael Neumanns nummer op het HBZ-filiaal in New York. Ze moesten haar alles geven waar ze om vroeg. Ze kon elk document krijgen dat ze nodig had. Daarna kon ze alsnog naar de politie gaan. Ze zou hun alles laten zien. Dan moesten zij het maar opknappen.

'Met Michael Neumann, ik ben op dit moment niet op mijn bureau of op de andere lijn...'

'Neem op!' mompelde Alex. 'Neem nou op!'

Een gezette vrouw die voorbijliep, keek op en staarde haar aan. Het HBZ-bandje gaf haar de optie om met de telefoniste te spreken of een bericht achter te laten. Ze drukte de nul in.

Nog steeds niets.

'Verdomme,' riep ze. 'Het is halftien in de ochtend. Waar zit iedereen?' Zelfs Inlichtingen nam niet op.

Toen wist ze het ineens weer. Het was zaterdag. Ze had haar vliegtuig in São Paulo de vorige avond bijna gemist vanwege de weekenddrukte.

Ze smeet de hoorn op de haak.

Shit! Het HBZ-filiaal in New York zou pas over achtenveertig uur opengaan.

Ze begon te lopen. *Niet in paniek raken,* zei ze tegen zichzelf. *Je kunt er maandagochtend voor de deur gaan liggen. De informatie loopt niet weg. Daarna kun je alles naar de politie brengen. Dan komt het ook wel voor elkaar. Wacht gewoon geduldig af. Alles komt goed.*

Ze keek om en zag een busje voor de ingang van Magda's gebouw stoppen. Er stapte een man uit die een groot boeket bloemen kwam brengen, weer een. *Koop de grootste bos rozen die je kan vinden,* zei Alex tegen zichzelf. Ze had er de tijd voor. De portier had gezegd dat het overlijdensbericht pas de volgende dag in de krant zou staan.

Toen viel het muntje: wanneer HBZ op maandagochtend openging, zouden ze erachter komen dat Magda dood was. En Neumann had heel duidelijk gemaakt dat de volmacht die Magda de vorige week had getekend alleen geldig was zolang ze leefde. Alex' hersens draaiden op volle toeren. Er was een tijdverschil van zes uur tussen Zürich en New York. Maandagmorgen in New York betekende vroeg in de middag in Zwitserland. Dat gaf haar zes uur de tijd. Als ze maandag bij HBZ-Zürich kon zijn voordat het kantoor in New York openging – voordat ze daar het hoofdkantoor informeerden dat Magda was gestorven – zou Alex erheen kunnen gaan en kopieën van alles opvragen – alles wat ze nodig had om aan de politie in New York te geven. Maar dat betekende dat ze onmiddellijk naar Zürich moest.

Op weg naar het vliegveld stopte ze bij een geldautomaat en nam zo veel contant geld op als was toegestaan. Het eerste wat ze deed, was een mobieltje kopen – het duurste dat ze hadden – met volledig functionele voicemail.

Ze belde Marco opnieuw, maar er werd niet opgenomen. Ze liet bij zijn boodschappendienst een bericht achter met haar nieuwe nummer en het verzoek haar zo spoedig mogelijk op te bellen. Waar was Marco? Was hij al in New York? Op zoek naar haar? Ze checkte haar Thompson-voicemail opnieuw. Nog steeds niets. Had Eric niet gezegd dat hij verschillende berichten had achtergelaten? Ze belde en liet een bericht voor zichzelf achter, belde toen terug om het af te luisteren. Nog steeds niets.

Hij was beslist afgesloten. Maar door wie? Had Crissier ontdekt waar ze mee bezig was? Wie wist er verder van?

Ze probeerde Rudi te bellen, maar ook daar kreeg ze nul op het rekest. Ze liet een bericht achter waarin ze over Magda vertelde – en dat ze de volgende vlucht naar Zürich zou nemen.

Toen ze in het vliegtuig stapte op JFK, besefte ze dat ondanks alle veiligheidscontroles de Amerikaanse grenspolitie niemand had om mensen te controleren die het land verlieten. De enigen die om haar paspoort vroegen waren de employés van de luchtvaartmaatschappij bij het inchecken en instappen.

Heel wat anders dan in Brazilië, waar de grenspolitie je paspoort zorgvuldig inspecteerde voordat je naar de gates mocht.

Toen besefte ze tot haar ontsteltenis dat De Souza, met zijn connecties met de gouverneur, met gemak de grenspolitie op de luchthaven van São Paulo had kunnen gebruiken om iedereen te vinden die hij wilde. Hij hoefde alleen maar de naam op te geven. En als ze haar telefoontje vanuit het hotel hadden getraceerd, zouden ze Marco's naam hebben gevonden.

25

Zürich
Zondag, vroeg in de ochtend

Het vliegtuig maakte zijn laatste manoeuvre voor een landing op de luchthaven van Zürich. Alex werd zwetend wakker.

Ze had gedroomd dat ze in een rampzalige modderlawine terecht was gekomen. Om haar heen stierven honderden mensen. De rotsachtige helling was als een modderige vloedgolf omlaag gekomen. Iedereen vocht om niet te worden verzwolgen door de razende stroom van modder en puin die zijn weg zocht vanuit de sloppen op de steile rotswand erboven. Midden op de rivier beneden zwalkte een houten vlot vol mensen. Iedereen probeerde zich wanhopig aan iets vast te klampen om niet overboord te slaan. Een mooie vrouw met donker, krullend haar probeerde iemand uit het water te trekken. 'Zij is ook familie,' schreeuwde ze. Ze trok een klein kind op het vlot. Het kind gilde van paniek.

Alex werd wakker op hetzelfde moment dat het vliegtuig aan de landing begon.

Ze probeerde Rudi op te bellen vanaf het vliegveld in Zürich. Er werd nog steeds niet opgenomen – op geen van zijn nummers.

Ze nam een taxi naar haar kamer om haar spullen te pakken en gereed voor vertrek te zijn zodra ze bij HBZ had gekregen wat ze nodig had. Dan zou ze teruggaan naar New York, alles aan de politie vertellen en eindelijk een eind aan deze nachtmerrie maken.

Ze schoof haar kaartsleutel in de voordeur van de dependance van het Wellenberg Hotel. Ze keek omhoog naar Erics raam. Het was helemaal donker. Natuurlijk. Het was zondagochtend. Hij lag waarschijnlijk nog te slapen.

Vreemd genoeg werkte haar pasje niet. Ze probeerde het verscheidene malen, sleepte haar bagage toen naar de hoofdingang van het hotel. 'Wat is er aan de hand?' vroeg ze aan de receptioniste. 'Ik kan mijn appartement niet in.'

'Natuurlijk niet,' antwoordde de vrouw kortaf. 'Thompson verhuurt de kamer niet langer aan u.' Ze pakte Alex' magneetpasje en liet het in de prullenbak vallen. 'We hebben uw spullen achter gezet. Wilt u ze nu hebben?'

'Wat is er aan de hand?' vroeg Alex.

'Dat moet u uw manager bij HBZ, Herr Crissier, vragen. Hij is degene die ons opdroeg...'

'Wat is er gebeurd met mijn collega, uit appartement 32?'

'O, hij is gisteren vertrokken.' De receptioniste reikte onder de balie en overhandigde Alex een verzegelde envelop. 'Hij vroeg me u dit te geven.'

Alex rukte de envelop haastig open. 'Hoi, Alex. Ik logeer in het hotel tegenover het restaurant waar we vorige week hebben gegeten. Je weet waar het is. Kom zodra je dit leest. Eric.'

Hotel Savoy Baur en Ville, een van de beste hotels in het centrum van Zürich, liet niemand zonder begeleiding naar de kamer van een gast gaan. Een portier moest Alex naar de lift escorteren en een speciale sleutel gebruiken om toegang te krijgen tot Erics verdieping.

Eric begroette haar in de deuropening van zijn suite in een rugbyshirt en witte boxershorts. 'O, wat ben ik blij je te zien.' Hij trok haar bagage naar binnen, sloot de deur en omhelsde haar. 'Ik heb me zo'n zorgen om je gemaakt. Is alles goed met je?'

'Niet echt.' Ze deed de deur zorgvuldig achter zich op slot.

'Wat is er?' Hij kwam dichterbij. 'Je ziet er niet uit. Wat is er gebeurd?'

'Waarom zit je niet in het Wellenberg?' vroeg Alex.

'Het is oké.' Eric zette Alex' bagage naast een dienblad buiten de slaapkamerdeur. 'Rudi heeft alles geregeld.'

'Rudi? Rudi Tobler?'

'Ja. Hij zei dat we hier veiliger zouden zijn. Hij betaalt alles. Tenminste zolang...'

'Je bent hier met Rudi Tobler?'

'Yep.' Hij gebaarde naar de slaapkamerdeur en bloosde licht. 'We logeren hier.'

'Hoe lang al?'

'Vanaf vorige week. Hij belde om me te vragen of ik van je gehoord had en...'

'Heeft Rudi jou opgebeld?'

'Ja, afgelopen vrijdag.' Eric schoot een verbleekte spijkerbroek aan. 'Hij maakte zich zorgen om je, Alex. Hij zei dat hij je niet had gesproken sinds je Magda in New York had gevonden.'

'Heeft hij je ook over Magda verteld?'

'Ja. En ook over de trusteerekening. Hij heeft me alles verteld, in feite.'

'Ik geloof mijn oren niet!'

'Het is oké, Alex. Hij deed er goed aan contact met me op te nemen. Hij geeft om je. Hij was bezorgd om je. Je hebt geen idee. Hij moest elke nacht pillen slikken om te kunnen slapen – gisteravond heeft hij er een heleboel ingenomen. Hij was al vroeg op de avond buiten westen.'

'Dus daarom nam hij niet op met zijn mobieltje.'

Eric keek haar indringend aan. 'Alex, waarom heb je me niet over de trusteerekening verteld?'

'Ik wilde je er niet bij betrekken. Ik wilde niet dat je te weten kwam wat ik die nacht had gedaan.'

'Was je bang dat ik het aan Crissier zou rapporteren?' Hij schudde zijn hoofd. 'Wat een grap. Hij heeft mij ook ontslagen, weet

je? Hij zei dat hij onze "diensten" niet meer nodig had.'
'Het spijt me, Eric. Misschien had ik het je moeten vertellen.'
Ze ging op de sofa zitten. 'Ik probeerde alles zelf op te lossen.
En moet je zien wat ervan is gekomen.'
Een mobieltje ging over in de slaapkamer – en bleef overgaan.
Alex dacht aan Marco. Ze had hem Rudi's nummer gegeven.
'Waarom neemt hij niet op?' vroeg ze aan Eric.
'Ik zei toch dat hij sinds gisteravond buiten westen is.'
'Maar het kan voor mij zijn. Wil jij even gaan opnemen?'
Eric liep naar de deur en opende hem op een kier. De telefoon
zweeg plotseling.
Alex zakte onderuit op de sofa. 'Wat een nachtmerrie.'
'Alex,' Eric kwam naast haar zitten, 'wat is er met je gebeurd?
Je ziet er verschrikkelijk uit.'
Ze sloot haar ogen. 'Dat wil je niet weten.'
'Kom op, vertel.' Hij sloeg zijn arm om haar heen. 'Ik ben er nu
ook bij betrokken, weet je. Je kunt het me gewoon vertellen.'
Hij hield haar vast terwijl ze sprak. Ze slaagde erin niet te hui-
len terwijl ze hem over de verkrachtingspoging vertelde, over
haar ontsnapping uit São Paulo, de informatie over De Souza.
Maar toen ze hem over Magda vertelde, werd het haar te veel.
'Zo'n lieve oude vrouw,' snikte Alex. 'Zonder mij zou ze nu nog
leven.'
'Het is jouw schuld niet. Het is de schuld van die...'
Plotseling ging de deur van de slaapkamer open. Rudi kwam in
zijn ogen wrijvend naar buiten. 'Wat is hier aan de hand? Alex?'
Hij liep op haar af. 'God, wat ben ik blij je te zien. Ik probeer
je al dagen te bellen, maar je voicemail doet het niet.' Hij pro-
beerde haar te omhelzen.
Ze deinsde terug.
'Wat is er?' vroeg Rudi.
'Hoe kon je?'
'Wat?'
'Eric hierbij betrekken? Wil je nog een dode op je geweten heb-
ben?'
'Waar heb je het over?'
'Eerst Ochsner. Toen Magda. Wie wordt de volgende?'

'Magda?'

'Je kunt beter gaan zitten, Rudi.' Eric wees naar de sofa. 'We moeten je iets vertellen.' Terwijl Eric hem de zaak uit de doeken deed, zat Rudi stil te luisteren. Plotseling stond hij op en liep naar de minibar. 'Het is mijn schuld. Ik had mijn vaders dood *ungeklärt* moeten laten.' Hij spoelde met een klein flesje wodka twee witte pillen weg. 'Als ik er niet in was gaan roeren, was dit allemaal niet gebeurd.' Hij staarde Alex aan – zijn ogen stonden glazig en zijn pupillen waren verwijd. 'En jij, hoe heb je in zo'n korte tijd de halve wereld kunnen afreizen? New York, Brazilië, nog een keer New York, nu hier?'

'Nachtvluchten, Rudi.'

Hij liep de kamer door en kwam naast haar zitten. 'En na dat alles kunnen we alleen nog doen wat ik aldoor heb gezegd – we moeten gewoon wachten tot die overboekingen rond zijn.'

Alex schudde haar hoofd. 'Je snapt het niet, hè?'

'Wat kunnen we anders doen?' vroeg Rudi.

'Naar de politie gaan. In elk geval in New York. Ik weet zeker dat ze daar naar ons zullen luisteren.'

'En jij denkt dat het daarmee *schluss* is?' Rudi's stem schoot omhoog.

'Dat hadden we van meet af aan moeten doen,' hield Alex vol. 'Het is de enige manier om...'

'Het is niet de enige manier. Het is de slechtste manier.' Rudi stond op en liep naar Eric. 'Weet je wat het eerste is wat de witwassers zullen doen als we naar de politie gaan? Achter ons aan komen, en niets anders.' Hij wendde zich weer tot Alex. 'Je hebt gezien wat ze met Magda hebben gedaan. Wil je dat dat ook met ons gebeurt?'

Hij ging terug naar de minibar en nam nog een flesje wodka. 'We moeten zorgen dat wat Magda is overkomen niet nog iemand overkomt. Jou niet en mij niet.' Hij keek naar Eric. 'En hem ook niet.'

'En hoe denk je dat te doen?' vroeg Eric.

'Eerst zorgen we dat ze hun geld krijgen. En dan...'

'Ze hebben hun geld waarschijnlijk al,' onderbrak Alex hem. 'De belegging op Cyprus is verleden week doorgegaan. Maar dat verandert niets aan het feit dat ze nu van ons af weten.'

'Hoezo? Die vent in Brazilië wist toch niet wie je was?' vroeg Rudi. 'Hoe zou hij je dan kunnen vinden?'

'Ze hebben Magda gevonden,' antwoordde Alex. 'Een vrouw die tientallen jaren zoek was. Hoe moeilijk denk je dat het zal zijn om ons te vinden?'

'Laten we dan een manier zoeken om te zorgen dat ze ons niet kunnen – of willen – treffen,' antwoordde Rudi kordaat.

'Hoe dacht je dat te doen?' vroeg Alex.

Rudi antwoordde met een lage stem. 'M-A-D. We verzamelen genoeg informatie over hen om te zorgen dat ze ons nooit met een vinger zullen aanraken. Zoals in *Dr. Strangelove – Mutually Assured Destruction*. Je hoeft je tegenstanders er alleen van te overtuigen dat als je wordt aangevallen, iedereen klappen oploopt.'

'Dit is geen film, Rudi. Ons leven staat op het spel.'

'Daarom moeten we iets doen! We kunnen niet gewoon blijven wachten tot ze achter ons aan komen.'

'Ik vind nog steeds dat we naar de politie moeten stappen,' antwoordde Alex koppig.

'En wat dan?' vroeg Rudi. 'Ik wil niet de rest van mijn leven blijven wachten tot die witwassers achter me aan komen.'

'Wat kunnen we anders doen?' Ze keek naar Eric. 'Wat vind jij dat we moeten doen?'

'Nou, ik zou eerst afwachten tot ik wist wat er met Magda is gebeurd,' antwoordde hij kalm.

'Maar het is duidelijk dat ze vermoord is.' Alex wreef in haar ogen. 'Ik ben er zeker van.'

'Je zei dat ze een lijkschouwing doen, toch?' Eric legde zijn hand op haar schouder. 'Waarom zou je niet wachten tot…'

'We moeten nu iets doen!' brulde Rudi. 'We moeten zo veel mogelijk informatie verzamelen, zodat we ons kunnen voorbereiden op wat ons te wachten staat.'

'Misschien heeft hij gelijk.' Eric wendde zich tot Alex en wees naar haar laptoptas. 'Zitten daar die bestanden in die je in Brazilië hebt gedownload?'

'Ja. Maar ze zijn allemaal in het Portugees.'

'Geen probleem.' Hij opende de klep en de laptop kwam tot leven. Hij zette hem op het barokke bureau en ging aan het werk. 'Ik heb voor mijn studie een jaar in Málaga gezeten. Het moet niet al te moeilijk zijn – Portugees lijkt erg op Spaans.'

'Jammer dat Marco niet hier is om je te helpen.' Alex liep naar hem toe en zag Eric het ene bestand na het andere openen en een complex mozaïek van spreadsheets op haar scherm creëren. 'Hij zou je kunnen...'

Plotseling herinnerde ze zich het telefoontje naar Rudi's telefoon. 'Kun je je berichten checken?' vroeg ze. 'Misschien was het Marco die net belde.'

'Ga je gang.' Rudi diepte zijn mobieltje op uit de zak van zijn badjas en overhandigde het aan Alex. 'Druk op 1 en voer dan mijn toegangscode in. Het is 2505.'

'Handig.' Alex begon te toetsen. 'De eerste vier cijfers van je kantoornummer.'

'Precies.' Rudi liep naar de badkamer. 'Als niemand er bezwaar tegen heeft, ga ik douchen.'

'Sie haben vier neue Nachrichten.' Alex drukte de telefoon tegen haar oor en luisterde. Er waren vier berichten. Het eerste was van haarzelf. Het tweede ook. Haar stem klonk paniekerig, verward.

Toen hoorde ze Marco's stem: 'Hoi, dit is Marco Ferreira, een vriend van Alex. Zou je aan haar willen doorgeven dat ik op vliegveld Guarulhos in São Paulo ben en op het punt sta te vertrekken? Zeg haar dat alles in orde is. Zeg haar dat ik zojuist taxfree een cadeautje voor haar heb gekocht bij de juwelier. Zeg haar dat ik haar nu al mis. Ook al heb ik net afscheid van haar genomen.'

Goddank! Alex leunde naar achter op de sofa. Hij was de paspoortcontrole doorgekomen. Toch? Ze probeerde zich koortsachtig de volgorde te herinneren: veiligheidscontrole, inchecken, grenscontrole, taxfreezone, instappen. Ze riep naar Eric: 'Is de taxfree voor of na de paspoortcontrole?'

'Erna. Altijd.'

'Goddank.'

Alex luisterde zorgvuldig naar de datum en de tijd van het bericht. Het telefoontje was van twee dagen geleden. Maar waar was hij nu?

Ze scrolde vooruit om het laatste bericht te horen, dat was achtergelaten toen de telefoon diezelfde ochtend niet werd opgenomen. Niets. Alleen een telefoon die werd opgehangen.

Ze scrolde terug en luisterde Marco's bericht nogmaals af. En nog eens. Ze luisterde het verschillende malen af voordat Rudi de badkamer uit kwam. Hij was zijn haar aan het drogen met een dikke witte badstof handdoek. 'Was hij het?' vroeg hij.

'De beller van vanmorgen heeft geen bericht achtergelaten.' Ze overhandigde hem de telefoon. 'Ik kan er tenminste geen vinden.'

'Laat mij eens.' Rudi drukte enkele toetsen in, keek op en glimlachte. 'Zo heb ik jou ook gevonden, weet je nog wel?' Hij hield de telefoon omhoog met het lcd-schermpje naar Alex toe. Het was een Braziliaans telefoonnummer. Maar niet het nummer dat Marco haar had gegeven.

'Als je wilt bellen...' Rudi gaf haar de telefoon terug. 'Druk gewoon de groene toets in.'

Ze probeerde het, maar er werd niet opgenomen.

Ze liet een boodschap achter. 'Marco, als jij dit bent, bel dan alsjeblieft terug. Ik wacht op bericht van je. Liefs, Alex.' Ze gaf de telefoon weer aan Rudi.

Hij maakte een kleine buiging. 'Hou maar bij je. Als je vriend belt, moet jij kunnen opnemen.'

Hij liep naar de plek waar Eric aan het werk was en legde zijn handen op zijn schouders. 'En, jongeman?' Hij boog zich naar voren om te kijken. 'Heb je iets interessants gevonden?'

'Nog niet. Ik ben de informatie van alle spreadsheets aan het samenvoegen. Het is een beetje een zootje, maar ik kom er wel uit.'

'Wat we echt nodig hebben, zijn de rekeningoverzichten.' Alex kwam kijken hoe Eric vorderde. 'Maar daarvoor moeten we wachten tot hbz maandag opengaat. Dan hebben we zes uur de tijd tot het filiaal in New York opengaat. Dan komen ze erachter dat Magda dood is.'

'Waarom denk je dat ze dat niet al weten?' mompelde Eric.

'Hoe zouden ze dat kunnen weten?' vroeg Alex. 'Magda is vrijdagavond vermoord, nadat het kantoor in New York dichtging. Het overlijdensbericht zal pas vandaag in de krant komen. En tegen de tijd dat het New Yorkse kantoor het ziet, is het maandagmiddag in Zürich.'

'Ze zouden op internet kunnen kijken.' Eric bleef typen terwijl hij sprak.

'Maar ze zouden het nog altijd pas maandagmorgen weten, als ze in New York naar hun werk gaan, en dan is het hier net middag.'

'En Zürich?' Eric draaide zich naar haar om en trok zijn wenkbrauwen op.

'Waarom zouden ze op internet kijken?'

'Wist je dat niet? Ze hebben er een speciaal kantoor voor. In de kelder, niet ver van ons kantoor. Ik ben er vorige week geweest. Ik had niets anders te doen in de lunchpauze omdat jij weg was.'

'Wat doen ze daar dan?'

'Websites doorkijken, vooral sites van kranten,' zei Eric. 'Om te zoeken naar overlijdensberichten van cliënten overal ter wereld. Ze doen het voor het geval een hebberige erfgenaam toegang tot een rekening probeert te krijgen voordat andere familieleden een kans krijgen. Alle banken doen dat tegenwoordig. Met moderne technologie kun je onmiddellijk te weten komen wanneer iemand overleden is.'

'Hoe moeten ze weten dat ze naar Magda's naam moeten zoeken? Is die niet geheim? Daar draait het Zwitserse bankgeheim toch om?'

'Voor elke rekening bij HBZ is er altijd iemand op het hoofdkwartier die weet wie de eigenaar is. Wist je dat niet? Ze hebben iets wat een *Formular A* heet.'

Rudi wendde zich tot Alex. 'Daar hebben we van gehoord.'

'We moesten er een invullen in New York, met Magda's naam en adres.' Alex plofte neer in een gestoffeerde fauteuil naast Eric. 'Nu zullen ze me zeker niet bij haar rekening laten. Zeg maar dag tegen de documenten die we nodig hebben.'

'Nee hoor.' Eric keek haar glimlachend aan. 'Rudi vertelde me dat FINACORP alle rekeningbescheiden heeft. We hoeven alleen...'

'Hij heeft gelijk!' Rudi sloeg Eric op de rug. 'En voor zover ze daar weten, ben ik nog steeds de officiële eigenaar van de rekening. We hoeven er alleen naartoe te gaan.'

'Ho eens even,' onderbrak Alex. 'Schmid zal ons nooit iets geven. Als hij degene is die het witwassen regelde, zijn wij wel de laatsten aan wie hij informatie zal geven.'

'Maar zijn partner misschien wel?'

Rudi glimlachte sluw. 'Ik wil wedden dat die knappe jonge Herr Pechlaner ons maar wat graag een blik in de archieven zal gunnen... Als hij de juiste aanmoediging krijgt.' Hij begon Inlichtingen te bellen. Alex herkende het nummer onmiddellijk. Driemaal vijf.

'Ik probeer eerst zijn thuisnummer,' fluisterde Rudi terwijl hij op verbinding wachtte. 'Ik weet zeker dat hij blij zal zijn om van mij te horen.' Hij glimlachte. 'Hij weet per slot van rekening niet beter dan dat ik de eigenaar ben van een rekening van vierhonderd miljoen dollar. Een rekening die ik overweeg in zijn handen te leggen – en zijn handen alleen.'

26

Zürich
Zondag, eind van de ochtend

De straat waaraan FINACORP lag, was volledig uitgestorven. Rudi drukte op de bel en voegde zich weer bij Alex en Eric. Hij glimlachte. 'Je had moeten horen hoe hij reageerde toen ik hem vertelde dat ik genoeg had van Schmid en dat ik FINACORP wilde passeren om hem mijn geld persoonlijk te laten beheren, zodat al het commissieloon in zijn zak terechtkomt.' Hij belde nogmaals aan en wachtte. 'Wie zou nu nee zeggen tegen een leven lang twee miljoen dollar per jaar?'

Pechlaner opende de deur en deed verbaasd een stap terug. Hij verwachtte duidelijk niet drie mensen.

'Geen zorgen, ze horen bij mij.' Rudi liep naar binnen en wenkte Alex en Eric mee te komen. 'Dit zijn mijn assistenten. Ik neem aan dat u er geen bezwaar tegen heeft dat ze zich bij ons voegen?'

'Natuurlijk niet, Herr Tobler.' Pechlaner liet hen binnen en sloot de deur zorgvuldig achter hen. Alex zag dat hij de deur dubbel sloot.

'Fijn dat u ons zo vroeg wilt ontvangen.' Rudi ging voor naar de spreekkamer. 'Maar, zoals ik zei, ik vertrek vanmiddag op zakenreis...'

Rudi was weer in vorm – hij kreeg zijn zin, linksom of rechtsom. 'Voordat ik u tot mijn enige fondsbeheerder benoem,' vertelde hij Pechlaner, 'heb ik wat gegevens nodig om mijn rekening op orde te brengen – voordat ik hem aan uw zorgen toevertrouw.'

Alex wierp in het voorbijgaan een blik in de trading room. Er hingen verscheidene computermonitors aan het plafond. Ze herkende die aan de linkerkant onmiddellijk; het was de online-verbinding met de Helvetia Bank Zürich. Langs de wanden van het kantoor stonden rijen met dikke ordners. Net als in Jeff Nortons kantoor bij Malley Brothers had elk een rekeningnummer op de rug. Alleen stonden er hier geen namen bij.

'Het eerste wat ik wil,' Rudi wees naar de trading room, 'is een blik werpen op die documenten die u ons verleden week liet zien. U weet wel, de rekeningafschriften en overboekingsinformatie van het afgelopen jaar. Ik wil gewoon zien hoeveel er precies op de rekening staat voordat ik het allemaal in uw handen leg.'

'Natuurlijk.' Pechlaner liep snel naar de andere kant van het kantoor en begon te zoeken.

'Dat is vreemd.' Hij legde zijn hand op een leeg schap. 'Ze zijn niet hier.' Alex liep naar hem toe om te kijken. Alle rekeningnummers stonden op volgorde, maar de plek waar de ordners voor Rudi's rekening bij HBZ hadden moeten staan, was leeg. 'Hij moet ze meegenomen hebben.' Pechlaner zocht door de ordners op Schmids bureau. 'Hoewel ik niet weet waarom. We nemen deze dossiers nooit mee van kantoor.'

'En de documenten in de kelder?' vroeg Rudi. 'Misschien zou u ons daarvan de meest recente kunnnen laten zien.'

Ditmaal liet Pechlaner hen meegaan naar de kelder. Als er twee miljoen dollar op het spel stond, werden de normale veiligheidsregels kennelijk snel opzijgezet. Hij zocht overal, maar de ordners van de Tobler-rekening waren nergens te vinden. Geen van alle. Er was nergens ook maar één spoor van de rekening.

'Ik begrijp het niet.' Pechlaner schudde langzaam zijn hoofd terwijl hij hen weer naar boven begeleidde. 'Waarom zou Max alles meenemen? Denkt u dat hij wist dat u van plan was het beheer van de rekening aan mij over te dragen?'

'Vast niet.' Rudi fronste. 'Hoe zou hij dat moeten weten?'

Toen ze boven aan de trap waren, sloeg hij zijn arm om Alex heen. 'Wat doen we nu?'

'Ik heb geen flauw idee.'

'We hebben nog altijd de computer.' Eric wees naar de trading room. 'Die is vierentwintig uur per dag online, toch? Zelfs in het weekend.'

'Eh... ja. Ik vermoed van wel,' antwoordde Pechlaner aarzelend.

Eric liep erheen en nam plaats achter de computer. Hij bewoog de muis en het scherm flitste aan. Vervolgens bewoog hij de cursor naar het veld met de tekst 'HBZ ACCESS'. Hij klikte tweemaal.

Een nieuw scherm verscheen, met een klein veld in het midden. Eric draaide zich om naar Pechlaner. 'Wat is de toegangscode?'

'Eh.... de bank zei dat we die aan niemand mochten geven. Dat die alleen voor intern gebruik was, alleen om de rekeningsaldi en transacties te controleren voor de rekeningen die we beheren.'

'Oké.' Eric schoof een plaats op. 'Voert u de code zelf maar in. Ik beloof dat ik niet zal kijken.'

'Ik weet niet of ik hier wel goed aan doe.' Hij ging achter de computer zitten.

'Natuurlijk wel.' Rudi liep naar hem toe en legde zijn hand op Pechlaners schouder. 'Ik ben tenslotte de rekeninghouder. En ik draag u op om mij alles te laten zien wat er omgaat op mijn rekening. Daar heb ik toch het recht toe?'

'Waarschijnlijk wel, ja.' Pechlaner voerde de code in. Plotseling verscheen er een nieuw veld: Kontonummer – Account Number.

Eric ging weer achter het toetsenbord zitten en typte het nummer in dat Alex hem gaf: 230-SB2495.880-olL.

Plotseling kwam de computer tot leven. Een lange lijst transacties en saldi vulde het scherm. 'Dat is het. We zijn binnen.'

'Eh... zouden we misschien een kop koffie kunen krijgen?' vroeg Rudi.

Pechlaner stond op. 'Dat zal wel lukken, ja.'

'Hebt u espresso?' vroeg Rudi.

'Ja, maar dat gaat even duren. Ik zal het apparaat moeten opstarten.'

'Geen probleem. We hebben wel even de tijd. Wil iemand anders ook?' vroeg Rudi. Zodra Pechlaner weg was, legde Rudi zijn hand op Erics schouder en tuurde naar de computer. 'Kunnen we vinden wat we nodig hebben?'

'Natuurlijk.' Eric begon te typen. 'Ik print alle rekeningoverzichten over de afgelopen zes maanden uit.' Zijn vingers bewogen bliksemsnel. 'Ze komen er in omgekeerde volgorde uit, maar dan heb je wat je wilt.' Hij klikte op een icoon en de printer in de hoek kwam zoemend tot leven.

'Fantastisch.' Rudi klopte Eric op de rug. 'Onze held.'

'Geen probleem.' Eric haalde zijn schouders op. 'Dit kan een kind.'

Alex liep naar de printer en pakte het eerste vel. 'Waarom print je ze een voor een uit?' vroeg ze.

'Dat was de snelste manier. Anders had ik in het FINACORP-boekhoudsysteem moeten duiken, en dan zou Pechlaner door het lint zijn gegaan.' Hij wierp een snelle blik op de deur. 'Geen zorgen. Het duurt niet lang. Bijna alle overboekingen die we willen hebben, zijn van eind juli. Ik heb ze op het scherm gezien. Het is een kwestie van minuten. Er zijn er maar een paar bij van daarna – voornamelijk telefonische overboekingen die Magda vorige week heeft laten doen.'

'Zo, hier is de laatste.' Alex hield het afschrift omhoog. 'Ze heeft het afgelopen vrijdag gedaan, vlak voor sluitingstijd in New

York.'

'Naar wie?' vroeg Rudi.

'Naar haarzelf. Vijfduizend dollar naar haar Amerikaanse betaalrekening.'

'Is dat alles?' vroeg Rudi. 'Wat kun je nou met vijfduizend dollar?'

'Een heleboel – als je het grootste deel van je leven de eindjes aan elkaar hebt moeten knopen. Je zou nog staan te kijken.' Alex pakte de volgende pagina en begon te lezen.

'Kun je het niet versnellen?' vroeg Rudi. 'Wat als Pechlaner terugkomt en ziet wat we aan het doen zijn?'

'Maak je geen zorgen.' Eric speelde nonchalant met de sneltoetsen van de telefoon die naast hem stond. 'We doen precies wat we zeiden dat we zouden doen – we verzamelen alle informatie over je rekening.'

'Je bedoelt Magda's rekening. In elk geval tot ze overleed... Ik vraag me af wie er nu recht op heeft.'

Alex keek niet op van de pagina. 'Ze vertelde me dat het allemaal naar haar katten zou gaan.'

'Dat meen je niet!' riep Rudi.

'Ze wist niet dat ze geld had.'

'Typisch Amerikaans.' Eric bleef spelen met de telefoon. 'In Europa zou de rechter dat nooit goedkeuren. Nu zou trouwens de Europese wetgeving van toepassing zijn, aangezien de rekening in Zwitserland loopt: haar familie zou het geld moeten krijgen.'

'Maar ze heeft geen familie.' Alex begon het volgende afschrift te lezen. 'Tenzij...'

'Hé, moet je dit zien.' Eric wees naar een van de toetsen op Schmids telefoon. 'Hier staat Miguel Zinner – Ritz, Parijs.'

'Daar schijnt hij nu te zijn.' Alex bleef lezen in het overboekingsoverzicht. 'Waar ligt Nyon?'

'Vlak bij Genève. Hoezo?' Rudi kwam kijken.

'Hier staat dat Magda vrijdag twintigduizend dollar heeft overgemaakt naar een rekening bij Crédit Suisse in Nyon.'

'Het is een klein stadje aan het meer.' Rudi keek over Alex' schouder om mee te lezen. 'Wie is de gelukkige?'

Alex las de tweeregelige tekst hardop voor: 'Telefonische overboeking in opdracht van Magda Rimer, New York, naar Simon

Aladár, Nyon.' Het rekeningnummer is nog langer dan dat van HBZ.'

'Simon Aladár?' Rudi trok het document uit Alex' hand en las het aandachtig. 'Dat is een Hongaarse naam, toch? Staat de achternaam dan niet voorop?' Rudi begon Sándors stem te imiteren, met een rollende r. '"Maar weet je, Alex, zo doen wij de dingen hier niet." In Hongarije komt de familienaam eerst en de doopnaam het laatst. *Simon is de familie.*'

Rudi's laatste woorden bezorgden Alex een rilling over haar rug. Het schoot door haar hoofd wat Magda had geroepen toen ze door de fontein in New York waadde. Het was slecht verstaanbaar geweest en Alex had iets menen te horen als '*Zie ons ook familie*'.

'Ik bedacht net iets.' Alex wendde zich tot Eric. 'Aladár was de naam van Magda's vader, toch?'

'Ja, en?'

'Misschien is Magda niet de laatste levende erfgenaam van deze rekening.'

'Heus?' riep Rudi uit. 'Denk je dat je de nieuwe eigenaar van mijn rekening hebt gevonden? Dat zou fantastisch zijn! Dan zouden we terug kunnen gaan naar HBZ en...'

Op dat moment kwam Pechlaner met een blad met koffie naar binnen. 'Wat zei u daar over een nieuwe eigenaar?' vroeg hij.

Rudi verbleekte. 'We vroegen ons af wie mijn rekening zou erven – na mijn dood.'

'U zei dat er wellicht een nieuwe eigenaar van de rekening is.' Pechlaner liep op Rudi af en pakte het overschrijvingspapier uit zijn hand.

'Ik wil weten wat dit allemaal te betekenen heeft.' Hij las het document snel door. 'Wie is Magda Rimer?' vroeg hij boos.

'Niemand,' antwoordde Rudi. 'Gewoon een oude vrouw. Het is trouwens uw zaak niet.'

'U hebt me voorgelogen.' Hij draaide zich om naar Alex. 'Jullie allemaal.' Hij liep naar haar toe en rukte de computeruitdraai uit haar hand. Terwijl hij dat deed, ving ze een glimp op van de naam die boven aan het papier stond: Magda Rimer.

Alex besefte plotseling vol afschuw dat de naam die Magda op haar overboekingsopdracht aan Aladár Simon in Nyon had gezet haar trouwnaam was – de naam waaronder ze in het telefoonboek van New York stond. Iedereen die toegang had tot een computer – zelfs Schmid – zou erachter hebben kunnen komen wie ze was. Zou haar hebben kunnen vinden.

'Eruit!' brulde Pechlaner. 'Mijn kantoor uit. Allemaal! Nu!'

27

Nyon
Zondagmiddag

Het zilverkleurige mobieltje trilde zacht in Alex' hand. Ze wierp een blik op het lcd-scherm. Het was Eric.

'Hoe is het?' vroeg Eric. 'Waar zit je nu?'

'Nog steeds in de trein. We zijn bijna in Nyon.'

'Weet je zeker dat je het af kunt zonder ons?'

'Heel zeker.' Alex vertelde hem hetzelfde als ze Rudi in Zürich had verteld. 'Dit is iets wat ik zelf moet doen.' Ze wilde niemand anders bij deze ontmoeting hebben. Te meer daar het om een lid van de familie Kohen kon gaan.

Zoals beloofd stond Aladár haar op het station op te wachten. Hij zag er opgewonden uit. Hij had vlot ingestemd met een afspraak. Ze had alleen Magda's naam hoeven noemen.

Hij glimlachte verlegen terwijl hij op haar afkwam en haar de hand toestak. Hij droeg hetzelfde soort pak als Sándor in Boedapest had gedragen, maar het zijne was helemaal verkreukeld – alsof hij erin had geslapen. Bovendien was zijn overhemd verkeerd dichtgeknoopt. Zijn das zat onder de etensvlekken.

'Zullen we de boot pakken? Dan kunnen we beter praten.' Hij wees naar een van de oude stoomboten die klaarlagen om het Meer van Genève over te steken. 'En op een dag als vandaag zullen we alle Alpen kunnen zien.'

Ze liepen naar de steiger en gingen aan boord van de eerste boot die vertrok.

'Ziet u die berg?' Aladár wees over de boeg terwijl de raderboot de Zwitserse oever verliet en op Evian, aan de Franse kant, afkoerste. 'Dat is de Mont Blanc. Hij is 4807 meter hoog. De hoogste berg van West-Europa.'

'Meneer Simon, ik moet u iets vertellen.'

'Zeg maar Aladár.'

'Dezelfde naam als uw vader?' vroeg Alex.

Hij knikte. 'Wie heeft u over mij verteld? Magda?'

'Dat probeerde ze. Op het moment zelf begreep ik gewoon niet wat ze zei.'

'Het was altijd moeilijk voor hen, weet u. Mijn vaders familie, zijn officiële familie, heeft mij nooit erkend. Zijn vrouw kwam uit de hogere kringen – een Blauer. Iemand als ik was een beetje een doorn in het oog.' Hij wees naar de optorenende pieken terwijl ze de Franse oever naderden. 'Maar mijn vader was heel lief voor mij en mijn moeder. Hij gaf me alles wat ik me kon wensen – alleen niet de naam Kohen.'

'Maar hij heeft u wel zijn voornaam gegeven.'

'Ja. Tegen de zin van mijn moeder.'

'Hoe dat zo?'

'Je noemt je kinderen niet naar levende verwanten. In elk geval niet in het joodse geloof. Volgens de traditie brengt het ongeluk.' Hij keek haar aan en glimlachte. 'Maar mijn vader heeft voor mij een uitzondering gemaakt. Hij vertelde me dat ik zijn lieveling was. Al weet ik best dat Magda dat in feite was. Ze was zijn prinsesje.'

Hij keek weer naar de bergen. De pieken schitterden in de middagzon. 'Het is vreemd. Ik zal nooit begrijpen waarom hij mij naar de werkkampen liet gaan en zijn enige wettige zoon bij zich hield in Boedapest. Het slaat nergens op. Ik vraag me af of hij wist dat hij, door zijn wettige zoon achter te houden, hem ter dood veroordeelde. En door mij door de fascisten te laten weghalen mij toestond te leven.' De wind blies zijn lange grijze haar alle kanten op.

'In feite waren de werkkampen in Joegoslavië een geluk bij een ongeluk – velen van hen die in Boedapest bleven, eindigden in een concentratiekamp.' Hij ademde diep in. 'Natuurlijk behandelden de bewakers ons afschuwelijk. Maar het was zo laat in de oorlog, we wisten dat het een kwestie van tijd was tot de geallieerden arriveerden.'

De scheepshoorn loeide terwijl de boot de Franse kant van het meer naderde.

'Het amuseerde me altijd,' vervolgde Aladár, 'hoe Goebbels het nieuws zo wist te verdraaien dat de Duitsers er voordelig uitsprongen. Hij beschreef D-day als "de laatste wanhoopsdaad van de verslagen geallieerden". Maar iedereen wist dat de nazi's aan de verliezende hand waren. Dat het slechts een kwestie van tijd was. In Joegoslavië zagen wij de Amerikaanse en Britse bommenwerpers overvliegen die op weg waren om de olievelden in Roemenië te bombarderen. Die aanblik gaf ons hoop. We wisten dat er hulp onderweg was.'

Alex herinnerde zich hoe blij Anne Frank was geweest over de invasie in Normandië. *6 juni 1944. D-day. De invasie is begonnen.* Ze had die datum precies acht dagen geleden in het Anne Frank Huis gelezen, samen met Marco. Waar was hij nu?

'Aladár, ik moet je iets vertellen.'

Hij bleef doorpraten. 'De Russische bevrijders waren bijna even erg als de Duitsers. Overal waar ze kwamen – vooral in de kleine steden – begonnen ze alle jonge vrouwen te verkrachten. Toen ze door Hongarije trokken op hun weg naar Duitsland, ik meen in de herfst van 1944, ben ik aan mijn lange weg terug begonnen. Godzijdank gaven de Zwitsers me de vluchtelingenstatus. Zo heb ik hier al die jaren kunnen wonen. Ik krijg een maandelijkse toelage van de Duitse overheid.' Hij wachtte even. 'Als schadeloosstelling, zie je. Voor wat ze me hebben aangedaan.'

Wanneer zeg je het hem? vroeg Alex zichzelf. *Wanneer zeg je hem dat hij zijn enige familielid dat hij in de wereld nog overhad verloren is?*

'Ziet u die bergen?' Hij wees naar een van de met sneeuw bedekte pieken die in het zicht kwamen boven de haven van Evian. 'Dat zijn de Dents du Midi. Ze zijn 3257 meter hoog. En daar is de Dent Blanche, 4356 meter.'

'Uw vader wist ook precies hoe hoog alle Alpen zijn, toch?'
'Ja. Hij heeft het me geleerd.' Zijn blik werd triest. 'Hoe weet
u dat?'
'Magda noemde het in haar verhaal over de oorlog. Hebt u dat
ooit gelezen?'
'Nee. Waar is het?'
'In New York. Op Columbia University.'
'Ik ben nooit in Amerika terechtgekomen.' Hij schudde zachtjes zijn hoofd. 'En zij is nooit naar Europa teruggekeerd. Ze
heeft me wel wat geld gestuurd. Ik heb nooit kunnen werken,
ziet u. Na de werkkampen heb ik helemaal naar Boedapest terug moeten lopen. Ik wist nog steeds niet of mijn moeder en vader leefden of dood waren. Toen ik er eindelijk aankwam, ben
ik regelrecht naar mijn moeders flat gegaan. De buren vertelden
me dat ze was weggevoerd, naar Auschwitz. Ze is nooit teruggekomen.' Hij haalde diep adem. 'Daarna ging ik naar mijn vaders flat, op Andrassy ùt. Die was bezet door krakers. De buren zeiden me dat hij was gestorven onder de handen van de
fascisten – Hongaarse fascisten – en dat zijn vrouw en kinderen
waren omgekomen in de concentratiekampen. Ik vermoed dat
niemand wist dat Magda het had overleefd. Daar kwam ik pas
later achter, toen ze me opbelde vanuit New York. Ze had van
gemeenschappelijke vrienden gehoord dat ik nog leefde – dat ik
de oorlog had overleefd. Ik was de enige familie die ze nog had
en andersom.'
'Hebt u zelf nooit een gezin gehad?'
'Ik weet waarom je dat vraagt.' Aladár draaide zich om naar
Alex. 'Magda vertelde me over de trusteerekening.' Hij schudde langzaam zijn hoofd. 'Ik kan er niet over uit dat die daar al
die tijd is geweest, minder dan drie uur vanwaar ik woon. Als
ik het had geweten... had ik mijn aandeel kunnen opeisen. Ik
ben per slot van rekening een zoon van Aladár Kohen. Hij had
me tot gelijkwaardig erfgenaam benoemd – samen met Magda
en István – in zijn testament. Helaas was het na zijn dood, na
de dood van zijn vrouw, een enorme chaos. We hadden nooit
gedacht dat er zoveel over was, zoveel waar de nazi's nooit de
hand op hadden weten te leggen.'

'Dit zal u interesseren.' Alex haalde de overeenkomst tussen Aladárs vader en Rudolph Tobler uit haar tas. Ze liet Aladár de regel aan het eind van de tweede alinea zien: 'In geval van hun beider overlijden dient de rekening te worden verdeeld over al hun kinderen.'

Ze overhandigde hem de brief. 'Ik weet zeker dat hij u bedoelde.'

'Ik ook.' Aladár staarde naar de brief. 'Mijn vader was een goed mens. Ik weet zeker dat hij zou goedkeuren wat we met het geld doen. Het is voor ons misschien te laat om ons leven te veranderen, maar wat we wel kunnen doen, is zorgen dat wat ons is overkomen nooit meer iemand anders zal overkomen.'

'Waar doelt u op?'

'Heeft Magda het u niet verteld? We gaan het geld gebruiken om een stichting op te richten die kinderen over de hele wereld gaat voorlichten. Met als doel een eind te maken aan discriminatie.'

'Heeft Magda haar testament veranderd?' vroeg Alex opgewonden.

'Natuurlijk.' Aladár ging naast haar zitten. 'U denkt toch niet dat ze bijna vierhonderd miljoen dollar aan haar katten zou nalaten?'

Hij glimlachte. 'Ze vertelde me ook dat als haar iets overkwam, ik moest zorgen dat ik haar moeders collier aan de vrouw gaf die ons gevonden heeft. Ik vermoed dat ze u bedoelt.'

'Welk collier?'

'Haar moeders favoriete sieraad, naar het schijnt. Ze droeg het naar het bal op de eerste avond dat ze met mijn vader in Boedapest uitging. Het bevatte verscheidene grote diamanten. Magda wilde dat u het kreeg.'

'Zou u me een plezier willen doen?' vroeg Alex. Ze pakte een stuk papier en schreef Zsuzsi's naam en adres in Boedapest op. 'Laten we het aan haar geven. Zij is degene die het echt verdient. Ik ga haar ook wat geld sturen. Voor medische kosten en wat ze verder nodig mag hebben.'

'Maar kan Magda het niet beter zelf aan haar geven?' Hij keek Alex recht in de ogen.

Ze gaf geen antwoord.

'Wat is er?'

Alex nam zijn hand in de hare. 'Aladár, ik moet u iets vertellen.'

Zijn ogen vulden zich met tranen. 'Ze is dood. Is dat het?'

Alex knikte. 'Het spijt me zo.'

Hij bewoog zich niet.

'Het is in het weekend gebeurd. Ze is... We weten niet precies wat er gebeurd is. Ze zeiden dat het een ongeluk was. Maar als het dat niet was, dan beloof ik u dat ik zal zorgen dat de verantwoordelijke...'

'Waarom heeft die man haar niet geholpen? Dat zou hij toch doen?'

'Welke man?'

'Die man uit Zwitserland – haar bankier. Hij zei tegen haar dat hij alles zou regelen.'

'Welke bankier?'

'Ze heeft zijn naam laten vallen. Wat was het ook weer? Schmid, geloof ik.'

'Max Schmid? Van FINACORP? Heeft hij Magda op zaterdag ontmoet? Was Schmid in New York?'

Aladár knikte. 'Hij zei dat hij haar zou helpen. Magda zei dat ze eerst had geprobeerd de vrouw te bereiken die...' Hij knipperde met zijn ogen. 'Ik denk dat ze u bedoelde. Maar ze zei dat ze u niet kon vinden. Dat u al weg was bij de club.'

'O, mijn god.'

'Daarna heb ik niets meer van haar gehoord.'

De boot voer de haven van Evian binnen en liet drie krachtige hoornsignalen horen. Op hetzelfde moment begon Alex' telefoon te trillen. Ze wierp een blik op het lcd-schermpje. Het nummer begon met het Braziliaanse landnummer. Alex nam meteen op.

'Marco?'

'Nee, met Digo. Ik heb je nummer van Tobler, de man naar wie Marco kon bellen.'

'Wat is er gebeurd? Is alles goed met Marco?'

'Nee. Hij is twee dagen geleden gearresteerd. Ik ben meteen teruggevlogen toen ik het hoorde. Ze hebben hem op het vliegveld betrapt met een paar kilo cocaïne.'

'Dat is waanzin.'

'Natuurlijk is het waanzin. Het is het voorwendsel dat ze gebruiken tot ze hebben besloten welke stappen ze willen nemen.'

'Hoe is het met hem?'

'Hij leeft, maar daar is alles mee gezegd. Ze hebben hem behoorlijk toegetakeld.' Het bleef even stil. 'Ik weet niet hoe lang hij het daar zal uithouden, Alex. Je hebt geen idee hoe het daar is. Ik ben net bij hem geweest. Het is een nachtmerrie.'

'Wat zei hij?'

'Niets. Hij wilde niets zeggen. Hij zei alleen dat ik jou moest opbellen. Dat jij wel raad zou weten...'

28

Parijs
Zondag, laat in de middag

De reis met de hogesnelheidstrein van Evian naar Parijs besloeg de langste vier uren uit Alex' leven. Ze bracht het grootste deel van de tijd door met het doornemen van de documenten die Eric op haar laptop had aangemaakt. Op de een of andere manier was het hem gelukt om orde te scheppen in de vloed aan informatie die ze in Brazilië van de computer van De Souza had gehaald. Langzaamaan begon ze te begrijpen wat er speelde. Wat was begonnen als een simpele truc om de belasting te ontduiken voor Miguel Zinners farm, had zich ontwikkeld tot een lucratieve onderneming. De gouverneur had ook een heleboel geld wit te wassen – en hoe zou dat beter kunnen dan via een dikke Zwitserse bankrekening waar niemand op lette?

Voor een klein percentage van de opbrengst had Max Schmid zich bereid verklaard een andere kant op te kijken terwijl De Souza regelmatig het geld van Zinner en de gouverneur via de

Tobler-rekening doorsluisde. Wat kon het Schmid schelen? Belastingontduiking was geen misdrijf in Zwitserland. Zelfs als hij zijn baan kwijtraakte, had hij een miljoenenrekening op de Caymaneilanden opgebouwd.

Met ettelijke honderden miljoenen dollars en niemand anders die toezicht hield dan een oude man die alleen naar de eindsaldi keek, was de trusteerekening van de Kohens het perfecte hulpmiddel. Zolang De Souza het geld voor het einde van het kwartaal weer had weggesluisd, kwam niemand te weten wat hij aan het doen was.

Het geld werd naar de Cyprusfondsen gestuurd in de vorm van beleggingen in nepfondsen die werden gebruikt om het geld wit te wassen en het weer terug te brengen in de handen van de oorspronkelijke eigenaars. Vervalste transacties, zogenaamde beleggingen, schijnverliezen – wat er maar voor nodig was. Ze vonden altijd een manier om het smerige geld schoon te krijgen en weer in de zakken van Miguel Zinner en de gouverneur te laten belanden. Ze vonden zelfs wegen om het geld naar enkele trouwe aanhangers van de gouverneur te laten vloeien, die op hun beurt uiterst genereus waren ten aanzien van zijn campagnes. Ze creëerden nog een tweede Cyprusfonds speciaal voor de extra kosten die het draaiende houden van een succesvolle geldwitwasoperatie met zich meebracht.

Elk kwartaal gingen er verscheidene miljoenen dollars om in de twee fondsen – tachtig procent naar het hoofdfonds, twintig procent naar het kleine. Kwartaal na kwartaal, jaar na jaar. Jaarlijks liep er meer dan honderd miljoen via de rekening.

Maar helemaal steekhoudend was het niet. Waarom zouden ze bereid zijn te moorden om een simpele belastingtruc toe te dekken? Zoals Digo zei, waren er van corrupte zakenlui en corrupte politici dertien in een dozijn in Brazilië. Er moest nog iets anders aan de hand zijn. Maar wat? Hoe ze ook piekerde, Alex kwam er niet uit.

De trein minderde vaart en reed het Gare de Lyon binnen. Zodra hij stilstond, stapte Alex uit en rende naar de deur met het opschrift EXIT – SORTIE.

Wat ging ze hun vertellen? Ze had alleen een smak cijfers. Hoe kon ze Zinner dwingen om Marco te laten gaan als ze niets anders had om in de strijd te werpen? Maar als ze nu niets deed, zou Marco sterven.

Bij de taxistandplaats stond een lange rij – en er zat geen schot in. Alex liep naar voren en zag dat mensen vals speelden; ze klommen door een klein metalen hek om voor te dringen. De mensen in de rij zeiden niets. Kennelijk was vals spelen in Frankrijk, net als in Brazilië, iets wat bij het leven hoorde.
Ze tilde het hek op en stapte in de voorste taxi, een Mercedes. 'Ritz Hotel,' riep ze. 'Zo snel als u kunt.'
De chauffeur scheurde weg en stak de rivier over – om het verkeer te vermijden, zei hij. Toen was hij terug op de rechteroever en racete hij een donkere tunnel door. 'Dat is het Ritz, recht voor ons uit.'
Alex zag een kleine berg van bloemen aan de kant van de weg. De chauffeur zei iets wat klonk als 'lee-die-die'. Toen tikte hij tegen zijn pet.
Pas toen ze bijna bij het Ritz waren, besefte Alex wat hij had aangewezen: de plek waar prinses Diana – Lady Di – was gestorven. Terwijl ze rond het plein voor het hotel reden, ratelden de banden over de keien. Alex dacht aan Lady Diana, die 's nachts over ditzelfde plein was gereden, haar dood tegemoet gereden door een dronken, gedrogeerde employé – iemand die geacht werd haar veilig thuis te brengen. Al bezat ze nog zoveel macht en geld, door toedoen van een onverantwoordelijke employé was ze om het leven gekomen.
Toen begreep ze het ineens. Zinner was hetzelfde overkomen. Ze had alle informatie in haar laptop. Ze hoefde alleen te luisteren naar het verhaal dat de cijfers vertelden.
De chauffeur stopte voor het hotel, maar Alex stapte nog niet uit. Ze pakte snel haar laptop, opende de spreadsheets en bekeek de cijfers opnieuw. Ditmaal wist ze wat ze zocht.
Ze liep kwiek naar de balie. 'Ik kom voor Miguel Zinner,' vertelde ze de receptionist zelfverzekerd.
'Wie mag ik zeggen dat er is?'
'Zegt u maar dat Magda Kohen hier is.'

De receptionist pleegde een kort telefoontje in het Frans en wendde zich toen tot Alex. 'Hij zei dat ik u naar boven mag sturen. Maar u moet een van de privéliften nemen.' Hij wees naar een lange gang aan haar linkerhand die naar de achterkant van het hotel liep. 'Het is achter de Hemingway Bar.'

Terwijl de krakende lift van verguld hout haar naar Zinners verdieping bracht, bestudeerde Alex haar gezicht in de antieke spiegel. Ze zag er mager, moe en bang uit, helemaal niet als iemand naar wie criminelen zouden luisteren.

Ze liep door een smalle gang naar een zacht verlicht portaal. De muren aan weerszijden van de deur waren bedekt met fresco's. Ze toonden een landschap met groene weiden, koeien en schapen in een vredige, pastorale omgeving.

Ze haalde een paar maal diep adem en belde aan, deed een stap terug en wachtte. Ze kon haar hart in haar borst voelen kloppen. *Flink zijn,* zei ze tegen zichzelf.

Een enorme, kale man opende de deur. Alex herkende hem onmiddellijk van de foto's die ze van internet had gehaald. Miguel Zinner was precies zoals Digo hem had beschreven – groot. Toen hij haar zijn hand toestak, fonkelde zijn enorme gouden horloge in het schemerige licht van het portaal.

'*Bom Dia, Senhora.*' Hij drukte haar stevig de hand. 'Het is grote verrassing u te zien.' Zijn hand omvatte de hare volledig. 'Ik dacht, u ongeluk gehad in New York.'

'Mag ik binnenkomen? Ik heb een voorstel voor u.'

'Kom binnen.' Hij liet Alex binnen in de suite en deed de deur achter haar op slot. 'Ik ben per slot zakenman.' Zijn Engels rammelde, maar het was goed genoeg, stelde Alex vast, om te begrijpen wat ze hem te vertellen had.

Ze nam plaats op een antieke sofa voor een vergulde koffietafel en pakte haar laptop uit. 'Mijn naam is niet Magda Kohen, trouwens.'

'Dat dacht ik al...'

'Mijn naam is Alex Payton.' Ze opende de laptop. 'En ik heb hier enkele cijfers die u zullen interesseren.' Ze klikte een spreadsheet open. Zinner ging naast haar zitten en stak een lange sigaar op.

'Ik neem aan dat u het grootste gedeelte zult begrijpen.' Alex klikte een tweede bestand open. 'We hebben een samenvatting in Excel gemaakt om het u makkelijker te maken. Hier, kijkt u maar.'

Zinner zoog ritmisch aan zijn sigaar terwijl ze de documenten die Eric had gemaakt met hem doornam. Na een paar minuten stond hij op en liep naar een glazen deur die naar een groot balkon leidde. Alex kon de Eiffeltoren op de achtergrond zien. Zonder een woord te zeggen opende hij de deur en stapte het terras op. Hij stond daar verscheidene minuten zwijgend te roken en uit te kijken over de daken van Parijs.

Waarom zegt hij niets? vroeg Alex zich af. *Begrijpt hij niet wat ik hem verteld heb? Heb ik niet duidelijk gemaakt dat hij naar me moet luisteren?*

Plotseling kwam Zinner weer naar binnen, pakte haar hand en trok haar overeind, weg van de laptop, naar een kleine deur in de zijmuur van de salon. 'Er is iemand die ik aan u wil voorstellen.' Hij opende de deur en liet haar binnen. 'Na u.'

Ze protesteerde. 'U moet weten dat ik kopieën heb gemaakt van alles wat ik u zojuist heb laten zien. Als mij iets overkomt, zullen mijn collega's...'

'Geen zorgen.' Hij glimlachte terwijl hij haar door een gangetje leidde. 'U kunt me vertrouwen.' Hij leidde haar naar een suite die bijna identiek was – antiek meubilair, zachte verlichting, tapijten aan de gelambriseerde wanden.

Een donkerharige man zat op de sofa met zijn rug naar haar toe. Hij sprak met een mooie jonge vrouw, die tegenover hem zat. Ze droeg felrode lippenstift. Een fles champagne rustte in een zilveren ijsemmer op de tafel tussen hen in.

'Ik heb een vriend die je wil ontmoeten.' Zinners stem dreunde. Hij duwde Alex naar voren en sloot de deur achter hen. De man op de sofa draaide zich om. Zelfs met het verband over zijn neus herkende Alex hem met gemak. Het was José De Souza.

'Wat doe jij hier?' brulde hij. Hij worstelde om overeind te komen. Zijn rechterarm, zag Alex, zat in een mitella, zijn linkerbeen in een beugel.

Ze probeerde terug te gaan door de deur, maar Zinner versperde haar de weg. Hij pakte haar handen en draaide ze op haar rug. 'Naar binnen, nu!'

'Hoe heb je haar gevonden?' De Souza's half geopende overhemd onthulde een dik wit verband over zijn borstkas.

'In feite heeft zij mij gevonden. En ze heeft me een paar uiterst interessante verhalen verteld.' Zinners Engels was plotseling beter geworden, viel Alex op.

De Souza stak zijn hand in zijn overhemd en trok er een revolver uit. Alex wilde terugdeinzen toen De Souza het wapen op haar richtte.

'Niet nodig.' Zinner trok zelf een klein pistool en drukte het tegen Alex' slaap. 'Ik leid deze show nu.' Met één hand hield hij Alex' handen achter haar rug.

'Oké.' De Souza borg zijn revolver weer in zijn hemd.

Alex worstelde om zich uit Zinners greep te bevrijden. 'U zei dat ik u kon vertrouwen,' gilde ze.

'Ik loog.'

Zinner duwde haar naar de andere kant van de tafel.

'Maar hoe kunt u, na alles wat ik u heb laten zien...'

'Denk je nou echt dat je mijn leven, mijn wereld, kunt binnenwandelen en mij voorschrijven wat ik doen moet?' beet Zinner haar toe.

'Maar ik zei u al, als mij iets overkomt, hebben mijn vrienden dezelfde informatie als ik, en ik waarschuw u, ze zullen die gebruiken.'

'Kop dicht.' Zinner ontgrendelde het pistool. 'Jouw informatie kan me geen reet schelen. En je vrienden kunnen me ook aan mijn reet roesten.'

De Souza ging op de rand van de zitbank zitten. 'Je hebt je hand een tikje overspeeld, hè, *chérie*?' Hij glimlachte dreigend. 'Net als met je bezoekje aan Café Photo.' Zijn tanden glommen geel in het schemerige licht.

'Nu ik het erover heb...' Hij draaide zich om naar de vrouw die tegenover hem zat en smeet verscheidene biljetten van honderd euro op de tafel. '*Va fen!*' riep hij.

Ze greep het geld, liep de deur uit en sloot hem zorgvuldig achter zich.

'Ah, de wonderen van Parijs.' De Souza leunde naar achter en glimlachte. 'Weet je wat Hemingway ooit zei over dit hotel? "Wanneer ik van een hiernamaals droom, speelt de handeling zich altijd af in het Parijse Ritz."' Hij stak zijn hand tussen zijn benen. 'Wat zeg je ervan, zullen we afmaken wat we in São Paulo begonnen zijn, *ma chérie*?' Hij krabde aan zijn kruis. 'Alleen heb je ditmaal je vriendje er niet bij om me tegen te houden.'

Alex probeerde los te komen, maar Zinner hield haar in een bankschroefachtige greep. De koude loop van zijn pistool drukte hard tegen de rechterkant van haar hoofd.

'Moet je zien wat die rotzak me heeft aangedaan.' De Souza hield zijn gebroken arm met zijn goede hand omhoog. 'Wat was zijn naam ook weer? Marco Ferreira?' Hij reikte naar een van de kranten die naast de champagne-emmer lagen. 'Een aardige naam. Het klinkt Italiaans, hè? Dat maakte het ons makkelijker. Echt een naam die mensen met de maffia associëren – en met drugssmokkel.' Hij hield de krant zo op dat Alex hem kon lezen.

De krant was in het Portugees. Het enige wat ze begreep was de datum. Hij was van zaterdag, de dag nadat ze São Paulo had verlaten.

'Goddank was de Polícia Federal maar al te bereid de klootzak te grijpen toen hij probeerde te vluchten.' Hij draaide de krant om en toonde haar de foto onder aan de voorpagina. 'Moet je hem zien. Is het geen plaatje?'

Marco werd weggevoerd door verscheidene politieagenten. Zijn gezicht was gezwollen en bebloed. Een van de politiemannen droeg een stapel witte pakketjes. Ze hadden er net zo goed het woord 'cocaïne' op kunnen schrijven.

'Eén ding is zeker. Onze kleine drugsvangst heeft de campagne van de gouverneur echt geholpen.' De Souza wierp de krant terug op de tafel. 'Een cocaïnesmokkelaar opgepakt op de luchthaven van São Paulo. De pers likte zijn lippen af. De gouverneur was erg in zijn nopjes.'

'Over de gouverneur gesproken,' Zinner duwde Alex naar voren, 'onze jonge vriendin hier vertelde me een interessant verhaal over wat er is gebeurd met het geld van de gouverneur in Zwitserland.'

'En?' De Souza keek ongeïnteresseerd.

'Ze heeft een interessante theorie. Ik vind dat we die moeten horen.'

De Souza's mobiele telefoon ging over. Hij diepte hem op, keek op het lcd-schermpje, glimlachte sluw en keek toen naar Alex. 'Het lijkt erop dat een van je vrienden me wil spreken.'

Hij sprak een moment in het Frans met een zwaar accent.

Ondertussen duwde Zinner Alex in de stoel waar de prostituee had gezeten. Hij greep haar nek met zijn ene hand en hield met de andere de loop van het pistool tegen haar slaap gedrukt.

Haar hart bonsde. Ze vroeg zich af waarom hij haar zo behandelde, vooral na alle informatie die ze hem zojuist had gegeven. De Souza hing op. 'Ik hoor dat je onze vriend Max Schmid in Zürich met een bezoek hebt willen vereren.' Hij stopte de telefoon in zijn zak. 'Nou, het ziet ernaar uit dat je hem eindelijk zult ontmoeten. Hij is op weg naar boven. Wie weet, misschien laten we je wel door hém doden.'

Alex worstelde om aan Zinners greep te ontsnappen. 'U doet me pijn, en ik zweer u dat mijn vrienden naar de politie zullen stappen. Ze zullen het aan iedereen vertellen – de Braziliaanse kranten, cnn, de politie in Brazilië, New York, Zwitserland...'

Hij lachte. 'Jij naïef vrouwtje. Denk je dat het ons wat uitmaakt wat de politie doet? Wat de kranten zeggen? Brazilië is door en door corrupt – het is aan de orde van de dag. Denk je dat iemand iets tegen ons zal beginnen? Denk je dat het iemand iets kan schelen?' Hij greep haar nek. 'Dacht je nou echt dat je ons kon bedreigen?'

'Dat we die rekening kwijt zijn geraakt maakt ons niets uit,' voegde De Souza eraan toe. 'Zolang we ons geld maar terugkrijgen. We vinden heus wel weer een andere. Dat is nog altijd gelukt.'

'Als het verlies van die rekening niets uitmaakte, waarom vermoordden jullie Ochsner dan?' vroeg Alex. 'En waarom moest je Magda vermoorden?'

De Souza schudde zijn hoofd en glimlachte. 'Misschien vind je het moeilijk te geloven, maar ze is echt aan een hartaanval over-

leden. Natuurlijk heeft onze vriend *monsieur* Schmid haar af-
gelopen vrijdag een bezoekje gebracht. Misschien is hij wat ruw
geweest, maar waarom zouden we haar vermoorden?' Hij zweeg
even. 'Hij wilde alleen zorgen dat ze de betalingsopdracht tekende. Wat ze braaf gedaan heeft. Wat er daarna met haar gebeurde, was ons probleem niet.'
'En Ochsner?' vroeg Zinner.
De Souza leek verbaasd over de vraag.
'Hoezo Ochsner?'
'Waarom moest julle hem zo nodig doden?'
'Om jou te beschermen!' riep De Souza. 'We moesten wel.'
Er werd op de deur geklopt. '*Entrez!*' zei Zinner. '*Ah! Bonjour,
monsieur Schmid.* Fijn dat u zich bij ons voegt.' Alex draaide
zich om naar de open deur en zag Jean-Jacques Crissier kordaat
naar binnen lopen.
'Kijk eens aan. Alex Payton. Wat een verrassing.' Hij sloot de
deur zorgvuldig achter zich en liep naar haar toe. 'Het ziet er-
naar uit dat je eindelijk hebt gevonden waar je naar zocht, nietwaar?'
Alex' hart klopte wild.
'Ze stond juist op het punt ons te vertellen waarom Georg Ochsner is vermoord.' Zinners vingers grepen Alex' nek stevig beet.
'Waarom herhaal je niet tegen monsieur Schmid wat je mij in
de andere kamer hebt verteld?'
'Hij heet niet Schmid, maar Crissier,' mompelde Alex.
'Nee, ik heet echt Schmid.' Hij kwam dichterbij, tot zijn buik
nog maar centimeters van haar gezicht verwijderd was. 'Ik gebruikte de naam Crissier alleen om mijn baan bij HBZ te krijgen. Ik...'
'Je hoeft haar niets te vertellen,' schreeuwde De Souza.
'Vertel het dan aan mij!' Zinner klonk kwaad. 'We doen dit niet
voor haar, we doen dit voor mij!
Ga je gang,' zei hij tegen Schmid. 'Vertel ons waarom je aan
computers van de Helvetia Bank Zürich werkte terwijl je geacht
werd op ons geld te letten.'
'Ik deed het voor u en de gouverneur. Toen ik hoorde dat ze de
computers gingen opschonen, moest ik zorgen dat ze niet ont-

dekten wat er in 1987 was gebeurd. Om te voorkomen dat het onze operatie in gevaar bracht.'

'Wat dondert het mij wat je in 1987 deed?' vroeg Zinner.

'In feite heb ik helemaal niets gedaan. Ik voerde eenvoudig opdrachten uit voor de vader van Rudi Tobler. Ik was destijds zijn IT-consultant, hielp hem om het systeem van HBZ op zijn computers te installeren. Hij liep forse klappen op tijdens de beurskrach en zat verlegen om een snelle oplossing. Al zijn andere geld zat vast in onroerend goed en kunst en...'

'Wat heeft dat met mij te maken?' onderbrak Zinner hem. Vreemd genoeg was zijn greep op Alex' nek wat minder stevig geworden. Hij gebruikte zijn duim nu om haar schedelbasis te masseren. 'Ik wil het weten.'

'Toen ik hoorde dat HBZ zijn computers ging opschonen, moest ik zorgen dat niemand ontdekte wat ik in 1987 had gedaan.'

'Hebt u daarom Rudi's vader vermoord?' vroeg Alex.

'Ik heb hem niet vermoord. Dat was niet nodig. Hij verloor zijn verstand. Toen ze onderzoek gingen doen naar het gerommel met zijn rekening gedurende de beurskrach, raakte hij in paniek. Hij stapte op het vliegtuig naar Tunesië, zei dat Zürich niet meer veilig was. Dat ze achter hem aan zaten. Hij was gek geworden. Ik hoefde hem helemaal niet te duwen. Hij is helemaal uit zichzelf gesprongen. Ik heb alleen toegekeken.'

'Heb je Georg Ochsner ook zelfmoord zien plegen?' vroeg Zinner.

'Nee.' De Souza antwoordde snel, autoritair. 'Hem hebben we een handje geholpen. We deden het voor u. En voor de gouverneur. Om de rekening te beschermen. Om uw geld te beschermen.'

Hij wees naar Alex. 'We kregen de oude man zelfs zover dat hij ons voor zijn dood over háár vertelde.'

'Hij gaf ons niet je naam, maar ik wist dat hij jou bedoelde.' Schmid keek Alex kwaad aan. 'Maar ik moest zeker zijn. Daarom droeg ik een paar mannetjes van de gouverneur op om je naar Amsterdam te volgen.'

'Wat?' brulde De Souza.

Schmid keek verbaasd. 'Waarom niet? Hij zei dat ik hen mocht gebruiken, iedereen mocht gebruiken die ik nodig had om te zorgen dat hem niets gebeurde. Dat er niets gebeurde met het geld op zijn rekening. Hoe kon ik weten dat die ene die op de ambassade werkte verliefd op haar zou worden?'

'Werkte Marco Ferreira voor jou?' riep De Souza uit. 'Waarom heb je me dat verdomme niet verteld?' Hij wees naar de littekens op zijn gezicht. 'Moet je zien wat hij me heeft aangedaan!'

'Ik moest het weten,' antwoordde Schmid kalm. 'Ik moest weten wat zij wist. Toen Ochsner me opbelde na zijn gesprekje met haar, en zei dat hij wat aan de rekening wilde veranderen, dat hij álle oude documenten wilde zien, moest ik wel iets doen.'

'Dus toen heb je hem maar vermoord?' vroeg Zinner.

'Natuurlijk. Hij zou erachter zijn gekomen wat we met de rekening hadden gedaan,' antwoordde Schmid zakelijk. 'Wat moesten we anders?'

'Maar waarom ga je iemand vermoorden die bij ons op de loonlijst stond?' vroeg Zinner. 'Iemand die voor ons werkte?'

'Ochsner?' vroeg Schmid ongelovig. 'Hij had geen flauw idee waar we mee bezig waren.'

'Jij weet niets.' De Souza schoof moeizaam naar de rand van de sofa. 'Dus waarom hou je je mond niet gewoon?'

'Omdat ik niet wil dat hij zijn mond houdt,' hield Zinner vol. 'Ik wil weten waarom we iemand zouden doden die we miljoenen dollars per jaar betaalden om ons te helpen...'

'Miljoenen dollars per jaar?' Schmid keek sceptisch. 'Voor die dwaas?'

'Maar José zei me dat we Ochsner moesten betalen om de raderen in Zwitserland te smeren. Vijf procent van het totaal. Elk jaar. Hetzelfde wat we jou betaalden.'

'Heeft hij u dat wijsgemaakt?' Schmid wierp een blik op De Souza. 'Je betaalde me nog geen schijntje daarvan...'

'Ik zei dat je je mond moet houden.' De Souza stond op en ging op zijn goede been staan. 'Je weet niet waar je over praat.' Hij reikte in zijn overhemd en trok zijn pistool. 'Ik zei je dat je mij altijd het woord moest laten doen.'

Terwijl hij sprak, schroefde De Souza langzaam een zwarte cilinder aan het uiteinde van de loop. 'Je hebt geen idee van wat er speelde. Nooit gehad ook.'

'Nou, ik wel,' donderde Zinner. 'En ik wil weten waarom we twintig procent van het geld betaalden aan mensen die geen idee hadden van het bestaan van de rekening.'

'Betaalden wij twintig procent?' vroeg Schmid.

'Precies,' antwoordde Zinner. 'De twintig procent in het kleine Cyprusfonds zou door vieren worden gedeeld: vijf procent voor jou, vijf procent voor mijn trouwe assistent, vijf procent voor Ochsner en vijf procent voor Rudolph Tobler.'

'Rudolph Tobler? Kom nou!' Schmid begon achteruit te lopen. Weg van De Souza. Weg van Zinner. 'Waarom zouden we vijf procent van het geld aan iemand betalen die al sinds 1987 dood is?'

'Niet de vader. De zoon.' Zinner liet Alex' nek los en liep op Schmid af. 'José vertelde me dat we hem moesten betalen, om hem koest te houden. Zodat we zijn vaders oude rekening konden gebruiken om ons geld wit te wassen.'

'Dat is absurd. Tobler wist niets van de rekening. Wie dat heeft verteld is...' Plotseling verscheen er een klein gaatje in het midden van Schmids voorhoofd.

Alex besefte pas wat er gebeurde toen hij op de grond zakte – pas toen ze de dunne film van bloed en hersenen op het wandtapijt achter hem zag.

Ze keek naar De Souza. Er kwam een klein rookpluimpje uit zijn revolver. Hij richtte hem op haar. Plotseling rende Zinner op De Souza af.

Alex zag zijn rechterschouder exploderen. Zijn pistool viel op de vloer. Alex dook ernaartoe.

De Souza richtte zijn revolver weer op haar en stond op het punt de trekker over te halen, toen Zinner hem met het volle gewicht van zijn lichaam tegen de muur smeet. Met zijn goede hand greep hij de loop van het wapen en draaide het naar het gezicht van De Souza.

De Souza hield de greep stevig vast. Ze begonnen allebei in het Portugees te schreeuwen. Alex raapte Zinners pistool op en stond op.

'Schiet!' brulde Zinner. Met zijn goede hand hield hij de loop van De Souza's pistool in 's mans mond. Maar De Souza hield zijn hand op de greep – en aan de trekker.

'Doe iets!' brulde Zinner naar Alex. 'Ik heb je hulp nodig. Dood hem of hij doodt ons allebei.'

Ze verroerde zich niet.

'Dood hem en het is allemaal voorbij – voor ons allebei.' Hij vocht om De Souza tegen de muur gedrukt te houden.

Alex staarde naar het pistool in haar handen. Op de greep waren gebonden pijlen gegraveerd. Ze hief het wapen en richtte het op De Souza. Ze moest beide handen gebruiken om het stil te houden.

'Nee. Niet zo,' riep Zinner. 'Gebruik zijn wapen. Zorg dat hij de trekker overhaalt. We moeten zorgen dat het lijkt alsof hij zelfmoord heeft gepleegd. Nadat hij Schmid had gedood.' Alex verroerde zich niet.

'Kom hier.' Zinner worstelde om De Souza tegen de muur gedrukt te houden. 'Ik heb je nodig.'

Alex vroeg zich af of ze gewoon weg kon lopen en het hen laten uitvechten. Een van de twee zou het overleven. Wat zou hem ervan weerhouden achter haar aan te komen? En achter Rudi? Eric? Of Aladár?

'Kom hier,' brulde Zinner. Bloed stroomde uit zijn schouder, op de borst van De Souza. 'Je moet me helpen. Ik kan dit niet alleen.'

Alex legde het pistool neer en deed een stap naar voren.

'Duw zijn vinger gewoon tegen de trekker,' riep Zinner. 'En ik beloof je dat ik zal zorgen dat de gouverneur je vriend laat gaan. Beloof alleen dat je nooit met iemand zult praten over wat hier gebeurd is.'

De Souza probeerde iets te zeggen, maar met de loop in zijn mond was het onverstaanbaar.

'We hebben slechts deze ene kans,' zei Zinner kalm, vastberaden. 'Maar als je het gaat doen, moet je het nu doen.'

Ze kon zien dat zijn krachten het begaven.

Alex liep op hen af en staarde in De Souza's ogen. Ze zag angst. Ze zag paniek. Dezelfde paniek die Magda moest hebben gevoeld toen ze bij haar inbraken. Dezelfde angst die Ochsner moest hebben gevoeld toen Schmid en De Souza hem van de brug duwden. Dezelfde paniek die Alex voelde toen hij haar probeerde te verkrachten. Ze stak haar hand uit en beroerde met haar wijsvinger de bebloede hand van De Souza. 'Doe het, nu!' riep Zinner. 'En je bent vrij. Jullie allemaal. Ik beloof het.'

'Hoe kan ik u vertrouwen?' vroeg Alex.

'Je hebt mijn woord.'

'Nadat u me zojuist hebt verraden?'

'Ik heb je niet verraden. Ik wilde het uit De Souza's eigen mond horen. Wat hij gedaan heeft. Hoe hij mij verraden heeft. Ik ben nooit van plan geweest om je iets aan te doen. Ik beloof je dat ik zal zorgen dat iedereen veilig is. Help me gewoon om dit af te handelen.'

Ze legde haar hand op die van De Souza.

'Alsjeblieft,' fluisterde Zinner. 'Jij bent de enige die het kan doen.'

Hij had gelijk. Zelfs als Zinner zijn goede hand vrij zou kunnen maken, was zijn vinger te dik om achter die van De Souza rond de trekker te passen. Alex legde haar vinger over die van De Souza en kneep licht. Hij verzette zich wanhopig. Zinner hield hem steviger vast. 'Doe het nu!' schreeuwde hij. 'Ik kan hem niet veel langer houden.'

Ze kneep harder.

'Alsjeblieft,' smeekte Zinner. 'Het is de enige manier om het op zelfmoord te laten lijken. Het is de enige manier om hier levend weg te komen – en er een eind aan te maken.'

Epiloog

Lieve Alex,

Het is halfvijf in de ochtend en ik
zit hier een Manhattan te drinken uit
een drinkbeker met een tuit. Ik ben zo
daas dat ik bang was dat ik het
kristal zou breken. En het griezelige is
dat het de gewoonste zaak van de wereld
lijkt.
Het begint net licht te worden - het
begin van de winter betekent lange
nachten en heel korte dagen hier in
Amsterdam. En het lijkt of ik al mijn e-
mails de laatste tijd tegen zonsopkomst
schrijf.
Bij Jannik komen de eerste tandjes door,
en ik heb niet echt meer geslapen sinds
je hier in september was. De arme schat
huilt zo veel dat ik hem zelfs hoor als
hij weer stil is. Daar is vast een naam
voor. Zoiets als het constante gegons in
je oren als je te lang in een disco bent
geweest. Je kent dat wel. Of misschien
ook niet.
Gisternacht werkte zijn gehuil me zo op
de zenuwen dat ik de bourbon heb gepakt,
mijn vinger in de fles heb gestoken en
ermee over zijn tandvlees heb gewreven.
Het leek zelfs te helpen. Zie je het
voor je, hoe ik op het consultatiebureau
uitleg dat ik de gewoonte heb de
binnenkant van Janniks mondje met
sterkedrank in te smeren?
Het spijt me dat ik zo doorzeur, het

moet klinken alsof ik aan hersenverweking
lijd. Wie zal het zeggen.
Waar zit je in hemelsnaam? Je eet vast
in chique restaurants en draagt vast
mooie kleren die niet naar zure melk
stinken of onder de spuugvlekken zitten.
Je leest natuurlijk je krantje in bed,
nipt van je sinaasappelsap en drinkt
knus een kop koffie met Marco aan je
zijde. En je kunt Manhattans drinken uit
een echt glas.
Ik ben net even bij Jannik wezen kijken.
Hij is voor de derde keer wakker terwijl
ik dit schrijf. E-mail is een
godsgeschenk - we zouden nooit een
fatsoenlijk telefoongesprek kunnen
voeren.
En ONTZETTEND bedankt voor al het
lekkers en het speelgoed dat je Jannik
stuurde! Het is vanmorgen aangekomen. Hij
is in de wolken. Je hebt het veel te gek
gemaakt, joh!
Trouwens, wanneer ga je me vertellen
hoeveel geld je in je moeders
nalatenschap hebt gevonden? Het moet heel
wat zijn - om je baan bij Thompson
zomaar op te kunnen geven. Ik kan nog
steeds niet geloven dat je op het idee
kwam om te gaan uitzoeken wat die
verschrikkelijke verpleegster van haar in
haar schild voerde. Ik hoop dat ze naar
de hel gaat voor wat ze deed. Maar ik
ben blij dat je hebt besloten het
allemaal achter je te laten - en dat je
Marco hebt vergeven voor wat hij maar
gedaan mag hebben. Het is zo'n lieverd.
We verheugen ons erop jullie met

Kerstmis te zien (is het al over drie weken?). Janniks eerste Kerstmis en Chanoekah met jullie hier bij ons. Het wordt fantastisch. Jammer dat jullie niet langer kunnen blijven. Wanneer begin je in New York, tussen haakjes? In januari? Ik ben zo blij dat je het aanbod om die stichting te leiden hebt geaccepteerd – het zal je gedachten wat afleiden van je moeder en wat haar is overkomen. En wat geweldig dat je collega uit Zürich zei dat hij je wil helpen. Bij Thompson hebben ze vast zwaar de pee in dat ze jullie zomaar kwijt zijn geraakt, maar ja, een mens moet doen wat-ie moet doen, hè?

Ik kan er nu beter een punt achter zetten. Je-weet-wel huilt weer.

Liefs,
Nan

P.S. Je hebt me nooit verteld hoe het is afgelopen met die rekening die je in Zürich had gevonden. Was je al weg bij de bank voordat je een kans kreeg om het uit te zoeken? Ik vond pas wat materiaal op internet dat je misschien zal interesseren. De zoveelste slapeloze nacht, wat moest ik anders? Wist je dat ze meer dan vijftigduizend Zwitserse rekeningen hebben gevonden die toebehoren aan slachtoffers van de holocaust? In de meeste gevallen ging het echter om slapende rekeningen. Ik ben weinig tegengekomen over trusteerekeningen. Vreemd genoeg stond de meest onthullende

informatie op de site van het Zwitserse
Bank Consortium – kun je nagaan. Er
waren twee vragen (en antwoorden) waarvan
ik dacht dat je ze misschien interessant
vindt. Ik heb ze voor je bewaard:

Vraag: Wat houdt het Zwitserse bankgeheim
precies in?

Antwoord: Onder de Zwitserse wet is het
recht van het individu op vrijheid en
eigendom volledig beschermd. Dezelfde
wetgeving is van toepassing ongeacht of
vermogens die aan een Zwitserse bank
zijn toevertrouwd, aan een Zwitserse
staatsburger of aan een buitenlander
toebehoren. Zwitserlands geroemde
bankgeheim beschermt alle cliënten en hun
vermogens tegen toegang door onbevoegde
personen of officiële instanties, op
voorwaarde dat de vermogens niet
afkomstig zijn van activiteiten die door
de Zwitserse wet als crimineel worden
aangemerkt.

Vraag: Ik heb gehoord dat de lijst van
Zwitserse rekeningen veel slapende
rekeningen omvat die zijn geopend door
Zwitserse vertrouwensmannen ten behoeve
van slachtoffers van de holocaust. Is
dat waar?

Antwoord: In feite kan een bank niet
weten of er een slapende rekening is
geopend door een vertrouwensman. Voor en
tijdens de Tweede Wereldoorlog was iemand
die namens iemand anders een Zwitserse

bankrekening opende niet verplicht die
informatie aan de bank te verstrekken.
Het is echter zeer onwaarschijnlijk dat
de lijst van Zwitserse rekeningen een
significant aantal slapende rekeningen
omvat die geopend zijn door
vertrouwensmannen van slachtoffers van
nazivervolging. Als een vertrouwensman
correct had gehandeld, zou hij – of zij
– de vermogens aan hun rechtmatige
eigenaar hebben overgedragen.

Vind je hun antwoord op die laatste vraag niet geweldig? Het
maakt dat je je afvraagt hoeveel van die trusteerekeningen er
nog bestaan, toch?